Adam Mickiewicz

Messire Thaddée
(Pan Tadeusz)

ADAM MICKIEWICZ

Messire Thaddée

(Pan Tadeusz)

OU

LE DERNIER RAID EXECUTIF EN LITUANIE
UNE HISTOIRE DE GENTILSHOMMES POLONAIS
DES ANNEES 1811 ET 1812
EN DOUZE LIVRES ET EN VERS

POEME TRADUIT DU POLONAIS ET ANNOTE

PAR RICHARD WOJNAROWSKI

Les explications que l'auteur a jointes à son poème font l'objet de notes de bas de page. Le traducteur a pris la liberté d'en rajouter quelques autres, qui seront peut-être utiles au lecteur. Elles sont imprimées en italique pour pouvoir être distinguées de celles du poète.

Les patronymes et toponymes figurent en général avec leur orthographe originale. Qui souhaiterait les prononcer à la polonaise trouvera in fine quelques règles à cet effet.

Page de couverture : détail du tableau « La cueillette de champignons, illustration pour le Livre III du poème Pan Tadeusz » de Franciszek Kostrzewski (environ 1860).

Je dédie cette traduction à ma cousine Teresa

AVERTISSEMENT

Mickiewicz a écrit son poème en vers alexandrins polonais de 13 pieds.

La présente traduction ne comporte ni rime ni raison. Son auteur avait le choix entre trahir le fond en l'enfermant dans une forme qui ne lui est pas forcément adaptée, ou trahir la forme en respectant au mieux le fond. Quitte à renoncer à la merveilleuse musique du poème, il a choisi la deuxième solution, mais en traduisant tout de même strictement vers par vers et s'en tenant au plus près du texte original.

De toute façon *traduttore, traditore* !

LE DERNIER RAID EXECUTIF[1] EN LITUANIE[2]
UNE HISTOIRE DE GENTILSHOMMES[3] POLONAIS

[1] Du temps de la République Polonaise, l'exécution des jugements des tribunaux était très difficile dans un pays où le pouvoir exécutif ne disposait pratiquement d'aucune police sous ses ordres, et où les citoyens puissants entretenaient des régiments auprès de leur cour, et certains même, comme les princes Radziwiłł, des troupes de plusieurs milliers d'hommes. En conséquence, le plaignant qui obtenait un jugement devait s'adresser, pour son exécution, à l'ordre des chevaliers, autrement dit l'ordre des gentilshommes, qui disposait lui aussi d'un pouvoir exécutif. Des membres de la famille en armes, des amis et des voisins partaient avec la sentence en mains et en compagnie de l'huissier, prenaient possession (non sans fréquente effusion de sang) des biens qui avaient été attribués par jugement au plaignant, que l'huissier saisissait alors conformément à la loi ou remettait en propriété à qui de droit. Une telle exécution armée d'une décision de justice s'appelait « zajazd » *(que nous traduisons faute de mieux par « raid exécutif »).* Dans les temps anciens, tant que le droit fut respecté, même les seigneurs les plus puissants n'osaient s'opposer aux jugements, les raids armés étaient rares, et la violence ne restait pratiquement jamais impunie. On connaît par les chroniques la triste fin du prince Wasil Sanguszko et de Stadnicki dit le Diable. La détérioration des mœurs publiques dans la République multiplia les raids, qui troublaient en permanence la tranquillité de la Lituanie.

[2] *Le Grand-Duché de Lituanie et le Royaume de Pologne ont conclu un accord politique et dynastique en 1385, par lequel le Grand-Duc de Lituanie devenait également Roi de Pologne, sous le nom de Władysław II Jagiełło et s'engageait à incorporer la Lituanie au Royaume de Pologne. Cet accord a été remplacé en 1569 par une union beaucoup plus étroite, l'Union de Lublin, par laquelle les deux Etats fusionnaient pour former la République des Deux Nations, monarchie élective, dont les langues officielles étaient le polonais et le latin. A l'apogée de sa puissance, cette fédération multiethnique s'étendait de la Baltique à la Mer Noire. Elle fut rayée de la carte d'Europe en 1795, à la suite des trois dépeçages successifs (1772, 1793, 1795) de la République opérés par ses puissants voisins (Russie, Prusse et Autriche). L'éphémère Duché de Varsovie constitué en 1807 par Napoléon 1ᵉʳ ne survivra pas à l'épopée napoléonienne et sera repartagé par le Congrès de Vienne de 1815 entre ses trois occupants initiaux. Aujourd'hui Lituanie et Pologne forment deux pays indépendants, parlant chacun sa propre langue, à l'intérieur de frontières plusieurs fois redessinées au gré des vicissitudes historiques.*

[3] *L'adjectif « szlachecki » qu'emploie le poète dans son sous-titre se rapporte à une réalité composite : la « haute noblesse » des magnats, regroupant à cette*

La République Polonaise, encore appelée République des Deux Nations, en 1772 (teinte claire) et les frontières approximatives des Etats en 2020 (grosses lignes noires) ; cerclée de noir, la région de Nowogródek où grandit Mickiewicz, et qui constitue la toile de fond de son poème.

époque quelques centaines de familles propriétaires d'immenses domaines et détentrices des plus hautes charges de la République, et la « petite et moyenne noblesse », environ 10 % de la population, gentilshommes et hobereaux plus ou moins riches de villages et de terres, mais toujours très jaloux de leurs prérogatives et libertés. Tous les membres de la « szlachta », les « szlachcice », que nous traduisons ici par « gentilshommes », se considéraient comme les égaux du plus grand des magnats.

LIVRE PREMIER

LE DOMAINE

*

Sommaire :

Le retour du jeune seigneur.
Première rencontre dans la petite chambre, la deuxième à table.
Importante leçon du Juge sur la politesse.
Remarques politiques du Chambellan à propos des modes.
Début de la dispute au sujet du Courtaud et du Faucon.
Les récriminations du Substitut.
Le dernier Huissier du Tribunal.
Coup d'œil sur la situation politique de la Lituanie et de l'Europe
à l'époque.

*

O Lituanie ! ô ma patrie ! tu es comme la santé ;
   Combien il convient de t'apprécier, seul l'apprend celui
Qui t'a perdue. Aujourd'hui ta beauté dans toute sa splendeur
Je vois et je décris, car j'ai le mal de toi.

O Sainte Vierge, Toi qui défends la claire colline de Częstochowa
Et resplendis dans la Porte de l'Aurore[4] ! Toi qui le château
De Nowogródek ainsi que ses habitants fidèles protèges !
De même que, enfant, miraculeusement Tu me rendis la santé
(Lorsque, par ma mère en pleurs à Ta protection
Confié, j'ai relevé une paupière morte   10
Et pus aussitôt à pied à la porte de Ton sanctuaire
Me rendre pour remercier Dieu de m'avoir rendu la vie),
Par le même miracle Tu nous renverras dans le giron de la Patrie !
En attendant, transporte mon âme languissante
Auprès de ces collines boisées, de ces prairies verdoyantes,
Largement étalées sur les bords bleus du Niémen ;
Auprès de ces champs que des céréales de toute sorte colorent,
D'or pour le blé, d'argent pour le seigle ;
Où la moutarde des champs ambrée, le sarrasin blanc comme neige,
Chatoient et le trèfle rosit d'un teint de jeune fille,   20

---

[4] Tout le monde en Pologne connaît l'icône miraculeuse de la Vierge de Jasna
Góra *(« la Claire Colline »)* à Częstochowa. En Lituanie sont célèbres pour leurs
miracles les icônes de la Vierge de la Porte de l'Aurore *(« Ostra Brama »)* à
Wilno *(aujourd'hui Vilnius, capitale de la Lituanie)*, de la Vierge du Château à
Nowogródek *(aujourd'hui Navahroudak en Biélorussie, où le poète fut baptisé
et passa son enfance et son adolescence)*, ainsi que de la Vierge de Żyrowicze
et de Boruny *(ces localités se trouvent aujourd'hui en Biélorussie)*.

Et l'ensemble comme s'enrubanne d'une bordure
Verte, sur laquelle quelques rares poiriers en silence se tiennent.

Au milieu de champs semblables, jadis, au bord d'un ruisseau,
Sur une petite hauteur, dans un bosquet de bouleaux,
Se dressait un manoir en bois, mais au sous-bassement en dur ;
Ses murs blanchis de loin se voyaient,
D'autant plus blancs qu'ils se détachaient sur la sombre frondaison
Des peupliers qui le protègent des vents d'automne.
L'habitation était modeste, mais propre de partout,
Et disposait d'une vaste grange, avec à côté trois meules   30
De récolte n'ayant pu trouver place sous le toit de chaume ;
On voit que la région est généreuse en blés,
Et l'on voit au nombre de gerbiers quadrillant les lanières des champs,
Brillant comme des amas d'étoiles, on voit au nombre des charrues
Effectuant un premier labour sur d'énormes parcelles en jachère
D'une terre noire, appartenant certainement au manoir,
Se prêtant aussi bien à la culture que des plates-bandes de jardin :
On voit donc que dans cette maison règnent l'aisance et l'ordre.
Le portail grand ouvert aux passants manifeste
Son caractère accueillant et à tous propose son hospitalité.   40

Un jeune seigneur venait de le franchir en briska à deux chevaux
Et ayant fait le tour de la cour revint devant le perron,
Sortit du véhicule ; les chevaux, abandonnés à eux-mêmes,
Broutant l'herbe s'approchaient doucement du portail.
Le manoir était désert car sa porte d'entrée était fermée
Par des crochets au travers desquels on avait passé une cheville.
Le voyageur ne courut pas à la ferme se renseigner auprès du personnel,
Il ouvrit, se précipita dans la maison, ayant hâte de la saluer ;
Il ne l'avait pas vue depuis longtemps, car dans une ville lointaine
Il terminait ses études, et ce terme tant attendu était enfin arrivé.   50
Il s'empresse d'entrer et d'un œil avide ces murs antiques
Regarde avec émotion, comme de vieilles connaissances.
Il voit ces mêmes instruments, ces mêmes tapisseries
Dont il aimait s'amuser depuis sa naissance ;
Mais ils étaient moins grands, moins beaux, qu'il ne lui semblait avant.
Et il y avait aux murs les mêmes portraits.

Ici Kościuszko[5] dans sa redingote cracovienne, les yeux
Levés au ciel, tient son sabre à deux mains ;
Il était ainsi lorsqu'il jurait sur les marches de l'autel
De chasser de Pologne les trois potentats avec ce sabre   60
Ou bien de se jeter sur lui. Plus loin en habit polonais
Se tient Rejtan[6] lamentant la liberté perdue,
Tenant à la main un couteau dirigé contre son sein,
Devant lui le Phédon[7] et la vie de Caton[8].
Plus loin Jasiński[9], beau et mélancolique jeune homme,
A ses côtés Korsak, son inséparable compagnon,
Debout sur les remparts de Praga[10], sur des tas de Moscales[11],
Hachant menu l'ennemi, tandis que tout autour Praga flambe déjà.
Même la vieille horloge verticale à carillon
Dans sa vieille armoire à l'entrée d'un renfoncement il reconnut,   70
Et avec une joie enfantine tira sur son cordon,
Pour entendre cette vielle mazurka de Dąbrowski[12].

Il courait ainsi dans toute la maison et cherchait la pièce

---

[5] *Dirigeant et héros de l'insurrection de 1794 contre la Russie et la Prusse.*
[6] *Député de Nowogródek à la Diète de Varsovie (1773-1775) qui devait entériner les dispositions du premier partage de la République, il tenta vainement de défendre l'intégrité de la Pologne et de s'opposer à une faction rivale favorable au partage. Mis à l'écart de la vie publique, il se serait suicidé.*
[7] *Dialogue philosophique de Platon racontant la fin de Socrate et ses dernières considérations sur la mort.*
[8] *Caton le Jeune, dit Caton d'Utique, dans « Les vies des hommes illustres » de Plutarque ; ne voulant pas survivre à la République et à la liberté, il se donna la mort en se transperçant de son épée.*
[9] *Général insurrectionnel compagnon de Kościuszko, mort en 1794 en défendant Varsovie devant les armées de Souvorov.*
[10] *Localité limitrophe puis quartier de Varsovie, en rive droite de la Vistule, où se déroula en 1794 une fameuse bataille des insurgés de Kościuszko contre l'armée impériale russe, donnant lieu à un terrible massacre de la population.*
[11] *Dénomination péjorative des Russes.*
[12] *Chant composé en hommage aux légionnaires polonais qui combattaient dans les rangs de l'Armée d'Italie de la Révolution française, chanté pour la première fois en 1797. Il est devenu depuis l'hymne national polonais.*

Dans laquelle il avait vécu enfant, il y a plus de dix ans.
Il entre, se recule, promène des yeux pleins d'étonnement
Sur les murs : une femme occupe cette pièce !
Qui donc habiterait ici ? Son vieil oncle paternel n'était pas marié,
Et sa tante habitait Saint-Pétersbourg depuis des années.
Ce n'était pas la chambre de l'intendante ? Un piano ?
Dessus, des partitions et des livres ; tout cela abandonné   80
Négligemment et pêle-mêle ; un charmant désordre !
Elles n'étaient pas vieilles les menottes qui avaient manipulé cela.
Voici même une petite robe, blanche, fraîchement enlevée de son cintre
Pour être mise, étalée sur l'accoudoir d'un fauteuil.
Aux fenêtres, des pots de plantes aromatiques,
De géraniums, de giroflées, d'asters, de pensées.
Le voyageur s'arrêta devant une des fenêtres – nouveau prodige :
Dans le verger, à une extrémité qu'envahissaient autrefois les orties,
Se trouvait un minuscule jardin, découpé de petites allées,
Rempli de bouquets d'alpiste et de menthe.   90
Une frêle clôture, faite de petits bois entrecroisés,
Chatoyait enrubannée de lumineuses pâquerettes.
Les plates-bandes, visiblement, venaient d'être arrosées ;
Il y avait encore l'arrosoir en fer blanc rempli d'eau,
Mais nulle part on ne voyait la jardinière :
Elle venait de partir ; le portillon oscillait encore
D'avoir été poussé, près de la porte se voit la trace d'un petit pied
Sur le sable, dépourvu de soulier et de bas ;
Sur le sable fin, sec, blanc comme neige,
La trace est bien marquée, mais légère, on devine que dans sa course
                                                                    [100
Rapide elle a été imprimée par les pieds menus
D'une personne qui à peine touchait terre.

    Longtemps le voyageur resta à la fenêtre, à regarder, méditer,
Respirer le souffle parfumé des fleurs,
Il baissa le regard sur les touffes de pensées,
Parcourant les allées de son regard curieux
Et l'arrêtant de nouveau sur les traces menues,
Pensant à celles-ci, essayant de deviner de qui elles étaient.
Il leva les yeux incidemment, et voilà que juste sur la palissade

Se tenait une jeune fille. – Sa tenue blanche   110
Ne couvre sa silhouette élancée que jusqu'à la poitrine,
Découvrant ses bras et son cou de cygne.
D'habitude une Lituanienne ne s'habille ainsi que tôt le matin,
Jamais les hommes ne la verront dans une telle tenue ;
Aussi, bien que sans témoin, elle croisa les bras
Sur sa poitrine, prolongeant le voile de sa robe légère.
Ses cheveux non déroulés en boucles, mais en petites torsades
Enroulés, cachés dans de menues coques blanches,
Lui ornaient bizarrement la tête, car à la lumière du soleil
Ils brillaient tels une auréole sur une icône de saint.   120
On ne voyait pas son visage. Tournée vers la campagne,
Du regard elle cherchait quelqu'un ; au loin et en contrebas
Elle l'aperçut, se mit à rire et battit des mains ;
Telle un oiseau blanc, elle tomba de la palissade dans l'herbe,
Et fila par le jardin, par-dessus les petites clôtures et les fleurs,
Et sur une planche appuyée contre le mur de la chambre,
Avant qu'il ne s'en rendît compte, pénétra par la fenêtre, rayonnante,
Vive, silencieuse et légère comme l'éclat de la lune.
En fredonnant elle saisit sa robe, courut vers le miroir ;
Elle aperçut alors le jeune homme et des mains lui tomba   130
Sa robe, tandis que son visage pâlissait de peur et d'étonnement.
Le visage du voyageur s'enflamma de rougeur,
Tel un nuage lorsqu'il tombe nez à nez avec l'aurore ;
Le pudique jeune homme ferma les yeux et les cacha,
Il voulait dire quelque chose, s'excuser, mais ne put que s'incliner
Avec un mouvement de recul ; la jeune fille poussa un cri douloureux,
Indistinct, comme un enfant dans son rêve effrayé ;
Le voyageur prit peur, ouvrit les yeux, mais elle n'était plus là,
Il sortit plein de trouble et sentait son cœur battre
Très fort, et ne savait pas lui-même s'il lui fallait rire   140
De cette bizarre rencontre, s'en réjouir ou en avoir honte.

Entretemps il n'avait pas échappé à la vigilance de la ferme
Que quelque nouvel invité devant le perron s'était arrêté.
On avait déjà emmené les chevaux à l'écurie, et servi généreusement,
Comme il sied à une maison convenable, l'avoine et le foin ;
Car le Juge n'avait jamais voulu, comme c'était la nouvelle mode,

Envoyer les chevaux des invités à l'auberge des Juifs.
Le personnel n'était pas sorti pour l'accueil, mais n'allez pas croire
Que dans la maison du Juge[13] le service était négligent ;
Les domestiques attendent que s'habille monsieur le Substitut[14],   150
Qui en ce moment était dehors, s'occupant de l'organisation du souper.
C'est lui qui remplace le Maître et c'est lui qui, en l'absence
De ce dernier, d'habitude lui-même recevait et entretenait les invités
(C'était un lointain parent du Maître et un ami de la maison).
Voyant l'invité, il regagna la ferme discrètement
(Car ne pouvant sortir à sa rencontre dans sa blouse de toile) ;
Il se hâta donc d'enfiler au plus vite ses habits du dimanche,
Préparés dès le matin, car depuis le matin il savait
Qu'il se trouverait en présence d'une foule d'invités pendant le souper.

Monsieur le Substitut reconnut de loin, ouvrit les bras   160
Et les referma sur le voyageur en criant et l'embrassant ;

---

[13] Le gouvernement russe dans les pays conquis jamais ne renverse d'un seul coup les droits et institutions civiles, mais les mine peu à peu et les dénature par ses oukases. En Petite Russie *(une partie de l'actuelle Ukraine)*, par exemple, on a maintenu jusqu'à ces derniers temps le Statut lituanien, transformé par oukases. On a laissé à la Lituanie toute l'ancienne organisation des tribunaux civils et pénaux. Les juges ruraux et urbains dans les districts, et principaux dans les gouvernorats, sont donc élus à l'ancienne. Mais comme les appels interviennent à Saint-Pétersbourg auprès de nombreuses instances de différents niveaux, aux tribunaux locaux n'est donc restée qu'à peine une ombre de leur poids tradition- nel.
[14] Le Wojski (« tribunus ») *(que nous traduisons par « Substitut »)* avait jadis pour fonction de s'occuper des femmes et enfants des gentilshommes pendant les périodes de mobilisation générale. Depuis longtemps cette fonction, sans obligations, était devenue purement honorifique. On a coutume en Lituanie d'at- tribuer par courtoisie aux personnes importantes quelque titre ancien, qui à l'usage acquiert force de droit. Par exemple, des voisins donnent à leur ami le titre d'Intendant, d'Officier de bouche, d'Echanson, d'abord oralement et dans la correspondance privée, puis même dans les actes officiels. Le gouvernement russe interdisait ce genre de titres et aurait voulu les ridiculiser pour les rempla- cer par les titres correspondant à ses grades hiérarchiques, pour lesquels les Li- tuaniens éprouvent jusqu'à ce jour une grande aversion.

S'engagea alors cet échange précipité et brouillon,
Où l'on veut enfermer les évènements de quelques années en des mots
Brefs et confus, en racontant, questionnant,
S'exclamant et soupirant, et redemandant encore.
Lorsque monsieur le Substitut eut assez questionné, examiné,
Il en vint enfin aux évènements de la journée.

« C'est bien, mon cher Thaddée (car on appelait ainsi
Le jeune homme, qui portait le prénom de Kościuszko
En souvenir de sa naissance pendant la guerre[15]),   170
C'est bien, cher Thaddée, vous ne pouviez mieux tomber aujourd'hui
A la maison, juste au moment où nous avons plein de demoiselles.
Votre petit oncle pense vous marier bientôt ;
Il y a du choix ; une nombreuse compagnie chez nous
Se rassemble depuis quelques jours pour juger les conflits de bornage,
Et en finir avec ce vieux contentieux avec monsieur le Comte,
Et monsieur le Comte en personne doit descendre demain au manoir ;
Le Chambellan[16] est déjà descendu avec sa femme et ses filles.
Les jeunes gens sont partis en forêt pour s'amuser avec leurs fusils,
Tandis que les aînés et les femmes regardent moissonner   180
En bordure de la forêt et y attendent certainement les jeunes.
Allons-y, si vous voulez, nous ne tarderons pas à rencontrer
Votre oncle, la famille du Chambellan et ces dames ».

Monsieur le Substitut et Thaddée cheminent sur la route de la forêt
Sans parvenir encore à étancher leur envie de bavarder.

---

[15] *La guerre russo-polonaise de 1792 aboutit au deuxième partage en 1793 et fut suivie de l'insurrection de 1794 qui se solda en 1795 par le troisième et dernier partage de la République Polonaise, mettant fin à l'existence de celle-ci en tant qu'Etat souverain jusqu'en 1918. Thaddée serait donc né en 1792.*
[16] Le Chambellan, autrefois fonctionnaire éminent et important, « Princeps Notabilitatis », devint sous le gouvernement russe simplement titulaire. Il jugeait encore de temps à autre des affaires de bornage, mais à la fin il perdit même cette partie de sa charge. A présent il remplace parfois le maréchal *(représentant, élu par les diètes locales, de la noblesse au niveau du district et du gouvernorat)* et nomme les géomètres, ou arpenteurs de district.

Le soleil s'approchait des derniers confins du ciel,
Brillait moins intensément, mais plus franchement que dans la journée,
Rubicond à l'instar du visage respirant la santé
Du fermier qui, ayant fini ses travaux agrestes,
Rentre se reposer. Déjà le disque rayonnant   190
Descend sur la ligne de crête de la forêt et déjà le crépuscule brumeux,
Se coulant entre les cimes et les branches des arbres,
Fige toute la forêt et la solidifie comme en un seul bloc ;
Le bois se muait en un énorme édifice noir,
Avec le soleil rougeoyant par-dessus, comme un incendie sur son toit ;
Et puis il s'enfonça ; encore une fois à travers les grosses branches
Il brilla, comme une bougie à travers des fentes de volets,
Et s'éteignit. Et bientôt les faucilles sonnant par groupes
Dans les blés, et les gros râteaux râclant les prés
Se turent et s'arrêtèrent : ainsi le commande monsieur le Juge,   200
Chez lui les fermiers terminent leur travail avec le jour.
« Le Maître du monde sait combien de temps il faut travailler ;
Quand le soleil, son ouvrier, descend du ciel,
Alors pour le paysan aussi il est temps de quitter son champ ».
Ainsi avait coutume de parler monsieur le Juge ; et la volonté du Juge
Etait sainte pour le brave Econome,
Car même les charrettes, dans lesquelles on avait commencé à déposer
Une gerbe de seigle, rentrent à la grange, incomplètement chargées ;
Les bœufs se réjouissent de leur légèreté inaccoutumée.

Toute la compagnie rentrait justement de la forêt,   210
Joyeusement, mais dans l'ordre ; devant, les petits enfants
Avec leur surveillant, derrière, le Juge avec la femme du Chambellan,
A côté, monsieur le Chambellan, de sa famille entouré ;
Les demoiselles juste derrière les aînés, et les jeunes gens à côté,
Les demoiselles précédaient les jeunes gens d'environ un demi pas
(Ainsi le commandent les convenances) ; là personne ne discourait
Sur l'ordre, personne n'avait rangé les messieurs et les dames,
Mais chacun instinctivement tenait son rang.
Car le Juge chez lui préservait les coutumes anciennes
Et jamais ne permettait que l'on manquât d'égard   220
Pour l'âge, la naissance, l'intelligence, la fonction ;
« De cet ordre, disait-il, les maisons et les nations tirent leur renommée,

De sa perte, les maisons et les nations tirent leur déchéance ».
Et donc les familiers et les domestiques étaient coutumiers de l'ordre ;
Et l'invité de passage, le parent ou l'étranger
En rendant visite au Juge, même après un bref séjour,
Prenaient ce pli dont toutes choses étaient marquées.

    Bref fut l'accueil réservé par le Juge à son neveu,
Il lui tendit gravement sa main à baiser
Et l'embrassant sur le front le salua aimablement ;   230
Et bien que par égard pour les invités il lui adressât peu la parole,
On voyait aux larmes qu'avec la manche de son kontusz[17]
Il essuya prestement, combien il aimait messire Thaddée.

    A la suite du Maître, tout ce monde, de la moisson et de la forêt,
Et des prés, et des prairies, rentrait ensemble au manoir.
Ici le troupeau bêlant des moutons se presse sur la route
Et soulève un nuage de poussière ; plus loin lentement avance
Un troupeau de génisses tyroliennes aux clochettes de bronze ;
Là-bas des chevaux hennissants dévalent un pré fauché ;
Tout ce monde accourt au puits, dont le balancier de bois,   240
Avec son grincement répétitif, déverse l'eau dans les abreuvoirs.

    Le Juge, bien qu'occupé et en présence d'invités,
Ne négligeant pas ses importantes obligations de maître de maison,
Se rendit seul au puits ; c'est de préférence vers le soir que
Le maître peut se rendre compte de l'état de son cheptel ;
Jamais ce soin il ne confiera à ses domestiques,
Car le Juge sait bien que c'est l'œil du maître qui engraisse le cheval.

---

[17] *La tenue de sortie du noble se composait d'une redingote serrée au corps, le « żupan », par-dessus laquelle était passée une robe aux longues manches flottantes, le « kontusz », une large ceinture serrant la taille, une coiffe à dessus carré, ornée de belles plumes, la « konfederatka ». Il portait au côté un petit sabre à lame recourbée, la « karabela », et des bottes à bout légèrement relevé, les « baczmagi ». Tenue d'inspiration tout orientale, sans doute copiée de celle des dignitaires des armées turques que les Polonais avaient combattues à plusieurs reprises.*

Le Substitut et l'Huissier[18] Protazy[19], bougies en main, dans l'entrée
Se tenaient et étaient en vive discussion, passablement en désaccord,
Car en l'absence du Substitut l'Huissier en cachette   250
Avait commandé de sortir de la maison les tables avec le souper
Et de les disposer au plus vite en plein milieu du vieux château,
Dont on voyait les ruines en bordure de la forêt.
Pourquoi ce déménagement ? Monsieur le Substitut faisait la grimace
Et s'excusait auprès du Juge ; le Juge fit part de son étonnement,
Mais c'était fait ; il était trop tard et difficile de réagir,
Il préférait s'excuser auprès des invités et les conduire dans la nature.
Chemin faisant, l'Huissier ne cessait d'expliquer au Juge
Pourquoi il avait modifié les dispositions du Maître :
Dans le manoir aucune pièce n'a de surface   260
Suffisante pour tant d'invités, aussi distingués,
Au château le vestibule est grand, encore bien conservé,
La voûte intacte – un mur est certes fendu,
Les fenêtres n'ont plus de vitres, mais ce n'est pas gênant en été ;
La proximité des caves est commode pour le service.
Ce disant il faisait des clins d'œil au Juge ; on voyait à sa mine
Qu'il avait et dissimulait d'autres raisons, plus importantes.

Le château se dressait à deux mille pas de la maison,
Imposant par sa construction, impressionnant par sa taille,
Propriété de l'antique famille des Horeszko ;   270
Le châtelain était mort pendant les troubles du pays,
Ses biens, réduits à néant par les hypothèques gouvernementales,
Le laisser-aller de la tutelle, les jugements du tribunal,
Etaient revenus en petite partie à de lointains parents du côté maternel,
Et le reste avait été partagé entre les créanciers.

---

[18] Le Woźny *(que nous traduisons par « Huissier »)*, ou encore « jenerał » *(officier général)*, choisi sur décision du tribunal ou par jugement au sein de la noblesse terrienne, délivrait les assignations, annonçait les entrées en possession par voie légale, effectuait les enquêtes, portait les affaires en instance à l'ordre du jour, etc. En général cette fonction était remplie par la petite noblesse.
[19] *Protais.*

Personne ne voulait du château, car pour un petit noble
Il était difficile de pourvoir aux coûts de son entretien ;
Mais le Comte, un proche voisin, une fois émancipé,
Riche seigneur, lointain parent des Horeszko,
En revenant d'un voyage tomba amoureux de ses murs,   280
Expliquant qu'ils sont d'architecture gothique ;
Bien que le Juge essayât de le convaincre, documents à l'appui,
Que l'architecte en était un maître de Wilno, et non pas un Goth.
Il suffit que le Comte désirât le château pour qu'au Juge aussi
Vînt soudain la même envie, allez savoir pourquoi.
Ils engagèrent une procédure au ziemstwo[20], puis au tribunal principal,
Au sénat[21], de nouveau au ziemstwo et auprès du pouvoir provincial ;
Finalement après beaucoup de dépenses et de nombreux oukases
L'affaire revint au tribunal des bornages.

L'Huissier à juste titre affirmait que dans le vestibule du château
[290
On aurait de la place et pour le barreau des avocats et pour les invités.
Le vestibule était aussi grand qu'un réfectoire, avec un plafond voûté
Reposant sur des piliers, un sol pavé,
Des parois sans aucune décoration, mais aux murs sains ;
Tout autour étaient accrochés des bois de chevreuils et de cerfs
Portant des inscriptions : où, quand, ces trophées avaient été gagnés,
Ainsi que, gravés, les blasons des chasseurs,
Chacun d'eux figurant avec son nom ;
Le blason demi-caprin[22] des Horeszko brillait sur la voûte.

Les invités entrèrent dans l'ordre et firent cercle ;   300
Le Chambellan prit la place la plus élevée à table ;
Cet honneur lui revient du fait de son âge et de sa fonction,

---

[20] *Institution qui avait vocation à juger en première instance les litiges entres membres de la noblesse terrienne.*
[21] *Echelon supérieur du système judiciaire tsariste.*
[22] *Blason générique de plusieurs grandes familles polonaises et lituaniennes, sur lequel figure le haut du corps d'une chèvre dressée sur ses pattes de derrière.*

S'y rendant, il saluait en s'inclinant les dames, les seniors et les jeunes.
Près de lui se tenait le Quêteur[23], et juste à côté du Bernardin, le Juge.
Le Bernardin récita une courte prière en latin ;
On servit de la vodka aux hommes ; alors tous s'assirent
Et en silence mangeaient avec entrain le potage froid lituanien.

Messire Thaddée, bien que tout jeune, mais en sa qualité d'invité
Prit une place de rang élevé près des dames à côté du Maître de céans ;
Entre lui et son oncle restait une   310
Place inoccupée, comme attendant l'arrivée de quelqu'un.
L'oncle de temps à autre regardait cette place et scrutait la porte,
Comme s'il était certain que quelqu'un allait venir et l'exigeait.
Et Thaddée accompagnait le regard de son oncle vers la porte,
Et avec lui posait les yeux sur la place inoccupée.
Chose étrange ! Tout autour sont assises des jeunes filles,
Sur lesquelles un prince pourrait sans honte porter le regard,
Toutes de naissance irréprochable, chacune jeune, belle ;
Et Thaddée là regardait, où aucune d'elles ne siégeait.
Cette place est une énigme, la jeunesse aime les énigmes ;   320
L'esprit ailleurs, à sa jolie voisine,
La fille du Chambellan, c'est à peine s'il a adressé quelques mots ;
Il ne lui change pas ses assiettes, ne lui verse pas à boire,
Et ne divertit pas les demoiselles par des propos courtois,
Qui témoigneraient qu'on lui a appris les bonnes manières à table ;
Seule cette place inoccupée l'attire et le captive,
Elle qui n'est déjà plus libre, car il l'a remplie de ses pensées.
A cette place couraient mille conjectures,
Telles de petites grenouilles sur un pré déserté après la pluie ;
Parmi elles trône une seule figure, comme par beau temps   330
Le nénuphar, sa tête blanche faisant émerger au-dessus de l'eau.

On servit le troisième plat. Alors monsieur le Chambellan,
Versant une petite goutte de vin dans le verre de mademoiselle Rose,
Et avançant à sa cadette une assiette de concombres,
Dit : « Il me faut vous servir, mesdemoiselles mes filles,

---

[23] *Religieux chargé de collecter des fonds pour l'entretien d'un monastère.*

Bien que vieux et maladroit ». Là-dessus précipitamment
Quelques jeunes gens se levèrent de table pour servir ces demoiselles.
Le Juge, jetant un regard de biais sur Thaddée
Et arrangeant quelque peu les manches de son kontusz,
Servit du Tokay et dit : « De nos jours, nouvelle coutume,   340
Nous envoyons les jeunes gens étudier dans la capitale,
Et je ne conteste pas que nos fils et petits-fils
Possèdent davantage de connaissances livresques que les anciens ;
Mais tous les jours j'observe à quel point les jeunes souffrent de ce
Qu'il n'y a pas d'écoles enseignant à vivre en société ;
Avant le jeune noble partait à la cour des grands seigneurs,
Moi-même pendant dix années j'ai servi à la cour du Voïévode[24],
Le père du Chambellan, Sa gracieuse Seigneurie
(Ce disant, il serra le genou du Chambellan) ;
Lui par ses conseils m'a préparé aux charges publiques,   350
Ne m'a pas lâché avant d'avoir fait de moi un homme.
Dans ma maison sa mémoire éternellement sera prisée,
Chaque jour je prie le Seigneur pour son âme.
Si de ma présence à sa cour je n'ai pas autant bénéficié
Que d'autres et si, revenu chez moi, je laboure ma terre,
Alors que d'autres, davantage dignes des égards du Voïévode,
Sont arrivés ensuite aux plus hauts postes du pays,
J'ai au moins gagné cela que chez moi
Personne jamais ne me reprochera d'avoir offensé quiconque
Par manque de prévenance, de politesse ; et je dirai sans ambages : 360
La politesse n'est ni science facile, ni science mineure.
Pas facile, car elle ne se limite pas à faire un pas
Elégant, accueillir le premier venu avec le sourire ;
Car une telle politesse à la mode d'aujourd'hui me paraît vénale,
Non conforme à la tradition polonaise, et non digne d'un gentilhomme.
La politesse à tous se doit, mais de façon différenciée ;
Car même l'amour d'un enfant n'est pas dénué de politesse,
Ni la considération du mari pour sa femme en public, ni celle du maître

---

[24] *A l'origine le plus haut fonctionnaire de l'administration royale ; la fonction s'est ensuite démultipliée au niveau local, avec des domaines de compétence variables dans le temps et l'espace.*

Pour ses domestiques, et chacune a sa nuance.
Il faut longtemps apprendre afin de ne pas s'égarer   370
Et témoigner à chacun des prévenances qui lui soient appropriées.
Les aînés eux aussi apprenaient : chez les grands seigneurs on parlait
De l'histoire présente à l'échelon du pays,
Et chez les gentilshommes des évènements courants dans le district.
On faisait ainsi savoir à son frère gentilhomme
Que tout le monde s'intéressait à lui, et que personne ne l'ignorait ;
Et donc le gentilhomme surveillait ses mœurs.
Aujourd'hui, ne demandez pas à quelqu'un qui il est, de quelle famille,
Avec qui il a vécu, ce qu'il a fait ; n'importe qui s'introduit où il veut,
Pourvu qu'il ne soit ni espion du gouvernement, ni misérable.   380
De même que ce Vespasien[25] ne reniflait pas l'argent
Et ne voulait savoir d'où il venait, de quelles mains et de quels pays,
Ainsi ne veut-on pas savoir quelles origines et mœurs sont les nôtres !
Il suffit d'avoir du poids et d'être bien estampillé,
Voilà pourquoi ses amis on estime comme les Juifs l'argent estiment ».

        Ce disant le Juge parcourut l'assistance du regard ;
Car bien qu'ayant toujours parlé et avec aisance et avec bon sens,
Il savait que la jeunesse d'aujourd'hui est impatiente,
Qu'un long discours l'ennuie, fût-il le plus éloquent.
Mais tous écoutaient dans un profond silence ;   390
Le Juge sembla jeter un coup d'œil au Chambellan pour avoir son avis,
Le Chambellan n'interrompait pas son discours pour l'approuver,
Mais acquiesçait par de fréquents signes de tête.
Quand le Juge s'arrêtait, lui continuait à approuver d'un geste ;
Et donc le Juge emplit la coupe du Chambellan et son propre verre
Et poursuivit : « La politesse n'est pas une chose mineure :
Lorsqu'on apprend à évaluer, comme il convient,
L'âge des autres, leur naissance, leurs vertus, leurs mœurs,
Alors sa propre importance aussi on évalue :
De même que sur une balance, afin de connaître notre propre poids, 400

---

[25] *L'empereur romain qui aurait déclaré « l'argent n'a pas d'odeur » à l'occasion de l'introduction d'une taxe sur la collecte d'urine, matière première utilisée par les teinturiers.*

Il nous faut mettre quelqu'un d'autre sur le plateau opposé.
Et puis j'attire particulièrement votre attention, messeigneurs,
Sur la politesse que les jeunes gens doivent au sexe faible :
Surtout lorsque l'honorabilité de la maison, l'ampleur de la fortune
Rehaussent des charmes et qualités innés.
A partir de là on en vient aux sentiments et il s'ensuit
Une magnifique alliance entre les maisons – ainsi pensaient les anciens.
Et donc… » Là monsieur le Juge, tournant brusquement la tête,
Fit un signe en direction de Thaddée, et lui jeta un regard sévère,
On voyait qu'il en venait déjà aux conclusions de son discours.   410

    Alors le Chambellan d'une pichenette fit sonner sa tabatière en or
Et dit : « Mon cher Juge, avant c'était encore pire !
A présent, je ne sais pas si la mode nous change nous aussi, les vieux,
Si les jeunes sont meilleurs, mais je vois moins de choses choquantes.
Ah, je me souviens du temps où dans notre Patrie
Pour la première fois s'est invitée la mode de tout ce qui est français !
Lorsque tout à coup de jeunes dandys venant de pays étrangers
Firent irruption chez nous, horde pire que les Nogaïs[26],
S'en prenant, dans notre Patrie, à Dieu, à la foi de nos pères,
Aux lois et aux coutumes, et même à l'habillement ancien.   420
Ces blancs-becs jaunis faisaient peine à voir,
Parlant du nez[27], et souvent sans nez,
Bardés de brochures et journaux de toute sorte,
Prêchant de nouvelles croyances, lois, élégances.
Cette tourbe avait un grand pouvoir sur les esprits ;
Car lorsque Dieu inflige une punition à un peuple,
Il commence à enlever la raison à ses citoyens.
C'est ainsi que les gens sensés n'osaient s'opposer à ces muscadins,
Et le peuple tout entier s'en effraya comme d'une peste,
Car sentant en son sein-même déjà germer la maladie ;   430

---

[26] *Ces peuplades nomades turques qui se sont rendues célèbres par leurs raids en Russie du Sud sont aujourd'hui majoritairement regroupées dans la République des Karatchaïs-Tcherkesses de la Fédération de Russie.*
[27] *La prononciation française souvent amuse les Polonais avec ses an, in, on… et pourtant eux aussi possèdent leurs voyelles nasalisées ą, ę (voir in fine) !*

On vilipendait ces gandins, mais on prenait exemple sur eux,
Changeant la religion, la langue, les lois et l'habillement.
C'était là une mascarade, une licence de carnaval,
Que devait suivre bientôt un grand carême – la servitude !

« Je me souviens, bien qu'étant petit enfant à l'époque,
Lorsque chez mon père dans le district d'Oszmiana[28]
Se présenta le fils du Sous-Echanson[29] dans une voiture française,
Le premier individu en Lituanie à porter un habit à la française.
Tout le monde courait derrière lui comme derrière un faucon sacre[30],
On enviait la maison devant laquelle   440
S'était arrêté son petit berlingot à deux roues,
Qu'en français on appelait carriole.
Au lieu de laquais, il y avait derrière deux petits chiens,
Et sur le siège du cocher un allemand étique comme une planche ;
Ses jambes étaient longues, fines, comme des échalas à houblon,
Avec des bas, des souliers à boucles d'argent,
Une perruque avec une natte emprisonnée dans un sac,
Les anciens pouffaient de rire en voyant cet équipage,
Et les paysans se signaient en disant : dans le monde
Circule un diable vénitien dans une charrette allemande.   450
Quant au fils du Sous-Echanson lui-même, le décrire serait long,
Pour faire court, disons qu'il nous paraissait un singe ou un perroquet,
Avec une grande perruque, qu'à une toison d'or
Il aimait comparer, et nous à une plique[31].
Si quelqu'un à l'époque avait le sentiment que l'habit polonais

---

[28] *Actuellement en Biélorussie, à environ 100 km au nord de Nowogródek.*
[29] *Fonctionnaire titulaire sans affectation à la cour du roi ou des princes, tirant son nom de l'adjoint à l'Echanson, chargé de goûter les boissons servies au roi.*
[30] Le faucon sacre est un oiseau de l'espèce des faucons. Il est connu que les petits oiseaux, en particulier les hirondelles, volent en essaim derrière les faucons. D'où le proverbe : courir comme derrière un faucon sacre.
[31] *La plique polonaise est une pseudo pathologie du système pileux, affectant en particulier les cheveux qui deviennent longs, abondants et inextricablement enchevêtrés ; elle était relativement fréquente en Pologne dans les milieux peu éduqués, sans doute pour des raisons d'hygiène.*

Est plus beau que la singerie d'une mode étrangère,
Il se taisait ; car les jeunes eussent protesté qu'il fait obstacle
A la culture, qu'il freine le progrès, que c'est un traître !
Tel était le pouvoir des préjugés de l'époque !

« Le fils du Sous-Echanson déclara que nous réformer,   460
Civiliser et constitutionnaliser il allait ;
Il nous annonça que des Français pleins d'éloquence
Avaient fait une découverte : que les hommes sont égaux ;
Bien que cela figure écrit depuis longtemps dans la sainte Ecriture
Et que tous les curés disent la même chose en chaire.
On le savait depuis longtemps, il s'agissait de le mettre en pratique !
Mais il régnait alors un tel aveuglement,
Qu'aux choses les plus anciennes au monde on ne croyait
Si dans une gazette française on ne les avait lues.
Le fils du Sous-Echanson, nonobstant l'égalité, prit le titre de marquis ;
                                                                      [470
On sait que les titres viennent de Paris,
Et à l'époque le titre de marquis y était à la mode.
Il advint, lorsque la mode changea avec les années,
Que ce même marquis prit le titre de démocrate ;
Enfin, la roue tournant sous Napoléon,
Le démocrate revint de Paris baron ;
S'il avait vécu plus longtemps, peut-être par une nouvelle volte-face
De baron il se serait reconverti un jour en démocrate.
Car Paris se glorifie de fréquents changements de mode,
Et ce qu'un Français a inventé, le Polonais s'en éprend.   480

« Grâce à Dieu, si à présent nos jeunes
Partent à l'étranger, ce n'est plus pour s'habiller,
Ni pour rechercher des recueils de lois dans les officines d'imprimerie
Ou apprendre à bien parler dans les cafés parisiens.
Car à présent Napoléon, homme avisé et expéditif,
Ne laisse guère de temps pour se consacrer à la mode et à la parlote.
A présent tonnent les canons, et à nous les vieux le cœur se gonfle,
Qu'à nouveau dans le monde on parle tant des Polonais ;
La gloire est là, et donc la République aussi sera là !
Toujours sur des lauriers fleurit l'arbre de la liberté.   490

La seule chose triste, c'est que pour nous les années, hélas, se traînent
Dans l'inaction ! et eux sont toujours si loin !
Attendre si longtemps ! même les nouvelles sont rares !
Père Robak[32] (il s'adressa à voix plus basse au Bernardin),
J'ai entendu dire que vous avez des nouvelles d'outre Niémen ;
Peut-être savez-vous quelque chose de notre armée, monseigneur ? »
« Rien du tout » répondit Robak avec indifférence
(On voyait qu'il suivait la discussion à contre-cœur).
« Moi la politique m'ennuie ; si de Varsovie
Je reçois une lettre, cela concerne l'Ordre, se sont nos affaires   500
De Bernardins ; à quoi bon en parler à table ?
Il y a ici des laïcs, qui n'ont rien à faire là-dedans ».

    Ce disant, il loucha en direction de l'endroit où parmi les convives
Se tenait un invité Moscale ; c'était monsieur le capitaine Ryków ;
Un vieux soldat, cantonné dans un village voisin,
Que le Juge par courtoisie avait invité au souper.
Ryków mangeait de bon appétit, se mêlait peu à la conversation,
Mais à l'évocation de Varsovie il dit en levant la tête :
« Monsieur Chambellan ! Ah, vous ! Vous toujours curieux
De Bonaparte, vous toujours avec votre Varsovie !   510
Ah ! la Patrie ! Moi pas espion, mais parle polonais,
La Patrie ! moi je ressens tout cela, moi je comprends !
Vous Polonais, moi Russe, maintenant nous ne nous battons pas,
Armistice[33], alors nous mangeons et buvons ensemble.
Souvent sur avant-postes, un de nous bavarde avec Français,
Boit vodka ; lorsqu'ils crient : hourrah ! – c'est canonnade.
Proverbe russe : celui avec qui je me bats, celui-là je l'aime ;
Caresse ami aimablement, mais tape dessus comme sur pelisse.
Moi je dis, nous aurons la guerre. Chez commandant
Płut, un officier d'état-major est arrivé avant-hier :   520
Se préparer au départ ! On va partir, soit contre Turc,

---

[32] *Ce nom signifie « ver de terre, asticot, insecte... »*
[33] *En l'occurrence la paix de Tilsit signée en juillet 1807 entre Napoléon 1er et le tsar Alexandre 1er, à la suite de laquelle l'empereur français fit arrêter ses troupes sur le Niémen.*

Soit sur Français. Ah, personnage ce Bonaparte !
Sans Souvorov[34] peut-être il va nous donner fessée.
Dans notre régiment on disait, en marchant contre Français,
Bonaparte magicien[35], et Souvorov aussi
Magicien ; alors c'était magie contre magie.
Une fois dans bataille, où était-il passé ? Chercher Bonaparte ! –
Et lui changé en renard, et Souvorov en lévrier ;
Alors Bonaparte transformé à nouveau en chat
Pour continuer bagarre avec griffes, et Souvorov en poney.   530
Et voyez à la fin ce que Bonaparte devenu… »
Là, Ryków s'arrêta et continua à manger ; alors, avec le quatrième plat
Un domestique entra, et une porte latérale s'ouvrit brusquement.

  Une nouvelle personne entra, jeune et charmante ;
Son apparition soudaine, sa stature et sa beauté,
Sa tenue, attirèrent les regards ; tous la saluaient ;
Visiblement tous la connaissaient, à l'exception de Thaddée.
Elle avait la taille fine, bien découpée, la poitrine attirante,
Une robe en tissu de soie rose,
Décolletée, avec un petit col de dentelles, à manches   540
Courtes, tenait à la main un éventail dont elle jouait
(Car il ne faisait pas chaud) ; l'éventail doré
Ainsi agité faisait jaillir une pluie d'abondantes étincelles.
Sa tête calamistrée mettait en valeur des cheveux en rouleaux,
En boucles, et entremêlés de petits rubans roses,
Avec au milieu un brillant, comme caché à la vue,
Etincelant comme une étoile dans la chevelure d'une comète, --
En un mot, une tenue de gala ; certains murmuraient
Qu'elle était trop élégante pour la campagne et un jour de semaine,

---

[34] *Illustre général russe, Souvorov est décédé dans la disgrâce en 1800 ; il avait combattu victorieusement les troupes françaises du Directoire lors de la campagne d'Italie en 1799. Il est tristement célèbre en Pologne pour avoir dirigé les troupes russes lors de la prise de Varsovie en novembre 1794, et laissé massacrer la population civile du faubourg de Praga.*
[35] Une foule d'histoires circulent parmi le petit peuple en Russie sur les magies de Bonaparte et de Souvorov.

Ses gambettes, bien que la robe fût courte, restent invisibles à l'œil
[550
Car elle trottinait très vite, ou plutôt glissait,
Comme ces petits personnages qu'à la fête des rois mages
Des gamins cachés dans la crèche font évoluer.
Elle trottinait, et saluant tout le monde d'une discrète révérence,
S'avançait pour s'asseoir à la place qu'on lui avait laissée.
Difficile ; car comme il n'y avait pas assez de chaises pour les invités,
Quatre rangées étaient assises sur quatre bancs,
Il fallait donc soit déranger la rangée, soit enjamber le banc ;
Elle sut lestement s'introduire entre deux bancs,
Et ensuite entre la rangée assise et la table   560
Elle tourna comme une boule de billard.
Dans sa course, elle effleura notre jouvenceau :
Ayant accroché un volant de sa robe à quelque genou
Elle glissa légèrement et dans son embarras
S'appuya sur le bras de messire Thaddée.
Lui demandant pardon poliment, elle s'assit à sa place,
Entre lui et son oncle, mais ne mangea rien ;
Ne faisant que s'éventer, ou le manche de son éventail
Tourner, ou son petit col de dentelles du Brabant
Arranger, ou d'un léger effleurement de la main   570
Ses cheveux bouclés et les nœuds de ses clairs rubans caresser.

Cette pause dans les discussions durait déjà quelque quatre minutes.
Entretemps, au bout de la table, d'abord de discrets murmures,
Puis des discussions à mi-voix avaient commencé :
Les hommes débattaient de leurs prises de chasse de ce jour.
Entre l'Assesseur et le Notaire[36] s'éleva une tenace,

---

[36] Les assesseurs constituent la police rurale du district. Selon les oukases, ils
sont parfois élus par les citoyens, et parfois nommés par le gouvernement ; dans
ce dernier cas, ils s'appellent assesseurs de la Couronne. Les juges des tribunaux
d'appel s'appellent également assesseurs, mais ici il n'est pas question d'eux.
Les notaires enregistreurs administrent la chancellerie, les notaires rapporteurs
de décrets rédigent les décisions des tribunaux, tous sont nommés de la main des
secrétaires de tribunaux. *On les appellerait aujourd'hui plutôt greffiers.*

De plus en plus bruyante dispute à propos du lévrier Courtaud[37],
Dont monsieur le Notaire s'enorgueillissait d'être le propriétaire,
Et soutenait que c'était lui qui avait attrapé le lièvre ;
Quant à l'Assesseur, il assurait, du Notaire provoquant la colère,   580
Que cette gloire revenait à son lévrier Faucon.
On demandait l'avis des autres ; et donc tous à l'entour
Prenaient parti soit pour le Courtaud soit pour le Faucon,
Les uns en tant que connaisseurs, et les autres comme témoins visuels.
Le Juge à l'autre bout à sa nouvelle voisine
Dit à mi-voix : « Pardonnez-moi, nous avons dû prendre place,
Il n'était pas possible de retarder davantage le souper :
Les invités avaient faim, ils avaient battu la campagne ;
J'ai pensé qu'aujourd'hui vous ne mangeriez pas avec nous ».
Cela dit, le verre plein, avec le Chambellan   590
De politique il discutait à voix basse.

     Alors que des deux côtés de la table on était ainsi occupé,
Thaddée observait l'inconnue ;
Il se souvint qu'au premier coup d'œil sur cette place
Tout de suite il avait deviné à qui elle devait revenir.
Il rougissait, le cœur lui battait extraordinairement fort ;
Il voyait donc éclaircis les mystères de ses conjectures !
Il était donc dit qu'à ses côtés
Prendrait place cette beauté dans la pénombre entrevue !
A vrai dire elle lui semblait maintenant plus épanouie,   600
Car habillée, et l'habit soit agrandit soit rapetisse.
Et les cheveux de l'autre ils les avait vus courts, d'un blond doré,
Et chez elle en longs rouleaux d'un noir de corbeau ils s'enroulaient.
Leur couleur devait venir des rayons du soleil,
Qui au coucher tout de rouge colorent.
Et son visage il ne l'avait pas vu, trop tôt elle était disparue.
Mais la pensée est habituée à imaginer un joli visage ;
Il imaginait qu'elle devait avoir des mirettes toutes noires,
Un visage clair, des lèvres vermeilles comme une paire de cerises ;
Et chez celle-ci il trouva les mêmes yeux, lèvres, le même visage ; 610

---

[37] *A la queue coupée.*

Peut-être que la plus grande différence résidait dans l'âge :
La jardinière paraissait une petite fille,
Tandis que cette dame déjà une femme mature ;
Mais les jeunes à la beauté ne demandent pas de certificat de naissance,
Car pour un jouvenceau toute femme est jeune,
Pour un jeune homme toutes les beautés ont le même âge,
Et pour un innocent toute amante est une pucelle.

    Thaddée, bien qu'approchant les vingt ans,
Et ayant habité depuis son enfance à Wilno, une grande ville,
Avait eu comme mentor un prêtre, qui le surveillait   620
Et l'avait élevé selon les principes de l'ancienne rigueur.
C'est pourquoi Thaddée avait amené dans sa région natale
Une âme pure, une pensée alerte et un cœur innocent ;
Mais aussi une envie non négligeable de batifoler.
Il nourrissait par avance le projet de se permettre
De jouir à la campagne d'une liberté à lui longtemps refusée ;
Il se savait bel homme, se sentait fringant, jeune,
Et de ses parents avait hérité d'une vigoureuse santé.
Il s'appelait Soplica : tous les Soplica
Sont, on le sait, robustes, bien en chair, solides,   630
A l'armée n'ayant pas leur pareil, mais à l'étude moins portés.

    Thaddée était le digne descendant de ses ancêtres :
Bon cavalier, vaillant marcheur,
Il n'était pas bête, mais avait peu progressé en études,
Bien que l'oncle n'eût lésiné en rien pour son éducation.
Lui préférait tirer au fusil de chasse ou manier le sabre ;
Il savait qu'on envisageait de faire de lui un militaire,
Que son père dans son testament une telle volonté avait exprimée ;
Constamment à l'école il rêvait de roulements de tambour.
Mais son oncle soudain révisa ses premiers projets,   640
Et exigea qu'il rentrât pour se marier,
Et prendre en main le domaine ; il promit pour commencer
De lui donner un petit village, et ensuite tout son patrimoine.

    De Thaddée toutes ces vertus et qualités
Attirèrent l'attention de sa voisine, femme observatrice.

Elle toisa sa personne bien faite et de grande taille,
Ses épaules carrées, sa large poitrine,
Et vit s'empourprer le visage
Du jeune homme chaque fois qu'il rencontrait son regard :
Car de sa timidité première il était déjà complètement revenu 650
Et la regardait d'un œil audacieux, dans lequel brûlait une flamme ;
Elle le regardait de même, et leurs quatre prunelles
Flamboyaient face à face comme les bougies d'une messe aux aurores.

    C'est elle qui engagea la conversation avec lui, en français ;
Il revenait de la ville, des études ; et donc sur les nouveaux livres,
Leurs auteurs, elle sollicitait les avis de Thaddée
Et de ces avis elle tirait de nouvelles questions ;
Et voilà qu'ensuite elle se mit à parler peinture,
Musique, danse, et même sculpture !
Assurément, elle connaissait aussi bien le pinceau, les notes, les lettres ;
[660
Au point que Thaddée, par tant de science abasourdi,
Et craignant de s'attirer des moqueries,
Bredouillait comme un potache devant son institutrice.
Par chance, l'institutrice était belle et clémente ;
Sa voisine devina la raison de son alarme,
Et aborda des sujets moins difficiles et moins savants :
L'ennui et les soucis de la vie à la campagne,
Et la manière de se distraire, et comment organiser son temps,
Pour se rendre la vie plus agréable et la campagne plus joyeuse.
Thaddée répondait plus hardiment, la conversation allait son cours, 670
En une demi-heure ils étaient devenus bons amis ;
Et même commençaient à faire de petites plaisanteries et à se quereller.
A la fin elle plaça devant lui trois petites boulettes de pain,
Trois personnes au choix : il prit la plus proche de lui ;
Les deux filles du Chambellan en prirent ombrage toutes les deux,
Sa voisine se mit à rire, mais ne révéla pas
Quelle personne cette heureuse boulette désignait.

    On s'amusait autrement à l'autre bout de la table,
Car les partisans du Faucon s'y étant soudain renforcés,
Sur le parti du Courtaud tombèrent à bras raccourcis : 680

Le différend était grand, des derniers plats on ne mangeait plus,
Et, buvant debout, les deux clans se disputaient,
Et le plus hargneux était monsieur le Notaire.
Une fois lancé, il n'arrêtait pas de débiter son affaire
Et par des gestes la dépeignait très expressivement.
(Monsieur le Notaire Bolesta était un ancien avocat,
On l'appelait le prédicateur, car il adorait gesticuler).
A présent il avait les bras collés au corps, les coudes vers l'arrière,
Faisait pointer de dessous ses épaules des doigts aux ongles allongés,
Représentant ainsi les deux laisses des lévriers ;   690
Il terminait juste : « Attaque ! nous les avons lâchés en même temps,
Moi et l'Assesseur, en même temps, comme les deux chiens
D'un unique fusil à double canon qu'on libérerait d'un seul doigt ;
Attaque ! ils sont partis, le lièvre comme une balle a filé dans le champ,
Les chiens tout près (ce disant, il promenait ses mains sur la table
Et avec ses doigts imitait à merveille la course des lévriers),
Les chiens tout près, et hop ! les voilà à bonne distance du bois ;
Le Faucon filait devant, chien rapide, mais impulsif,
Il a devancé le Courtaud, de ça, d'un doigt ;
Mais je savais qu'il raterait son coup ; le lièvre, c'est un malin,   700
Il fonçait soi-disant dans le champ, à ses trousses une meute de chiens ;
Un malin, ce lièvre ! dès qu'il sentit que tous les lévriers étaient là,
Hop, une culbute à droite, derrière lui ces sots de chiens à droite,
Et lui de nouveau zip à gauche je te fais deux grands bonds,
Et les chiens derrière zip à gauche, et lui dans le bois, et mon Courtaud
Clap !! » s'exclamant ainsi, monsieur le Notaire, penché sur la table,
Avec ses doigts avait couru jusqu'à l'autre extrémité
Et brailla son « Clap ! » juste à l'oreille de Thaddée.
Thaddée et sa voisine, par cet éclat de voix,
Alors qu'ils étaient en plein conciliabule, brutalement effrayés,   710
Interrompirent instinctivement leur face à face rapproché,
Comme des cimes d'arbres réunies
Que la tempête sépare ; et leurs mains sous la table
Proches l'une de l'autre eurent soudain un mouvement de recul,
Tandis que leurs deux visages d'une même rougeur se couvraient.

    Thaddée, pour ne pas trahir sa confusion,
Dit : « Il est vrai, cher Notaire, il est vrai, que sans aucun doute

Le Courtaud est un lévrier superbe, et s'il est aussi bon chasseur… »
« Bon chasseur ? -- s'écria monsieur le Notaire – mon chien favori
Ne serait pas bon chasseur ? » -- Et donc Thaddée de nouveau   720
Se réjouit qu'un chien aussi superbe n'eût pas de défauts,
Regrettant de ne l'avoir vu que lorsqu'il revenait de la forêt
Et de ne pas avoir eu le temps de découvrir ses qualités.

    A ces paroles l'Assesseur sursauta, lâcha son verre,
Et plongea dans Thaddée des yeux assassins.
L'Assesseur était moins braillard et moins remuant
Que le Notaire, plus mince et petit de taille,
Mais terrible dans les bals masqués, les réceptions et les diétines[38],
Car on disait de lui qu'il avait un dard sur la langue.
Il savait composer de petites blagues si drôles   730
Qu'on eût pu les imprimer dans l'almanach :
Toutes méchantes, virulentes. Autrefois personne aisée,
De son père l'héritage et de ses frères le patrimoine
Il avait complètement dilapidés, vivant sur un grand pied ;
A présent il était entré au service de l'état, pour peser dans le district.
Il adorait chasser, que ce fût pour se distraire,
Ou parce que le son du cor et la vision de la battue
Lui rappelaient ses années de jeunesse,
Lorsqu'il disposait de nombreux tireurs et chiens renommés ;
A présent de toute sa meute lui restaient deux lévriers,   740
Et encore, à l'un d'entre eux on voulait contester sa gloire !
Il s'approcha donc et caressant lentement ses favoris
Dit en souriant, mais d'un sourire venimeux :
« Un lévrier sans queue est comme un gentilhomme sans fonction,
La queue aussi aide considérablement le lévrier dans son élan.
Et vous, Monsieur, considérez l'absence de queue comme un atout ?
D'ailleurs nous pouvons nous en remettre au jugement de votre tante.
Bien que madame Télimène ait habité la capitale
Et se distraie depuis peu dans notre région,

---

[38] *Les diétines, ou « petites diètes », étaient des assemblées de nobles qui se réunissaient pour prendre des décisions au niveau local ou élire et mandater leurs députés à la Diète nationale.*

Elle s'y connaît mieux en chasse que les jeunes chasseurs :   750
Tant il est vrai que la science vient d'elle-même avec les années ».

   Thaddée sur qui, sans qu'il s'y attendît, s'abattait
Un tel coup de foudre, se leva confus, resta silencieux un moment,
Mais portant sur son rival un regard de plus en plus terrifiant, dur...
Là-dessus, fort heureusement, le Chambellan éternua par deux fois :
« A vos souhaits ! » s'écrièrent tous ; il remercia en s'inclinant
Et de ses doigts lentement fit sonner sa tabatière :
Une tabatière en or, avec un encadrement de diamants,
Et au milieu un portrait du roi Stanislas[39].
Le roi en personne l'avait offerte au père du Chambellan,   760
Et après son père le Chambellan religieusement la gardait ;
Lorsqu'il la faisait sonner, il indiquait qu'il allait prendre la parole ;
Tous se turent, n'osant ouvrir la bouche.
Il dit alors : « Messieurs les Gentilhommes, mes Frères !
Le seul tribunal pour des chasseurs, ce sont les prés et les bois,
Et donc je ne trancherai pas de telles affaires en intérieur
Et j'ajourne notre séance à demain.
Et j'interdis aux parties de nouvelles répliques pour aujourd'hui ;
Huissier ! Reportez l'affaire à demain, à l'extérieur.
Demain le Comte aussi descendra ici avec tout son équipage de chasse,
                                                                   [770
Et vous aussi, Juge, mon voisin, vous serez de la partie,
Et madame Télimène, et ces demoiselles, et ces dames,
En un mot, nous ferons une grande chasse exprès pour cela ;
Et vous non plus, Substitut, votre compagnie ne nous refuserez ».
Ce disant, il tendit sa tabatière au vieil homme.

   Le Substitut était assis en bout de table, parmi les chasseurs,
Il écoutait en fermant les yeux à demi, sans dire un mot ;
Bien que parfois les jeunes le consultassent,
Car personne mieux que lui ne s'y connaissait en chasse.
Il se taisait, une pincée de tabac prise dans la tabatière soupesant   780

─────────────────────

[39] *Stanislas-Auguste Poniatowski, dernier roi de Pologne, ayant dû abdiquer en 1795.*

Dans ses doigts, et réfléchit longtemps avant de la priser ;
Il éternua, au point que toute la pièce résonna en écho,
Et hochant la tête dit en souriant amèrement :
« Oh, que cela à la fois attriste et étonne le vieil homme que je suis !
Qu'en diraient les vieux chasseurs,
Voyant que dans un cercle de tant de gentilhommes, de seigneurs,
Il faille juger des litiges portant sur une queue de lévrier ?
Qu'en dirait le vieux Rejtan, s'il ressuscitait ?
Il rentrerait à Lachowicze[40] et se recoucherait dans sa tombe !
Qu'en dirait le voïévode Niesiołowski[41] le vieux,   790
Qui jusqu'à ce jour possède les premiers chiens de chasse au monde
Et entretient deux cents tireurs selon la coutume seigneuriale,
Et possède cent chariots de filets dans son château de Worończa,
Mais depuis tant d'années reste cloîtré tel un moine dans son manoir.
Personne n'arrive à le convaincre de participer à une chasse.
A Białopiotrowicz[42] en personne il a refusé !
Car que pourrait-il bien chasser lors de vos chasses ?
Elle serait belle la gloire d'un tel seigneur
S'il allait à la chasse aux lièvres, comme c'est la mode aujourd'hui !
De mon temps, monseigneur, en langage de chasseur   800
Un sanglier, un ours, un élan, un loup, cela s'appelait gibier de noble,
Tandis qu'un animal sans défenses, sans bois, sans griffes,
On le laissait aux serviteurs appointés et aux larbins de cour ;
Aucun seigneur n'aurait jamais voulu prendre en main
Un fusil qu'on eût déshonoré en le chargeant avec du petit plomb !
On tenait certes les lévriers en laisse, car en rentrant de chasse
Il arrive que sous un cheval on lève un pauvre lièvre ;

---

[40] *Lieu supposé d'inhumation de Tadeusz Rejtan, situé actuellement en Biélorussie (cf. la note 6).*
[41] Joseph comte Niesiołowski, le dernier voïévode de Nowogródek, a été président du gouvernement révolutionnaire au moment de l'insurrection de Jasiński *(cf. la note 9)*.
[42] Jerzy Białopiotrowicz, dernier Ecrivain du Grand-Duché de Lituanie, a participé activement au soulèvement de la Lituanie sous Jasiński. Il était juge des prisonniers de l'Etat à Wilno. Exemple de vertu et de patriotisme, très respecté en Lituanie.

Alors on lâchait les chiens derrière lui pour s'amuser
Et les petits seigneurs galopaient sur des poneys
Devant les yeux de leurs parents, qui ces poursuites   810
A peine daignaient regarder, sans parler de se disputer à leur propos !
Alors, Illustre Seigneur Chambellan, daignez
Révoquer vos ordres, et me pardonner
De ne pouvoir aller à une telle chasse,
A laquelle jamais je ne mettrai les pieds !
Je m'appelle Hreczecha, et depuis le roi Lech[43]
Aucun Hreczecha n'a couru après des lièvres ».

      Là le rire des jeunes couvrit les paroles du Substitut,
On se leva de table. Le Chambellan le premier leva le siège,
Par son âge et sa fonction cet honneur lui revient,   820
Et en partant il salua en s'inclinant les dames, les seniors et les jeunes ;
Le suivaient le Quêteur, le Juge juste à côté du Bernardin.
Le Juge en sortant donna le bras à la femme du Chambellan,
Thaddée à Télimène, l'Assesseur à la fille du Trancheur[44],
Et enfin monsieur le Notaire à mademoiselle la Substitute Hreczecha.

      Thaddée en compagnie de quelques invités alla à la grange,
Il se sentait troublé, de mauvaise humeur et maussade,
Il décortiquait dans sa tête tous les évènements de la journée,
La rencontre, le souper aux côtés de sa voisine,
Et surtout le mot « tante » à ses oreilles   830
Bourdonnait en permanence comme une mouche importune.
Il eût voulu auprès de l'Huissier mieux se renseigner
Au sujet de madame Télimène, mais il ne put lui mettre la main dessus ;
Il ne vit pas non plus le Substitut, car de suite après le souper
Tous suivirent les invités, comme il sied à des serviteurs
Qui préparent au manoir les chambres à coucher.
Les aînés et les dames dormaient dans le bâtiment du manoir,

---

[43] *S'agit-il du fondateur légendaire de l'Etat des Polanes ou du roi Lech 1ᵉʳ, prince de Pologne, qui a régné vers 1200 ?*
[44] *Ce titre, à l'origine celui d'un fonctionnaire à la cour chargé de trancher les viandes à la table du roi, est ensuite devenu simplement honorifique.*

Et à Thaddée on demanda de conduire les jeunes gens,
En tant que remplaçant du maître des lieux, dans la grange sur le foin.

    Après une demi-heure, le manoir tout entier était aussi muet   840
Qu'un monastère après la sonnerie des cloches pour la prière du soir ;
Seule la voix du veilleur de nuit interrompait le silence.
Tous s'étaient endormis. Seul le Juge reste les yeux ouverts :
En tant que maître de céans il réfléchit à l'excursion
A l'extérieur, et organise la prochaine réjouissance à l'intérieur.
Il donna ses ordres aux économes, maires et surveillants de travaux,
Secrétaires, intendante, tireurs et valets d'écurie,
Et dût passer en revue tous les comptes de la journée ;
Et à la fin dit à l'Huissier qu'il voulait se déshabiller.
L'Huissier lui ôta sa ceinture, ceinture dorée venant de Słuck[45],   850
Sur laquelle d'abondantes houppes brillent comme des aigrettes,
A l'endroit le tissu lamé d'or est à fleurs couleur pourpre,
A l'envers la soie noire est carroyée d'argent ;
Une telle ceinture peut se porter à l'endroit comme à l'envers ;
Dorée pour les jours de fête, noire pour le deuil.
Seul l'Huissier savait la défaire, la plier ;
C'était justement ce qu'il était en train de faire, terminant en disant :

    « Qu'y a-t-il de mal à avoir transporté les tables au vieux château ?
Personne n'y a rien perdu, et vous peut-être y gagnerez-vous,
Car c'est bien ce château qui du procès d'aujourd'hui est l'objet.   860
A partir d'aujourd'hui, nous avons acquis des droits sur lui,
Et nonobstant tout l'acharnement de la partie adverse
Je prouverai que nous en avons pris possession.
Car celui qui invite à souper dans un château
Démontre qu'il en a ou qu'il en prend la possession.
Nous prendrons même à témoin la partie adverse :
Je me souviens de cas semblables survenus de mon temps ».

----

[45] Il y avait à Słuck *(actuellement en Biélorussie)* une célèbre fabrique de tissus lamés d'or et de ceintures dorées pour toute la Pologne ; perfectionnée par les soins de Tyzenhaus *(industriel d'origine germano-balte, ministre des finances du Grand-Duché du temps du roi Stanislas-Auguste Poniatowski).*

Le Juge déjà dormait. L'Huissier sans bruit entra dans le vestibule,
S'assit près d'une bougie et de sa poche tira un petit livre,
Qu'il consulte aussi fréquemment qu'un missel,   870
Qu'il ne quitte jamais, ni chez lui, ni en voyage.
C'était le rôle des audiences du tribunal[46] : là, dans l'ordre
Etaient inscrites les affaires que devant les instances
Lui-même avaient appelées de vive voix il y a de cela des années,
Ou celles dont il était parvenu à avoir connaissance depuis.
Pour les profanes, ce rôle apparaîtra comme une liste de noms,
Pour l'Huissier de magnifiques tableaux c'est l'évocation.
Il y lisait et méditait : Ogiński contre Wizgird,
Les Dominicains contre Rymsza, Rymsza contre Wysogird,
Radziwiłł contre Wereszczaka, les Giedrojć[47] contre Rdułtowski,   880
Obuchowicz contre le kahał[48], Juraha contre Piotrowski,
Maleski contre Mickiewicz, et à la fin le Comte
Contre Soplica : et lisant, de ces noms il débusque
Le souvenir de grandes causes, tous les incidents du procès,
Et devant ses yeux se dressent le tribunal, les parties et les témoins ;
Et il se voit lui-même, en żupan blanc,
Et kontusz bleu marine, debout devant la cour,
Une main sur son sabre, et de l'autre à la barre
Appelant les deux parties : « Faites silence ! » crie-t-il.
Ainsi songeant et terminant sa prière du soir, peu à peu   890
S'endormit de la Lituanie le dernier Huissier de tribunal.

Telles étaient les distractions, les chicanes à cette époque
Dans un tranquille village lituanien ; alors que le reste du monde
Sombrait dans les larmes et le sang, que ce chef, ce dieu de la guerre,
Entouré d'une nuée de régiments, armé de milliers de canons,

---

[46] Le rôle des audiences est un petit livre étroit et de forme allongée, dans lequel on inscrivait le nom des parties en procès, dans l'ordre d'enregistrement de leur affaire. Tous les avocats et huissiers devaient posséder un tel rôle.
[47] *Famille aristocratique lituanienne, dont est issu le général Romuald Giedrojć que l'on retrouvera au Livre XI, vers 90.*
[48] *Commune dont les habitants sont de confession juive.*

Ayant attelé à son char les aigles d'or aux côtés des aigles d'argent[49],
Volait des déserts libyens aux portes célestes des Alpes,
Coup sur coup lançant sa foudre sur les Pyramides, le Thabor,
Marengo, Ulm, Austerlitz. La Victoire et la Conquête
Le précédaient et le suivaient. La glorieuse rumeur de tant d'exploits,
                                                              [900
Grosse des noms de ses chevaliers, du Nil
Allait grondant vers le nord, jusqu'à ce que sur les bords du Niémen,
Comme sur des rochers, elle se réfléchît sur les troupes de Moscou
Qui par un rideau de fer protégeaient la Lituanie
D'une nouvelle pour la Russie aussi funeste que la peste.

      Pourtant parfois cette nouvelle, telle un caillou tombé du ciel,
Tombait sur la Lituanie ; parfois un vieillard mendiant du pain,
Privé d'un bras ou d'une jambe, après avoir reçu l'aumône,
S'arrêtait et promenait un regard circonspect autour de soi.
Dans le manoir ne voyant ni soldats russes,   910
Ni kippas, ni cols rouges[50],
Alors il dévoilait son identité : c'était un légionnaire[51]
Ramenant ses vieux os sur le sol de la patrie
Qu'il n'était plus en état de défendre… Il fallait voir alors toute
La famille du seigneur, tous les domestiques l'embrasser,
Eclatant en sanglots ! Il s'asseyait à la table
Et racontait des histoires plus extraordinaires que dans un conte.
Il racontait comment le général Dąbrowski[52]
Depuis l'Italie s'efforce de rallier la Pologne,
Comment il rassemble ses compatriotes dans la campagne lombarde ;
                                                              [920

---

[49] *Les aigles d'or et d'argent : celles de Napoléon et de la Pologne.*
[50] *Sans doute les fonctionnaires de la police tsariste.*
[51] *Les soldats polonais dans les armées napoléoniennes, et plus généralement étrangères, étaient enrôlés dans des unités appelées « légions ».*
[52] *Ayant organisé une légion polonaise, il participa au sein des armées françaises aux campagnes d'Italie, de Pologne et de Russie dans l'espoir de rendre son indépendance à sa patrie ; son nom est rendu célèbre par le « chant des légions » de 1797, devenu depuis l'hymne national polonais.*

Comment Kniaziewicz[53] donne ses ordres depuis le Capitole
Et, en vainqueur, aux héritiers des Césars arrachés,
Cent étendards ensanglantés aux pieds des Français[54] a jeté ;
Comment Jabłonowski est arrivé jusqu'au pays où pousse le poivre[55],
Où l'on fond le sucre et où dans un printemps éternel
Fleurissent des forêts parfumées ; avec la légion du Danube
Le chef y broie du Noir, et a le mal du pays.

Les paroles du vieillard en cachette circulaient dans le village ;
Un garçon qui les avait entendues soudain de chez lui disparaissait,
A travers bois et marais se faufilait secrètement.   930
Poursuivi par les Moscales, dans le Niémen il sautait pour s'y cacher
Et en nageant sous l'eau gagnait la rive du Duché de Varsovie,
Là il entendait une voix accueillante : « Salut, camarade ! »
Mais avant de quitter les lieux, il grimpait sur une éminence rocheuse
Et lançait aux Moscales par-dessus le Niémen : « Au revoir ! »
C'est ainsi que passèrent Gorecki, Pac et Obuchowicz,
Piotrowski, Obolewski, Różycki, Janowicz,
Les Mierzejewski, Brochocki et les Bernatowicz,
Kupść, Gedymin et d'autres, que je ne pourrais compter ;
Ils abandonnaient leurs parents et leur terre bien-aimée,   940
Et leurs biens qu'au profit du trésor tsariste on confisquait.

Parfois d'un monastère étranger un quêteur en Lituanie
Arrivait, et une fois mieux connus les maîtres du manoir,

---

[53] *Autre général polonais s'étant illustré dans les armées françaises, et notamment pendant la campagne d'Italie. A la tête de la Première Légion polonaise, il entre dans Rome en mai 1798.*
[54] Le général Kniaziewicz, missionné par l'armée d'Italie, a remis au Directoire les étendards gagnés sur l'ennemi.
[55] Le prince Jabłonowski, commandant la Légion du Danube, est mort à Saint-Domingue, et pratiquement toute la Légion y a péri. Il reste dans l'émigration quelques vétérans de cette malheureuse expédition, notamment le général Małachowski. *Militaire polonais de l'armée d'Italie, le général Jabłonowski avait été envoyé par le Consulat en 1802 à Saint-Domingue pour y mater la révolution haïtienne.*

Il leur montrait une gazette décousue de son scapulaire ;
Y figuraient inscrits et le décompte des soldats,
Et le nom de chaque chef de légion,
Avec la relation de la victoire ou de la mort de chacun d'eux.
Après bien des années, pour la première fois la famille recevait
Une nouvelle concernant la vie, la gloire et aussi la mort d'un fils :
La maison prenait le deuil, mais on n'osait dire   950
Pour qui était le deuil, on le devinait seulement
Dans le voisinage ; et seule la silencieuse tristesse des maîtres
Ou leur joie silencieuse servaient de gazette à leurs concitoyens.

Robak était semble-t-il un quêteur secret de cette espèce :
Il parlait souvent seul à seul avec monsieur le Juge ;
Ces entretiens étaient toujours suivis de quelque nouvelle
Qui se répandait dans le voisinage. L'allure du Bernardin
Trahissait qu'en moine encapuchonné il n'avait pas toujours
Vécu et n'avait pas vieilli entre les murs d'un monastère.
Il avait au-dessus de l'oreille droite, un peu plus haut que la tempe, 960
Une balafre de peau arrachée de la largeur d'une paume,
Et au menton la trace d'un récent coup de lance ou de fusil ;
Ces blessures il ne les avaient certes pas reçues en lisant son bréviaire.
Mais non seulement ses balafres et son regard austère,
Mais sa démarche même et sa voix avaient du militaire.

Lors de la messe, lorsque les mains tournées vers le ciel,
De l'autel il s'adressait aux gens disant : « Le Seigneur est avec vous »,
Parfois d'un seul mouvement il se retournait si adroitement
Qu'on eût dit qu'il faisait un demi-tour droite commandé par son chef,
Et les mots de la liturgie il les adressait sur un tel ton   970
Aux fidèles, qu'on eût dit un officier face à son escadron :
Les garçons qui le servaient pendant la messe s'en rendaient compte.
Robak était également davantage au fait des affaires politiques
Que des vies des Saints, et au cours de ses quêtes
Souvent s'arrêtait dans le chef-lieu de district ;
Il avait une foule d'affaires en cours : tantôt il récupérait des lettres,
Qu'il n'ouvrait jamais en présence d'étrangers,
Tantôt il envoyait des messagers, mais où et pour quoi faire,
Il ne le disait pas ; fréquemment il s'échappait la nuit pour rallier

Les manoirs, tenait constamment des conciliabules avec les nobles, 980
Et avait arpenté tous les villages des alentours,
Discutant beaucoup dans les tavernes avec les villageois,
Toujours à propos de ce qui se passait dans les pays étrangers.
A présent, le Juge qui depuis une heure déjà dormait,
Il vient le réveiller ; il a sûrement quelque nouvelle à lui donner.

***

LIVRE DEUXIEME

LE CHATEAU

*

Sommaire :

Chasse au débusqué avec les lévriers.
Un hôte au château.
Le dernier des officiers de cour raconte l'histoire du dernier
des Horeszko.
Coup d'œil dans le verger.
La jeune fille au milieu des concombres.
Déjeuner.
L'anecdote pétersbourgeoise de madame Télimène.
Nouvel accès de chicane à propos du Courtaud et du Faucon.
Intervention de Robak.
Le discours du Substitut.
Les mises.
En route pour les champignons !

*

Q ui de nous ne se souvient de ces années où, jeune garçon,
  Le fusil sur l'épaule, en sifflotant il arpentait la campagne,
Sans être gêné par aucun talus, aucune clôture,
Où, franchissant une bordure, il ne voit pas qu'il est chez autrui !
Parce que le chasseur en Lituanie, comme un navire en mer,
Dans l'espace se meut, où il veut, par où il veut :
Semblable à un prophète scrutant le ciel où, dans la nuée,
Il est de nombreux signes visibles à un œil de chasseur,
Ou encore à un magicien s'entretenant avec la terre qui, sourde
Aux citadins, à l'oreille lui chuchote un tas de murmures.   10

Là-bas le râle rouge pousse son cri, en vain on le cherche dans le pré
Car dans l'herbe il file comme un brochet dans le Niémen ;
Là-haut retentit du printemps un tintement de cloche matinal,
Celui de l'alouette, tout aussi profondément enfouie dans le ciel ;
Quelque part, du battement de ses grandes ailes l'aigle l'espace
Fait gronder, effrayant les moineaux comme la comète les tsars[56] ;
Et le faucon, suspendu dans le clair azur,
Bat des ailes comme le papillon sur une aiguille transpercé,
Jusqu'à ce qu'au milieu du pré apercevant un oiseau ou un lièvre,
Des hauteurs il fonde sur lui comme une étoile filante.   20

Quand donc le Seigneur nous permettra de rentrer de notre errance
Et à nouveau d'habiter chez nous dans notre campagne natale,
Et de servir dans la cavalerie qui combat les lièvres,
Ou dans l'infanterie équipée pour tuer des oiseaux ;

---

[56] *Ivan le Terrible aurait interprété l'apparition d'une comète comme l'annonce de sa mort.*

De ne connaître d'autres armements que la faucille et la faux,
Et d'autres journaux que ceux des comptes domestiques !

　　Le soleil s'était levé sur Soplicowo[57], et déjà était tombé
Sur ses toits de chaume et par les fentes dans la grange s'était infiltré ;
Sur le foin d'un vert sombre, frais et odorant,
Dont les jeunes s'étaient fait une litière,　　　　　　　　　　30
Se déployaient ses raies dorées, vibrant
Par une ouverture de la sombre toiture, comme les rubans d'une tresse ;
Et le soleil de ses rayons matinaux les lèvres des dormeurs
Chatouille, comme la jeune fille son amoureux avec un épi réveille.
Déjà les moineaux sautillants ont commencé à piailler sous le toit,
Déjà à trois reprises le jars a cacardé, et après lui, comme en écho,
En chœur lui ont répondu les canards et les dindons,
Et le bétail partant aux champs fait entendre ses beuglements.

　　Les jeunes étaient debout, Thaddée est toujours couché et dort,
Car il s'est endormi le dernier ; du souper d'hier　　　　　　40
Il est rentré si préoccupé, qu'au chant des coqs
L'œil il n'avait pas encore fermé, et sur sa couche
Tellement il remuait que dans le foin comme dans l'eau il avait sombré
Et dormait à poings fermés, -- quand un vent froid lui cingla les yeux :
On ouvrait avec fracas la porte grinçante de la grange
Et le père bernardin Robak entrait avec sa ceinture à nœuds,
En criant « *Surge, puer*[58] ! » et par-dessus son échine
Sans façon faisait tournoyer sa cordelière.

　　Dans la cour on entend déjà des cris de chasseurs,
On sort les chevaux, les briskas arrivent,　　　　　　　　50
A peine la cour peut-elle contenir toute cette affluence,
Les cors font retentir leurs appels, on a ouvert le chenil ;
La meute des lévriers qui s'en échappent joyeusement jappent ;
Voyant les montures des piqueurs, les laisses des traqueurs,
Les chiens comme des fous en tous sens galopent dans la cour,

---

[57] *Le village appartenant aux Soplica.*
[58] *Debout, garçon !*

Puis courent engager leur cou dans leur collier :
Tout cela augure d'une excellente chasse ;
Le Chambellan donne enfin l'ordre du départ.
Les piqueurs partent au petit trot, à la file indienne,
Mais passé le portail ils se déploient sur un large front ;   60
Au milieu chevauchent côte à côte l'Assesseur et le Notaire ;
Bien que se lançant de temps à autre un regard peu amène,
Ils discutaient amicalement, comme il sied à des gens d'honneur
S'en allant trancher un litige mortel ;
Personne n'aurait vu en eux des chicaneurs acharnés ;
Monsieur le Notaire menait le Courtaud, l'Assesseur le Faucon.
Derrière, les dames dans les voitures, et les jeunes gens, à leurs côtés
Chevauchant juste près des roues, conversaient avec elles.

      Le religieux Robak marchait lentement dans la cour,
Terminant ses prières du matin ; mais il avait l'œil   70
Sur messire Thaddée, fronçait les sourcils, souriait,
Et enfin lui fit signe du doigt. Thaddée s'approcha sur son cheval,
Robak lui mit le doigt sous le nez en signe de mécontentement ;
Mais en dépit des interrogations et demandes de Thaddée
Pour savoir précisément ce qu'il voulait,
Le bernardin ne daigna ni répondre ni lui porter un regard,
Il se borna à relever sa capuche et terminer ses prières ;
Thaddée alors s'éloigna et se joignit aux invités.

      Les chasseurs venaient justement d'arrêter les chiens
Et tous se tenaient immobiles sur place ;   80
Les uns aux autres ils se faisaient signe de la main de se taire,
Et tous tournaient le regard vers un rocher
Sur lequel monsieur le Juge se tenait debout ; il avait aperçu la bête
Et expliquait ses ordres par des gestes de la main.
Tous avaient compris : ils ne bougent pas, et au milieu du champ
L'Assesseur et monsieur le Notaire au petit trot avancent ;
Thaddée, étant plus près, les dépassa tous deux,
S'arrêta près du Juge et cherchait des yeux.
Il n'était pas sorti depuis longtemps ; sur une surface uniforme
Il n'est pas aisé de distinguer un lièvre, surtout au milieu de rochers. 90
Monsieur le Juge le lui montra ; le pauvre se tenait

Aplati sous une pierre, les oreilles dressées,
Et de son œil rouge rencontra le regard des chasseurs,
Et comme fasciné, sentant sa destinée,
De peur ne pouvait détacher son regard du leur,
Et sous la pierre se tenait comme pétrifié.
Cependant la poussière dans le champ se soulève de plus en plus près,
Le Courtaud en laisse fonce, derrière lui le Faucon véloce,
Alors l'Assesseur et le Notaire à l'unisson juste derrière braillèrent :
« Attaque ! Attaque ! », et avec les chiens disparurent dans la poussière.
                                                                            [100
        Tandis qu'on pourchassait ainsi le lièvre,
Monsieur le Comte fit son apparition en bordure du bois du château.
Dans la contrée il était connu que ce seigneur ne peut
Jamais nulle part à l'heure prescrite se présenter.
Ce jour non plus il ne s'était pas réveillé et, rudoyant ses domestiques,
Voyant les chasseurs dans la plaine, au galop il fonçait vers eux ;
De sa redingote de coupe anglaise, blanche, longue,
Il faisait voler les pans au vent ; derrière, ses domestiques à cheval,
En chapeaux semblables à des champignons, noirs, luisants, petits,
En casaques, bottes à jambières, pantalons blancs ;   110
Les domestiques que monsieur le Comte ainsi habille
En son palais se nomment des jockeys.

        La bande au galop dévalait dans la plaine,
Lorsque soudain le Comte aperçut le château et arrêta son cheval.
Il le voyait pour la première fois de bon matin et ne croyait pas
Qu'il s'agissait des mêmes murs, tant rajeunis
Et embellis par la lumière matinale étaient les contours de la bâtisse ;
Monsieur le Comte s'émerveilla d'un tableau aussi insolite.
La tour paraissait deux fois plus haute, car dominant
La brume matinale ; le toit métallique était doré par le soleil,   120
Et en dessous brillaient dans leurs croisillons les vitres encore intactes,
Diffractant en arcs de toutes les couleurs les rayons du levant ;
Les étages inférieurs étaient plongés dans une nappe de brume
Qui en cachait les ruines et les brèches.
Le cri des chasseurs dans le lointain, amené par les vents,
Se répercutait plusieurs fois sur les parois du château :
On eût juré qu'il venait du château, que sous le voile de brume

Les murs avaient été reconstruits et repeuplés.

Le Comte aimait les tableaux extraordinaires et nouveaux,
Il les appelait romantiques ; il aimait à dire qu'il avait l'esprit   130
Romantique ; en fait c'était un grand original.
Parfois, lancé à la poursuite d'un renard ou d'un lièvre,
Il s'arrêtait brutalement et portait au ciel un regard mélancolique,
Comme le chat lorsqu'il aperçoit des moineaux sur un grand pin ;
Souvent sans chien, sans fusil, il errait dans le bois
Comme une recrue en fuite ; souvent il s'asseyait près d'un ruisseau,
Immobile, la tête penchée sur le courant d'eau,
Comme un héron voulant dévorer des yeux tous les poissons.
Telles étaient les bizarres coutumes du Comte ;
Tous disaient qu'il lui manquait quelque chose.   140
On l'estimait cependant, car il était seigneur depuis la nuit des temps,
Un richard, bon pour ses paysans, humain pour ses voisins,
Même pour les Juifs.

Le cheval du Comte, détourné de sa route,
Trotta droit à travers champ jusqu'à l'entrée du château.
Le Comte tout seul soupirait, contemplait les murs,
Sortit du papier, un crayon et dessinait des esquisses.
Là-dessus, regardant sur le côté, il aperçut à vingt pas
Un homme qui, comme lui amoureux des tableaux,
Le nez en l'air, les mains dans les poches,
Semblait compter les pierres des yeux.   150
Il le reconnut tout de suite, mais plusieurs fois dut
Crier, avant que Gerwazy[59] n'entendît sa voix.
C'était un gentilhomme, serviteur des anciens châtelains,
Des officiers de cour de Horeszko le dernier encore vivant.
Le vieillard, grand et le cheveu blanc, avait le visage rougeaud, sain,
Labouré de rides, renfrogné, sévère.
Jadis il avait une réputation de gai luron parmi la noblesse ;
Mais depuis la bataille dans laquelle le châtelain avait péri,

---

[59] *Gervais ; dans l'hagiographie chrétienne, Gervais et Protais (prénom de l'Huissier) sont deux saints jumeaux, martyrisés sous le règne de Néron.*

Gerwazy avait changé, et depuis de nombreuses années
Ni à une kermesse ni à un mariage il n'avait assisté ;   160
Depuis ce temps, on n'entendait plus ses plaisanteries,
Et ne voyait plus de sourire sur son visage.
Il portait toujours la vieille livrée des Horeszko,
Une veste jaune à pans, décorée d'une passementerie
Aujourd'hui jaunie, par le passé certainement dorée.
Tout autour étaient cousus des signes héraldiques en soie,
Des demi-caprins[60], c'est pourquoi toute la région
Avait donné au vieux gentilhomme le surnom de Demi-caprin.
Parfois aussi, du fait de l'expression que sans arrêt
Il répétait, on l'appelait également mon Petit Monsieur[61] ;   170
Parfois l'Ebréché, car sa calvitie était pleine d'entailles ;
Mais son nom était Rębajło, et ses armoiries
Inconnues. Il s'était attribué le titre de Porte-clés,
Etant donné qu'il y a des années il exerçait cette fonction au château.
Et jusqu'à aujourd'hui il portait un gros trousseau de clés à la ceinture,
Maintenu par un cordon à gland d'argent.
Bien qu'il n'eût rien à ouvrir, car du château la grand-porte
Etait béante, il avait néanmoins découvert une porte à deux battants,
L'avait réparée et remise en place à ses frais,
Et s'amusait à l'ouvrir tous les jours.   180
Il avait élu domicile dans une des pièces vides ;
Ayant la possibilité de vivre gracieusement chez le Comte,
Il ne le voulait pas, car partout il se languissait et se sentait indisposé
Si l'air du château il ne respirait.

    Dès qu'il vit le Comte, il se découvrit prestement
Et honora d'un profond salut le parent de ses maîtres,
Inclinant sa large calvitie, qui brillait de loin
Et que moult sabres avaient entaillée comme une massue à encoches ;
La caressant de la main, il s'approcha, et encore une fois bien bas
S'inclinant, dit tristement : « mon Petit Monsieur, Pauvre seigneur, 190
Pardonnez-moi de parler ainsi, illustre seigneur Comte,

---

[60] *Voir la note 22.*
[61] *En polonais « Mopanku ».*

C'est par habitude, et non par manque de respect :
Tous les Horeszko disaient « Petit Monsieur »,
Et le dernier Sénéchal[62], mon maître, s'exprimait de la sorte ;
Est-il vrai, mon Petit Monsieur, que vous lésinez pour dépenser un sou
Pour le procès et ce château aux Soplica allez céder ?
Je ne le croyais pas, mais c'est ce qu'on dit dans tout le district.
Et là, contemplant le château, il ne cessait de soupirer.

 « Quoi d'étonnant ? dit le Comte, la dépense est grande, la chicane
Encore plus ; je veux en finir, mais ce chicaneur de gentilhomme   200
S'entête ; il a bien vu qu'il pouvait me lasser ;
Oui, je ne tiendrai pas davantage et déposerai aujourd'hui les armes,
J'accepterai les conditions de l'accord que me fixera le tribunal ».
« Un accord ? s'écria Gerwazy, un accord avec les Soplica ?
Avec les Soplica, mon Petit Monsieur ? » -- Ce disant, il tordit
La bouche, comme s'il s'étonnait de ses propres paroles.
« Un accord et les Soplica ! mon Petit Monsieur, Pauvre seigneur,
Vous plaisantez, n'est-ce pas ? Le château, la résidence des Horeszko,
Passerait aux mains des Soplica ? Daignez seulement
Descendre de cheval, allons au château, pour que vous voyiez,   210
Vous-même ne savez pas ce que vous faites ; allons, ne résistez pas
Descendez ! » -- et il retint l'étrier pour le faire descendre.

 Ils entrèrent au château ; Gerwazy s'arrêta sur le seuil du vestibule :
« Ici, dit-il, les anciens maîtres, entourés de leur cour,
Souvent s'asseyaient dans des fauteuils après le dîner.
Monsieur réglait les litiges des villageois ou bien, de bonne humeur,
Il servait à ses hôtes toutes sortes d'histoires intéressantes,
Ou encore se distrayait de leurs propos et de leurs plaisanteries,
Tandis que les jeunes gens dans la cour s'escrimaient avec des bâtons
Ou s'adonnaient au dressage des chevaux tatares du Maître ».   220

 Entrés dans le vestibule, Gerwazy dit : « Dans cet énorme vestibule
Pavé, vous ne trouverez pas autant de pierres

---

[62] « Stolnik » : officier de bouche à la table du roi, que nous traduisons par « sénéchal ».

Que de tonneaux de vin que l'on a percés dans les bonnes périodes ;
Ces messieurs remontaient les barriques de la cave avec leurs ceintures,
Invités à une diète ou une diétine de district,
Ou pour la fête du Maître, ou pour une chasse.
Pendant les réjouissances dans la tribune se tenait un orchestre
Qui jouait de l'orgue et de toute sorte d'instruments[63] ;
Quand on portait un toast, les cors comme au jour du jugement dernier
Sonnaient dans la tribune ; les toasts se succédaient dans l'ordre :   230
Le premier à la santé de Sa Majesté le roi,
Ensuite à celle du primat, ensuite à celle de Sa Majesté la reine,
Ensuite à celle de la noblesse et de toute la République ;
Et à la fin, la cinquième coupe vidée,
On entamait le : Aimons-nous ! toast porté sans désemparer,
Entamé de jour, et que l'on entendait jusqu'à l'aube ;
Et les attelages et les voitures se tenaient déjà prêts
A ramener chacun dans son domaine ».

    Ils traversèrent plusieurs pièces ; Gerwazy silencieux
Tantôt arrêtait son regard sur un mur, tantôt sur une voûte,   240
Evoquant ici un souvenir triste, là agréable ;
Parfois, comme s'il voulait dire : « Tout est fini »,
Il hochait la tête avec mélancolie ; ou faisait un geste de main désabusé.
Visiblement, rien que le souvenir était déjà souffrance pour lui
Et il voulait le repousser ; jusqu'à ce qu'ils s'arrêtassent,
A l'étage, dans une grande salle, autrefois revêtue de miroirs ;
Aujourd'hui, des miroirs arrachés seuls les encadrements subsistaient,
Et des fenêtres sans vitres avec un balcon donnant sur la grand-porte.
Entrant dans cette salle, le vieillard baissa sa tête pensive,
Se voila la face de ses mains, et lorsqu'il la dévoila,   250
Elle exprimait une grande tristesse et le désespoir.
Le Comte, bien qu'ignorant ce que tout cela signifiait,
Ressentit comme une émotion en dévisageant le vieillard,
Lui serra le bras ; ce silence dura un moment,
Le vieillard l'interrompit, levant sa dextre tremblante :
« Il n'y a pas d'accord, mon Petit Monsieur, entre les Soplica

---

[63] Dans les anciens châteaux on installait des orgues dans les tribunes.

Et le sang des Horeszko ; en vous coule le sang des Horeszko,
Vous êtes parent du Sénéchal par votre mère femme du Grand veneur[64],
Née de la deuxième fille du Castellan[65],
Qui, comme on le sait, était l'oncle par alliance de mon Maître.   260
Ecoutez donc votre propre histoire familiale,
Qui se passa dans cette pièce, et pas dans une autre.

    « Feu mon Maître, le Sénéchal, premier seigneur du district,
Richard d'une lignée illustre, avait un seul enfant,
Une fille belle comme un ange ; aussi était-elle courtisée
Par de nombreux gentilhommes et jeunes magnats.
Parmi les gentilhommes il y avait un grand hurluberlu,
Chicaneur, Jacek[66] Soplica, surnommé le Voïévode
Par dérision ; en fait il avait beaucoup d'influence dans la voïévodie,
Car il était comme le chef de famille des Soplica   270
Et disposait à volonté de leurs trois cents votes,
Bien que ne possédant rien lui-même, en dehors d'un lopin de terre,
De son sabre et de grandes moustaches allant d'une oreille à l'autre.
Et donc monsieur le Sénéchal parfois convoquait ce bougre
Et le recevait en son palais, en particulier au moment des diétines,
Ce qui était bien vu des parents et partisans de ce dernier.
Le moustachu se monta tellement la tête du fait de cet accueil gracieux,
Que germa en lui l'idée de devenir le gendre du Maître.
Il venait de plus en plus souvent au château sans avoir été invité,
Et à la fin s'incrusta chez nous comme s'il était chez lui,   280
Et il était sur le point de se déclarer, mais on s'en était rendu compte
Et on lui servit un brouet noir à table[67].
Il paraît que Soplica était tombé dans l'œil de la fille du Sénéchal,
Mais elle gardait ce secret profondément caché vis-à-vis de ses parents.

---

[64] *Ce titre, porté à l'origine par l'organisateur des chasses royales, était également devenu honorifique.*
[65] *Dignitaire d'un rang en général inférieur à celui de voïévode, mais parfois
égal ou même supérieur.*
[66] *Diminutif de « Jacenty », Hyacinthe.*
[67] Le brouet noir servi à table à un jeune seigneur ambitionnant la main d'une
jeune fille était signe de récusation.

« C'était du temps de Kościuszko ; le Maître soutenait
La constitution du Trois mai et déjà rassemblait des gentilshommes
Pour venir en aide aux confédérés[68],
Lorsque soudain Moscou encercla le château de nuit :
On eut à peine le temps de tirer du mortier pour donner l'alarme,
De fermer la grand-porte du bas à deux battants et de la bloquer.　　290
Dans tout le château, il n'y avait que le Sénéchal, moi, Madame,
Le chef cuisinier et deux marmitons, saouls tous les trois,
Le curé, un laquais, quatre heiduques[69], personnes audacieuses ;
Et donc aux fusils, aux fenêtres ! ; et voilà que la foule des Moscales
Criant : Hourra ! depuis la grand-porte bombarde le balcon ;
Nous, de dix fusils nous les arrosons : « en arrière ! »
On n'y voyait rien ; les domestiques sans arrêt
Tiraient des étages inférieurs, et moi et Monsieur à partir du balcon.
Tout se passait très bien, malgré un tel affolement :
Il y avait ici, sur ce plancher, vingt fusils,　　　　　　　　　　300
On venait de tirer de l'un, on nous en donnait un autre,
Monsieur le curé remplissait activement cet office
Et Madame, et Mademoiselle[70], et les demoiselles de cour ;
Il y avait trois tireurs[71], mais le feu ne s'arrêtait pas ;

------

[68] *Il s'agit ici des confédérés partisans de la constitution du 3 mai 1791. Nous sommes en 1792. A l'appel des confédérés de Targowica (voir la note 158 infra), les troupes de Catherine II envahissent la République des Deux Nations en mai et déclenchent la guerre russo-polonaise, à laquelle participera Kościuszko, sous le commandement du prince Joseph Poniatowski, neveu du roi. Les environs de Nowogródek furent le théâtre de la bataille de Mir qui vit la victoire des troupes russes sur l'armée lituanienne en juin 1792. La Lituanie est occupée et une Confédération générale du Grand-Duché est constituée, adhérant à la Confédération de Targowica. Les partisans de celle-ci exercent alors des actions de représailles contre les sympathisants de la constitution du 3 mai 1791 : attaques de leurs propriétés, incendies de leurs villages, mise sous séquestre de leurs biens. C'est dans ce contexte qu'a lieu l'attaque du château du Sénéchal par les Moscovites.*
[69] *Domestiques vêtus à la hongroise.*
[70] *Qui est cette demoiselle ? La fille du Sénéchal ?*
[71] *Qui est le troisième tireur ?*

Les biffins moscovites en bas nous arrosaient de leur mitraille,
Nous chichement, mais plus précisément, nous les canardions du haut.
Par trois fois ces culs-terreux se sont amenés jusqu'à la porte,
Mais par trois fois ils se retrouvèrent les quatre fers en l'air,
Et donc se réfugièrent sous le hangar ; déjà le jour se levait.
Monsieur le Sénéchal sortit joyeux avec son fusil sur le balcon   310
Et dès qu'un Moscale sortait la tête de dessous le hangar,
Il faisait feu immédiatement, et ne ratait jamais son coup ;
A chaque fois un shako noir tombait dans l'herbe
Et rares se faisaient ceux qui s'aventuraient hors de l'abri.
Le Sénéchal, voyant ses ennemis terrifiés,
Pensa faire une sortie, saisit son sabre
Et du balcon cria ses ordres aux domestiques ;
Se tournant vers moi, il dit : « Suivez-moi, Gerwazy ! »
Alors on tira de la grand-porte, le Sénéchal se mit à bégayer,
A rougir, à pâlir, et voulant parler cracha du sang ;   320
J'aperçus alors la balle, elle s'était plantée en pleine poitrine,
Le Maître en titubant désigna la grand-porte du doigt.
Je reconnus ce scélérat de Soplica ! Je le reconnus !
A sa taille et à sa moustache ! D'un coup tiré par lui
A péri le Sénéchal, je l'ai vu ! Le scélérat encore haut
Levé tenait son fusil, la fumée sortait encore du canon !
Je l'ai visé, l'assassin était debout comme pétrifié !
Deux coups de feu je tirai, et les deux coups
Ont raté ; soit de colère, soit de douleur, j'ai mal visé…
J'entendis les cris des femmes, je regardai, -- le Maître était mort ! 330

     A ce moment Gerwazy se tut et les larmes l'inondèrent,
Puis il termina : « Le Moscale déjà enfonçait la grand-porte ;
Car après la mort du Sénéchal j'étais comme inconscient
Et ne savais ce qui se passait autour de moi ;
Heureusement Parafianowicz vint nous dégager,
Amenant deux cents Mickiewicz de Horbatowicze,
Gentilshommes nombreux et vaillants, des braves gars,
Et depuis un siècle haïssant l'engeance des Soplica.

     « C'est ainsi que disparut un seigneur puissant, pieux et droit,
Dont la maison possédait charges, honneurs et commandements,   340

Père pour ses villageois, frère pour ses pairs ; et pour lui succéder
Aucun fils, qui eût pu jurer vengeance sur sa tombe !
Mais il avait de fidèles serviteurs ; moi dans le sang de ses blessures
J'ai trempé ma rapière, qu'on appelle le Canif
(Vous avez certainement entendu parler de mon Canif,
Célèbre dans toutes les diètes, marchés et diétines).
J'ai fait serment de l'ébrécher jusqu'au fil sur les nuques des Soplica ;
Je les ai pourchassés dans les diètes, les raids exécutifs, les foires ;
J'en ai occis deux dans une dispute, deux en duel ;
J'en ai incendié un dans une bâtisse en bois,   350
Lorsque nous avons fait un raid avec Rymsza sur Korelicze ;
Il y a grillé comme une loche ; et je ne compte pas
Ceux à qui j'ai coupé les oreilles. Il n'en est resté qu'un seul
Qui à ce jour n'ait pas reçu de souvenir de ma part !
Le frérot germain de ce moustachu,
Qui est toujours vivant et se glorifie de ses richesses,
Et des bornes de ses propriétés effleure le château,
Estimé dans le district, il est fonctionnaire, il est juge !
Et vous voulez lui remettre le château ? que ses pieds infâmes
Effacent de ce plancher le sang de mon Maître ?   360
Oh non ! Tant que Gerwazy aura ne serait-ce qu'une once d'âme,
Et assez de force pour bouger d'un seul petit doigt
Son Canif, qui pour l'instant pend au mur,
Soplica n'aura pas ce château ! »

        « Oh ! s'écria le Comte, levant les bras au ciel ;
J'ai été bien inspiré de tomber amoureux de ces murs !
Bien que ne sachant pas qu'un tel trésor ils abritent,
Tant de scènes dramatiques et tant d'histoires !
Dès que j'aurai ravi aux Soplica le château de mes ancêtres,
Je vous établirai dans ses murs comme mon burgrave[72] ;   370
Votre histoire, Gerwazy, m'a beaucoup intéressé.
Dommage qu'à une heure de la nuit vous ne m'ayez pas amené ici ;
Drapé dans un manteau sur ces ruines je me serais assis,
Et vous vous me narreriez des faits sanglants ;

---

[72] *Officier féodal chargé de l'intendance et de l'administration d'un château.*

Dommage que vous ne soyez pas très doué pour raconter !
Souvent j'ai entendu et lu de telles relations ;
En Angleterre et en Ecosse tout château de lord,
En Allemagne tout manoir de comte furent le théâtre de meurtres !
Dans toute famille ancienne, noble, puissante,
On connaît quelque fait sanglant ou quelque trahison,   380
A la suite desquels la vengeance revient en héritage aux descendants :
C'est la première fois que j'entends parler d'un tel cas en Pologne.
Je sens couler en moi le sang des vaillants Horeszko !
Je sais ce dont je suis redevable à la gloire et à ma famille.
Oui ! il me faut rompre tous les arrangements avec Soplica,
Dût-on en venir aux pistolets ou à l'épée !
L'honneur le commande » dit-il, et il quitta les lieux d'un pas solennel,
Gerwazy marchant derrière dans un profond silence.
Devant la grand-porte le Comte s'arrêta, se parlant à lui-même,
Regardant le château, vite monta sur son cheval,   390
Et, distrait, achevant ainsi son soliloque :
« Dommage que ce vieux Soplica n'ait pas de femme,
Ni de jolie fille, dont j'adorerais les charmes !
Je l'aimerais et ne pourrais obtenir sa main,
Un nouveau rebondissement alors interviendrait dans l'histoire :
Ici le cœur, là-bas le devoir ! ici la vengeance, là-bas l'amour ! »

     Marmonnant ainsi, il éperonna son cheval qui filait vers le manoir
Quand, de l'autre côté, les tireurs sortaient du bois ;
Le Comte aimait la chasse, à peine les eut-il vus,
Oubliant tout, droit vers eux il fonça,   400
Dépassant le portail, l'enclos, les clôtures ; lorsque dans sa griserie
Autour de soi il regarda et arrêta son cheval près d'une clôture,
Il y avait un verger, --

          Des arbres fruitiers, plantés régulièrement,
Ombrageaient un vaste espace ; en dessous, des planches cultivées.
Ici des choux, inclinant leurs calvities chenues,
Occupent le terrain et semblent méditer sur le sort des légumes ;
Là, égarant leurs gousses au milieu des tresses de vertes carottes,
Les sveltes haricots leur adressent mille œillades ;
A côté le maïs soulève sa crinière dorée ;

On voit çà et là le ventre d'une citrouille rebondie   410
Qui, ayant pris le large au bout de son pédoncule,
S'est invitée parmi les betteraves rouges.

Les planches sont découpées par des séparations ; sur chaque butte
Se dressent, comme montant la garde, des rangées de chanvre,
Cyprès des légumes, tranquilles, droites et vertes.
Leurs feuilles et leur odeur protègent les plates-bandes,
Car à travers leur feuillage les vipères ne sauraient se glisser,
Et leur odeur tue chenilles et insectes.
Plus loin s'élèvent les tiges blanchâtres des pavots ;
Sur eux semblent s'être posés des essaims de papillons,   420
Vibrant de leurs petites ailes, sur lesquelles chatoie
L'éclat de pierres précieuses, aussi varié que les teintes de l'arc en ciel :
Tant il y a de teintes vives, variées, dont le pavot enchante nos pupilles.
Au milieu des fleurs, pareil à la pleine lune au milieu des étoiles,
Le rond tournesol de sa grande face ardente
Du levant au couchant poursuit le soleil dans sa course circulaire.

Contre la clôture, des monticules de forme oblongue et arrondie,
Sans arbres, ni buissons, ni fleurs : le jardin à concombres.
Ils ont magnifiquement donné ; de leur grand feuillage couvrant
Ils ont revêtu les planches comme les plis d'un tapis.   430
Au milieu marchait une jeune fille en tenue légère,
Immergée jusqu'aux genoux dans la mer de verdure ;
En descendant des planches dans les allées elle semblait ne pas marcher
Mais nager sur les feuilles, se baigner dans leur couleur.
Elle avait la tête protégée par un chapeau de paille,
Dont dépassaient deux rubans roses flottant au vent
Et quelques boucles lumineuses échappées de ses tresses ;
Elle portait un panier, avait les yeux baissés,
Et levait la main droite, comme pour prendre quelque chose ;
Telle une fillette qui en se baignant éloigne les petits poissons   440
Qui jouent avec ses petons, elle aussi à chaque instant
Se baisse, portant ses mains et son panier vers le fruit
Qu'elle touche du pied ou découvre du regard.

Monsieur le Comte, ravi par un spectacle aussi merveilleux,

Restait silencieux. Entendant la cavalcade de ses compagnons au loin,
Il leur fit signe de la main de retenir leurs chevaux ; ils s'arrêtèrent.
Lui regardait, le cou allongé, comme, pourvue d'un long bec,
La grue, lorsqu'elle fait le guet à l'écart de son groupe,
Le regard vigilant, debout sur une seule patte,
Tenant un caillou dans l'autre pour ne pas s'endormir.   450

    Le Comte fut réveillé par un sifflement dans son dos et sur sa tête ;
C'était le bernardin, le quêteur Robak, qui tenait dans sa main
Sa cordelière à nœuds tournoyant dans les airs :
« Vous voulez des concombres[73], cher ami ? cria-t-il, en voilà.
Pas question, monsieur, de marauder, de ces plates-bandes
Les fruits ne sont pas pour vous, cher ami, vous n'en tirerez rien ».
Et il fit une menace du doigt, rectifia sa capuche,
Et s'en alla. Le Comte resta encore un moment sur place,
Riant et maudissant à la fois ce contre-temps brutal ;
Il porta à nouveau son regard vers le jardin ; mais déjà   460
Elle n'y était plus ; dans une petite fenêtre il ne vit que passer l'éclair
De ses petits rubans roses et de sa robe blanche.
Sur les plates-bandes on voyait par où elle avait couru,
Car la végétation par sa course froissée
Se relevait, frissonnait un instant avant de s'immobiliser,
Comme de l'eau qu'un petit oiseau aurait fendue dans son vol.
Et à l'endroit où elle se trouvait il ne restait, abandonné,
Que son petit panier en osier, renversé,
Ayant perdu tous ses fruits, accroché dans les feuilles
Et dans l'onde verdoyante se balançant encore.   470

    Après un moment, tout était désert et silence ;
Le Comte fixa son regard sur la maison et tendit l'oreille,
Il continuait à méditer et ses tireurs toujours immobiles
Derrière lui se tenaient. – Alors dans la maison silencieuse et déserte
S'éleva d'abord un murmure, puis un brouhaha et des cris joyeux,
Comme dans une ruche vide où rentrent les abeilles :
C'était signe que l'on revenait de la chasse

---

[73] *Les nœuds d'une cordelière de moine s'appelaient « ogórki », concombres.*

Et que les domestiques s'affairaient pour le déjeuner.

    Et de fait dans toutes les pièces régnait une grande animation,
On distribuait les plats, les couverts et les bouteilles ;   480
Les hommes, ayant gardé leurs tenues vertes de chasseurs,
Déambulaient dans les pièces avec leurs assiettes et leurs verres,
Mangeaient et buvaient ou, appuyés à des montants de fenêtres,
Débattaient à propos de fusils, de lévriers et de lièvres ;
La famille du Chambellan et le Juge étaient à table ; et dans un coin
Les demoiselles chuchotaient entre elles ; il n'y avait pas l'étiquette
Que l'on respecte pendant les dîners et les soupers.
C'était nouveau dans cette maison de vieille tradition polonaise ;
Pour les déjeuners monsieur le Juge, bien qu'à contre-cœur, tolérait
Une telle licence, sans toutefois la cautionner.   490

    Différents aussi étaient les plats pour les dames et les messieurs :
Ici on distribuait des plateaux avec tout le service du café,
Des plateaux énormes, merveilleusement décorés de motifs floraux,
Dessus des cafetières en fer blanc dégageant des effluves odorants
Et des tasses dorées de porcelaine de Saxe,
Auprès de chacune un petit pot pour la crème.
Dans aucun pays il n'y a de café comme celui de Pologne :
En Pologne, dans une maison sérieuse, suivant une antique coutume,
Il y a une femme spécialement préposée à la préparation du café,
On l'appelle la cafetière ; elle fait venir de la ville   500
Ou bien choisit sur les « wiciny » les grains de la meilleure qualité[74],
Et connaît les procédés secrets d'infusion de ce breuvage,
Qui a la noirceur du charbon, la transparence de l'ambre,
L'arôme du moka et la consistance du miel liquide.
On sait en quoi la crème est bonne pour le café ;
A la campagne il n'est pas difficile d'en avoir : la cafetière, dès le matin
Ayant mis ses cafetières à chauffer, se rend à la laiterie
Et elle-même écrème délicatement la fleur de lait fraîche

---

[74] Les « wiciny » sont de grands bateaux naviguant sur le Niémen, que les Lituaniens utilisent pour commercer avec la Prusse, transportant des céréales au
fil de l'eau, et recevant en échange des denrées coloniales.

Dans un petit pot différent pour chaque tasse,
Afin que chacune d'elle soit habillée de sa propre peau roussie au feu.
[510

Les dames plus âgées, debout plus tôt, avaient déjà bu leur café,
A présent elles s'étaient préparé un autre plat,
A partir de bière très chaude, blanchie de crème,
Dans laquelle nage du fromage blanc haché en petits morceaux.

Et pour les messieurs il y a des charcuteries au choix :
Blanc d'oie gras et jambon maigre fumés, émincé de langue,
Toutes succulentes, selon des recettes maison
Fumées dans la cheminée au feu de bois de genévrier ;
Pour finir on apporta des paupiettes comme dernier plat :
C'est ainsi que chez le Juge on déjeunait.   520

Deux groupes différents s'étaient rassemblés dans deux pièces :
Les aînés, réunis autour d'une petite table,
Parlaient des nouvelles méthodes d'exploitation,
Des nouveaux oukases de l'empereur, de plus en plus sévères ;
Le Chambellan les rumeurs circulant à propos de la guerre
Supputait et en tirait les conséquences politiques.
Mademoiselle la Substitute ayant chaussé ses lunettes violettes
Amusait la femme du Chambellan en lui tirant les cartes au tarot.
Dans la deuxième pièce, les jeunes continuaient à discuter chasse,
D'une manière plus tranquille et silencieuse que d'habitude :   530
Car l'Assesseur et le Notaire, tous deux grands parleurs,
Premiers experts en chasse et les meilleurs tireurs,
Etaient assis face à face, grognons et irrités ;
Tous deux avaient bien lâché leurs chiens, tous deux étaient sûrs
De la victoire de leur lévrier, lorsqu'au milieu de la plaine
Se trouva une parcelle paysanne non moissonnée ;
Le lièvre s'y précipita : déjà le Courtaud, déjà le Faucon l'avaient,
Lorsque le Juge arrêta les traqueurs sur la limite ;
Ils durent obéir, bien que fort fâchés,
Les chiens revinrent sans rien ; et personne ne sait vraiment   540
Si l'animal s'est échappé, ou s'il a été pris ; personne ne saura deviner
S'il est tombé dans la gueule du Courtaud ou de celle du Faucon,

Ou des deux en même temps : les parties en jugent diversement
Et le litige restait pour l'instant non tranché.

   Le vieux Substitut passait d'une pièce à l'autre,
Des deux côtés promenant un regard distrait,
Il ne se mêlait ni à la discussion des chasseurs, ni à celle des seniors
Et l'on voyait qu'il avait la tête ailleurs ;
Il avait une tapette en cuir : parfois il s'arrête net,
Médite longuement et – tue une mouche sur le mur.   550

   Thaddée et Télimène, entre les deux pièces
Se tenant dans l'embrasure de la porte, discutaient entre eux ;
Ils étaient à portée de voix de qui voudrait les écouter,
Aussi parlaient-ils tout bas ; Thaddée maintenant apprit
Que tante Télimène est une riche dame,
Qu'ils ne sont pas liés selon l'Eglise
Par une parenté très proche, et qu'il n'est même pas certain
Que tante Télimène soit parente de son neveu,
Bien que son oncle l'appelle sa sœur parce que des parents communs
Les ont jadis ainsi appelés en dépit de leur différence d'âge ;   560
Qu'ensuite, habitant la capitale pendant longtemps,
Elle avait rendu d'immenses services au Juge ;
C'est pourquoi le Juge la respectait beaucoup, et en société
Aimait, peut-être par vanité, s'appeler son frère,
Ce que Télimène, par amitié, ne lui interdit pas.
Ces confidences allégèrent le cœur de Thaddée.
Ils se dirent encore beaucoup d'autres choses ;
Et tout cela se passa en un seul petit laps de temps.

   Mais dans la pièce de droite, provoquant l'Assesseur,
Le Notaire dit incidemment : « Moi j'ai dit hier   570
Que notre chasse ne peut réussir :
C'est encore trop tôt, le blé est encore sur pied,
Et il y a un tas de parcelles paysannes non moissonnées ;
Et c'est pourquoi le Comte n'a pas répondu à l'invitation.
Il s'y connaît très bien en chasse,
Plus d'une fois il a parlé du gibier, du moment et du lieu ;
Le Comte a été élevé depuis l'enfance à l'étranger,

Et dit que c'est un signe de barbarie
De pratiquer la chasse comme chez nous, sans aucun égard
Pour les articles de lois, les règlements officiels ;   580
De personne ne respectant les bornes et délimitations,
Chevaucher sur les terres d'autrui à l'insu du propriétaire ;
Printemps comme été courir les champs, les forêts,
Parfois tuer un renard juste à l'époque où il mue,
Ou bien supporter qu'une femelle de lièvre pleine
Par des lévriers dans les blés levants soit coursée, ou plutôt achevée,
Causant de grands dommages au gibier. De là le Comte regrette
Que les Moscales soient davantage civilisés ;
Car là-bas les oukases du tsar réglementent la chasse
Et la police veille à leur respect, et punit les coupables ».   590

        Télimène, tournée vers la pièce de gauche,
S'éventant les épaules de son mouchoir de batiste, dit :
« Pour l'amour de ma petite maman, le Comte n'a pas tort,
Moi je connais bien la Russie. Vous ne me croyiez pas
Quand quelquefois je vous disais que là-bas, à beaucoup d'égards,
Sont dignes d'éloges la vigilance et la sévérité des autorités.
Moi j'ai séjourné à Saint-Pétersbourg, pas une fois, ni deux !
Doux souvenirs ! gracieux tableaux du passé !
Quelle ville ! Aucun d'entre vous n'est allé à Saint-Pétersbourg ?
Vous voulez peut-être voir le plan ? j'en ai un dans mon secrétaire.   600
L'été, les gens de Saint-Pétersbourg vivent habituellement en datchas,
C'est-à-dire en palais villageois (datcha signifie villégiature).
J'habitais un petit palais, juste au bord de la Neva.
Ni trop près ni trop loin de la ville,
Sur une petite éminence, élevée exprès :
Ah, la belle petite maison ! j'en ai toujours le plan dans mon secrétaire.
Et voilà que pour mon malheur une maison du voisinage fut louée
Par un petit fonctionnaire du service de renseignements ;
Il possédait plusieurs lévriers ; quelle plaie
Lorsqu'habitent à côté un petit fonctionnaire et des chiens[75] !   610

---

[75] *Le poète joue-t-il sur le double sens du mot « psiarnia » : meute et dénomina-*
tion péjorative de la police ?

Dès que je sortais au jardin avec un livre
Pour profiter de l'éclat de la lune, de la fraicheur du soir,
Aussitôt un chien arrivait lui aussi, et remuait la queue,
Dressait les oreilles, exactement comme s'il était enragé.
Plus d'une fois je prenais peur. Mon cœur me prédisait
Qu'avec ces chiens il m'arriverait quelque malheur : ce fut bien le cas.
Car, comme j'allais au jardin un jour de bon matin,
Le lévrier à mes pieds étouffa mon bien aimé
Bichon maltais ! Ah, qu'il était adorable ce brave petit chien !
Je l'avais eu en cadeau du Prince Soukine,   620
En souvenir ; intelligent, vif comme un écureuil,
J'ai son petit portrait, mais je ne vais pas aller jusqu'à mon secrétaire.
Le voyant étouffé, victime d'une crise de nerfs,
Je fus prise de nausées, de spasmes, de palpitations cardiaques.
Peut-être me serais-je sentie encore plus mal ;
Par chance, arrivait justement en visite Kirylo
Gavrilitch Kozodusin, le Grand veneur de la Cour,
Il m'interroge sur la cause d'une si mauvaise disposition.
Sans tarder il se fait amener le fonctionnaire par les oreilles ;
Celui-ci se présente tout pâle, tremblant et presque inanimé.   630
« Comment oses-tu, cria Kirylo d'une voix de stentor,
Poursuivre au printemps une biche gravide, juste au nez du tsar ? »
Le fonctionnaire abasourdi en vain jurait ses grands dieux
Qu'il n'avait pas encore commencé de chasser,
Qu'avec la permission du Grand veneur,
L'animal poursuivi lui semble être un chien, et non une biche.
« Comment cela ? cria Kirylo, tu oserais, fripouille,
Mieux t'y connaître en gibier et espèces d'animaux
Que moi, Kozodusin, le Jägermeister du Tsar ?
Que le Politzmeister[76] nous départage sur le champ ! »   640
On appelle le Politzmeister, ordonne de rédiger le rapport d'enquête :
« Moi, dit Kozodusin, je porte témoignage
Que c'est une biche ; lui radote que c'est un chien d'appartement ;

---

[76] « Jägermeister » et « Politzmeister » : ces noms tirés de l'allemand signifient littéralement « maître des chasses » et « maître de la police » ; ils témoignent de l'influence allemande à la cour du tsar.

Départage-nous, qui mieux connaît les animaux et le gibier ! »
Le Politzmeister était conscient des devoirs de sa charge,
S'étonna beaucoup de l'insolence du fonctionnaire
Et le prenant à l'écart fraternellement lui conseilla
De reconnaître sa faute et par là-même d'effacer son péché.
Le Veneur amadoué promit de se présenter
Chez l'empereur et d'alléger quelque peu le verdict :   650
Cela se termina que les lévriers eurent droit à la corde,
Et le fonctionnaire à quatre semaines de maison d'arrêt.
Cette bêtise nous amusa toute la soirée,
On en fit le lendemain une anecdote,
Que le Grand veneur avait intenté un procès pour mon bichon ;
Et je sais même avec certitude que l'empereur lui-même en a ri ».

On se mit à rire dans les deux pièces. Le Juge avec le Bernardin
Jouait au mariage[77], et précisément avec le pic comme atout
Avait une bonne carte à jouer ; le religieux était déjà presque mort,
Lorsque le Juge entendit le début de l'histoire   660
Et en fut si occupé, qu'avec le nez en l'air
Et la carte en suspens, prêt à couper,
Il restait silencieux et ne faisait que terroriser le Bernardin
Jusqu'à ce que, l'histoire finie, il déposât la dame d'atout
Et dît en riant : « Que celui qui le veut vante à sa guise
Des Allemands la civilisation, des Moscales l'ordre ;
Que les habitants de Grande Pologne[78] apprennent des Teutons
A chicaner pour des renards et faire appel à des sbires
Pour arrêter un chien de chasse ayant pénétré dans le bois d'autrui ;
En Lituanie, grâce à Dieu, il y a nos vieilles coutumes :   670
Nous avons assez de gibier pour nous et nos voisins,
Et n'allons jamais intenter de poursuites pour cela ;
Du blé aussi nous en avons assez, les chiens ne nous affameront pas
En piétinant un peu de blé de printemps ou de seigle ;
Et sur les arpents des paysans j'interdis de chasser ».

---

[77] *Jeu de cartes également appelé « brisque ».*
[78] *De la région de Poznań, au centre-ouest de la Pologne actuelle.*

L'Econome dans la pièce de gauche dit : « Pas étonnant, monsieur,
Car alors vous leur payez cher ce gibier.
Même que les paysans sont contents lorsque dans leur blé d'hiver
Bondit un lévrier ; qu'il remue une dizaine d'épis de seigle,
Et vous leur en rendez un gerbier, et encore ce n'est pas tout,   680
Car souvent ils obtiennent un talher en sus ;
Croyez-moi, la paysannerie va s'enhardir
Si … » La suite des arguments de monsieur l'Econome
Ne put être entendue du Juge car au milieu de deux
Discussions s'élevèrent dix conversations,
Anecdotes, récits, et pour finir disputes.

Thaddée et Télimène, qu'on avait complètement oubliés,
Ne s'oubliaient pas. – La dame appréciait
Que son humour amusât Thaddée à ce point ;
Le jeune homme en retour lui servait force compliments.   690
Télimène parlait de plus en plus doucement, de plus en plus bas,
Et Thaddée faisait semblant de ne pouvoir l'entendre
Dans le brouhaha : et donc en chuchotant il se rapprocha d'elle au point
De sentir sur son visage la délicieuse chaleur du sien ;
Retenant sa respiration, il aspirait la sienne
Et de son regard il captait tous les rayons du sien.

Là-dessus, entre leurs bouches soudain passa
D'abord une mouche, et à ses trousses la tapette du Substitut.

En Lituanie il y a pléthore de mouches. Parmi elles il en est
D'une espèce particulière, appelées nobles ;   700
Par leur couleur et leur forme elles ressemblent tout à fait aux autres,
Mais ont la poitrine plus large, le ventre plus gros que les communes,
En volant font grand bruit et bourdonnent de façon insupportable,
Et sont tellement vigoureuses qu'elles vont percer une toile d'araignée,
Ou si l'une d'elle y reste emmêlée, trois jours durant elle va se débattre,
Car contre une araignée seule à seule elle est capable de lutter.
Tout cela le Substitut l'avait étudié avec soin, et il affirmait en outre
Que de ces mouches nobles naissait le petit peuple,
Qu'elles étaient aux mouches ce que sont pour l'essaim les reines,
Qu'avec leur extermination disparaîtrait le restant des insectes.   710

Il est vrai que ni l'intendante, ni le curé du village
Jamais ne crurent à ces affirmations du Substitut
Et considéraient autrement l'espèce des mouches ;
Mais le Substitut ne renonçait pas à sa vieille habitude :
A peine avait-il aperçu une mouche de la sorte qu'il la pourchassait.
Justement un tel noble venait de lui bourdonner aux oreilles ;
Par deux fois le Substitut frappa, et s'étonna d'avoir raté,
Une troisième fois il frappa et faillit casser un carreau ;
Jusqu'à ce que la mouche, par tant de bruit étourdie,
Voyant dans l'embrasure de porte deux personnes empêchant sa fuite,
                                                              [720
Désespérément se jetât entre leurs visages ;
Et là, à sa poursuite, à toute vitesse passa la dextre du Substitut :
Le coup était si rude que les deux têtes s'écartèrent brutalement,
Comme les deux moitiés d'un arbre par la foudre fendu ;
Elles se cognèrent toutes les deux aux montants de la porte,
Au point qu'aux deux il est resté des bleus.

    Par chance, personne n'y prêta attention car ce qui jusqu'à présent
Restait une discussion vive, bruyante, mais somme toute convenable,
Se termina soudain par une explosion de clameurs.
Comme quand les tireurs arrivent dans le bois derrière un renard,   730
Et que çà et là on entend craquer des branches, tirer, aboyer,
Et qu'alors un traqueur ayant débusqué inopinément un sanglier
Donne l'alerte, et que le vacarme se fait parmi les tireurs et la meute,
Comme si tous les arbres de la forêt se mettaient à crier, --
Ainsi en va-t-il d'une discussion ; elle se déroule doucement,
Jusqu'à tomber sur un thème important, comme sur un sanglier.
Le sanglier des discussions des chasseurs, c'était cette dispute acharnée
Du Notaire et de l'Assesseur à propos de leurs célèbres lévriers.
Elle fut brève, mais productive ;
Car à eux deux ils vidèrent tant de mots et d'insultes,   740
Qu'ils épuisèrent les trois ingrédients habituels d'une dispute,
Les allusions, la colère, les défis – et l'on en venait déjà aux poings.

    Et donc de l'autre pièce tous se précipitèrent vers eux,
Et se bousculant dans la porte comme une vague impétueuse,
Ils emportèrent le jeune couple se tenant dans l'embrasure,

Tel Janus le dieu aux deux visages.

    Avant que Thaddée et Télimène leurs coiffures
N'eussent arrangé, les clameurs menaçantes s'étaient déjà calmées,
Tandis qu'un murmure mêlé de rires se répandait parmi la cohue ;
Une trêve dans la dispute était intervenue, par la médiation du Quêteur :
                                                    [750
Homme âgé, mais râblé et aux épaules carrées.
Juste au moment où l'Assesseur sur le juriste se précipitait,
Quand ils menaçaient déjà de saisir leurs sabres,
Lui en un clin d'œil les saisit tous deux par l'arrière du col
Et après avoir par deux fois cogné leurs fortes têtes
L'une contre l'autre comme des œufs de Pâques,
Ecarta ses deux bras à l'image d'un poteau indicateur
Et les rejeta d'un seul coup aux deux coins de la pièce ;
Il resta ainsi sur place les deux bras écartés pendant un moment
Criant « *Pax, pax, vobiscum* ! la paix soit avec vous ! »   760

    Les deux parties s'étonnèrent, et même se mirent à rire :
Par respect pour un religieux,
On n'eût osé s'en prendre au moine ; et après une telle démonstration
Personne non plus n'avait envie de lui chercher noise.
D'ailleurs le quêteur Robak, dès qu'il eut calmé la compagnie,
Visiblement ne cherchait pas du tout à triompher,
Ni davantage ne menaçait les chamailleurs, ni ne les réprimandait ;
Il arrangea simplement sa capuche, et les mains dans sa ceinture
Passant, de la pièce sortit en silence.

                   Entretemps
Le Chambellan et le Juge entre les deux parties   770
S'étaient interposés. Monsieur le Substitut, comme réveillé
D'une profonde méditation, s'avança au centre,
Tortilla sa moustache blanche, rectifia sa capote,
Promena un regard de feu sur l'assemblée
Et là où il entendait encore murmurer, tel un prêtre avec son goupillon,
Il agitait sa tapette en cuir pour demander le calme ;
Enfin, avec gravité levant le manche de celle-ci

Comme si c'était un bâton de maréchal[79], il imposa le silence.

« Calmez-vous ! répétait-il, et aussi écoutez,
Vous qui du district êtes les premiers chasseurs,   780
Qu'en sera-t-il du scandale de votre dispute ? le savez-vous ?
Eh bien, les jeunes, qui portent les espoirs de notre Patrie,
Qui doivent rendre illustres nos forêts profondes et nos bois,
Qui, malheureusement, même sans cela négligent la chasse,
Peut-être seront-ils encore plus enclins à la mépriser !
En voyant que ceux qui aux autres doivent donner l'exemple
Ne rapportent de la chasse que des disputes et des controverses.
Ayez aussi l'égard qui revient à mes cheveux blancs ;
Car j'ai connu par le passé de plus grands chasseurs que vous,
Et parfois je les ai jugés dans des jugements amiables.   790
Qui était comparable à Rejtan dans les forêts lituaniennes ?
Que ce soit pour organiser une battue ou aller au gibier,
Qui pourra concurrencer Jerzy Białopiotrowicz ?
Où trouver aujourd'hui un tireur comme le gentilhomme Żegota,
Qui d'une balle de son pistolet atteignait un lièvre en pleine course ?
J'ai connu Terajewicz, qui à la chasse au sanglier
N'emmenait d'autre arme qu'une pique !
Budrewicz, qui se mesurait à la lutte avec les ours :
Voilà les hommes qu'ont vus jadis nos forêts !
Lorsqu'on avait un litige, comment le tranchait-on ?   800
On choisissait des juges et déposait une mise.
Ogiński un jour perdit cent włoka[80] de forêt pour un loup,
Un blaireau coûta quelques villages à Niesiołowski !
Et vous, messieurs, suivez l'exemple des anciens
Et tranchez votre litige par une mise, même plus modeste.
Les paroles sont du vent, les litiges en paroles n'ont pas de fin.
Dommage de s'user davantage la langue en se disputant pour un lièvre ;
Choisissez donc d'abord des juges arbitres,
Et ce qu'ils diront, cela acceptez-le en conscience.
Moi je ferai une requête au Juge, afin qu'il n'en veuille pas   810

---

[79] *Bâton d'un maréchal de diète, qui servait à ce dernier pour diriger les débats.*
[80] *Unité de mesure de surface, équivalant à environ 17 ha.*

Au traqueur, quand bien même il cavalerait dans les blés ;
Et j'ose espérer que j'obtiendrai cette grâce de Monseigneur ».
Ayant dit cela, au Juge de la main il serra les genoux.

« Un cheval, s'écria le Notaire, je miserai un cheval tout harnaché
Et je m'engagerai en outre auprès du bureau des affaires terriennes
A offrir cette bague au juge en récompense de ses services ».
« Moi, dit l'Assesseur, je miserai mes colliers de chien en or,
Revêtus de chagrin, avec leurs pointes en or,
Et une laisse tissée en soie, dont le travail
Est aussi merveilleux que la pierre qui brille dessus.   820
Je voulais laisser ces objets en héritage à mes enfants
Si je m'étais marié : ils m'ont été offerts par
Le prince Dominique[81], lorsque nous avons chassé ensemble
Ainsi qu'avec le prince maréchal Sanguszko, le général
Mejen[82], quand je les ai tous défiés avec mes lévriers.
Là, exploit sans pareil en matière de chasse,
J'ai coursé six lièvres avec une chienne toute seule.
Nous chassions alors dans la plaine des Kupiski ;
Le prince Radziwiłł ne tenait pas en place sur son cheval ;
Il en descendit, et prenant ma célèbre levrette Kania dans les bras, 830
Par trois fois il lui déposa un baiser sur la tête,
Et ensuite, lui tapotant trois fois le museau,
Il dit « Je te nomme à partir de ce jour Duchesse de Kupisko ». –
C'est ainsi que Napoléon donne des titres à ses chefs,
Du nom des endroits où ils ont remporté de grandes victoires ».

Télimène, ennuyée par ces interminables prises de bec,
Voulut sortir dans la cour, mais cherchait une compagnie ;

---

[81] Le prince Dominique Radziwiłł, grand amateur de chasse – a émigré au Duché
de Varsovie et constitué à ses frais un régiment de cavalerie qu'il commandait.
Il est mort en France. Avec lui s'est éteinte la lignée masculine des princes
d'Ołyce et de Nieśwież, les plus grands seigneurs de Pologne et certainement
d'Europe.
[82] Mejen s'est distingué dans la guerre nationale du temps de Kościuszko. On
montre toujours aux abords de Wilno les fosses et remparts de Mejen.

Elle décrocha un petit panier : « Messieurs, à ce que je vois,
Vous voulez rester tranquilles, moi je vais aux champignons ;
Qui m'aime me suive » -- dit-elle, autour de la tête   840
S'enroulant un châle de cachemire rouge ;
Elle prit la fille cadette du Chambellan par une main,
Et de l'autre releva sa robe jusqu'à la cheville ;
Thaddée en douce derrière elle s'empressa d'aller aux champignons.

La perspective d'une promenade réjouit beaucoup le Juge,
Il y voyait le moyen d'interrompre cette bruyante dispute,
Et donc s'écria : « Messieurs, au bois pour les champignons !
Qui se présentera à table avec le plus beau champignon,
Celui-là s'assoira auprès de la plus belle demoiselle ;
Il la choisira lui-même. Si c'est une dame,   850
Elle-même se prendra le plus beau garçon ».

***

LIVRE TROISIEME

FLIRTS

*

Sommaire :

Expédition du Comte dans le verger.
Une mystérieuse nymphe gardant des oies.
Similitude de la cueillette de champignons avec la promenade
des ombres élyséennes.
Variétés de champignons.
Télimène dans le Temple de la rêverie.
Conciliabule au sujet du mariage de Thaddée.
Le Comte peintre paysagiste.
Les remarques picturales de Thaddée touchant les arbres et les nuages.
Ce que pense le Comte à propos de l'art.
La cloche.
Le petit billet.
Un ours, Monseigneur !

*

L e Comte rentrait chez lui, mais retenait son cheval,
  Se retournant de plus en plus vers l'arrière, fixant le jardin ;
Il eut alors l'impression de voir une nouvelle fois de la petite fenêtre
Sortir l'éclair de la mystérieuse petite robe, toute blanche,
Et, de nouveau, voir quelque chose de léger tomber de haut
Et, traversant tout le jardin en un clin d'œil,
Briller dans la verdure des concombres :
Comme un rayon de soleil échappé de la nuée,
Lorsqu'au milieu du champ il tombe sur un bloc de silex
Ou sur un petit miroir d'eau au milieu de la verte prairie.   10

   Le Comte descendit de cheval, renvoya ses gens à la maison,
Et seul reprit le chemin du jardin, en cachette ;
Il arriva bientôt à la palissade, y trouva une ouverture
Et s'y introduisit en silence, comme le loup dans la bergerie ;
Par malheur, il frôla des buissons secs de groseilliers à maquereau.
La jardinière, comme effrayée par le bruit,
Regardait autour d'elle, mais ne voyait rien ;
Elle courut néanmoins se réfugier à l'autre extrémité du jardin.
Alors le Comte, par les côtés, au milieu de grandes tiges d'oseille,
Entre des feuilles de bardane, sur les mains, dans l'herbe,   20
Sautant comme une grenouille, silencieusement se traîna tout près,
Sortit la tête, et découvrit un merveilleux spectacle.

   Dans cette partie du verger poussaient çà et là des cerisiers,
Et entre eux des semis de variétés spécialement mélangées :
Du blé, du maïs, des fèves, de l'orge barbue,
Du millet, des petits pois et même de la broussaille et des fleurs.
Pour la basse-cour, l'intendante un tel
Petit jardin avait imaginé ; célèbre maîtresse de maison,

Elle avait nom Kokosznicka, de la maison des Jendyk-
owicz[83] ; son invention a fait date   30
Dans les exploitations familiales ; aujourd'hui universellement connue,
Mais en ces temps encore considérée comme une nouveauté,
Adoptée en secret par quelques rares personnes,
Avant d'être popularisée par l'almanach, sous le titre : *Méthode*
Pour se protéger des faucons et milans ou nouvelle manière
D'élever de la volaille – c'était ce petit jardin.

En effet, dès que le coq qui monte la garde
Se dresse et, le bec en l'air immobilisé
Et la tête crénelée penchée de côté
Afin de pouvoir d'autant mieux viser le ciel,   40
Distingue un faucon suspendu au milieu de la nuée,
Il pousse son cri : aussitôt les poules dans ce jardin se cachent,
Même les oies et les paons, et dans leur frayeur soudaine
Les pigeons, lorsque sur le toit ils ne peuvent se réfugier.

A présent, aucun ennemi n'était visible dans le ciel,
Seul l'embrasement du soleil estival enflammait l'atmosphère,
Pour s'en protéger, les volatiles s'étaient cachés dans le bosquet semé ;
Les uns sont dans les herbes, les autres dans le sable se baignent.

Parmi les têtes d'oiseaux ressortaient de petites têtes humaines,
Découvertes ; leurs cheveux étaient courts, blancs comme le lin ;   50
Le cou nu jusqu'aux épaules ; et parmi elles
Une jeune fille d'une tête plus grande, aux cheveux plus longs ;
Juste derrière les enfants se tenait un paon et l'éventail de ses plumes
Il avait largement déployé en un arc en ciel multicolore,
Sur lequel les petites têtes blanches, comme sur le fond d'une image
D'un bleu profond se découpant, s'illuminaient,
Auréolées par les ocelles de la queue du paon
Comme d'une couronne étoilée, brillant dans la transparence végétale,
Entre les tiges dorées du maïs
Et le ray-grass anglais zébré d'argent,   60

---

[83] *Jeu de mots entre « Kokosz » (poule) et « Jendyk » (dindon) ?*

Et l'amarante couleur corail, et la mauve verte,
Dont les formes et les couleurs se mêlaient,
Comme en un treillis d'or et d'argent
Qui au vent ondulait comme un léger voilage.

    Au-dessus de la forêt multicolore de tiges et d'épis
Comme un baldaquin était suspendue la claire nuée des papillons
Qu'on appelle « grands-mères », dont les petites ailes quadruples,
Légères comme une toile d'araignée, transparentes comme du verre,
Dès qu'elles se suspendent dans les airs, à peine visibles,
Bien que bourdonnantes, semblent immobiles.   70

    La jeune fille agitait de sa main levée
Un plumet gris, semblable à un panache de plumes d'autruche,
Paraissant en protéger les petites têtes des nourrissons
De la pluie d'or de papillons, -- dans l'autre main
Quelque chose de cornu, doré, brille,
C'est, semble-t-il, un biberon
Car elle l'approchait de la bouche des enfants à tour de rôle,
Et il avait la forme de la corne d'or d'Amalthée[84].

    Ainsi occupée, elle tournait cependant la tête
Vers les buissons de groseilliers dont elle se souvenait du bruit,   80
Ignorant que l'attaquant déjà par le côté opposé
S'était rapproché, se traînant comme un serpent dans les carrés ;
Jusqu'à ce qu'il jaillît des bardanes. Elle le vit, -- il était à côté,
A quatre carrés d'elle, et s'inclinait bien bas.
Elle avait déjà tourné la tête et s'était redressée,
Et s'apprêtait à fuir comme un geai effrayé,
Et déjà son pied léger courait sur l'herbe,
Lorsque les enfants, effrayés par l'intrusion de l'étranger
Et par la fuite de la jeune fille, se mirent à crier affreusement ;
Elle les entendit, et pressentit qu'il n'était pas prudent   90
D'abandonner les bambins dans la peur et la solitude :

---

[84] *La corne de chèvre cassée avec laquelle la nymphe ou naïade Amalthée nourrit Zeus est l'ancêtre de la corne d'abondance.*

Elle revenait sur ses pas en hésitant, mais il le fallait,
Comme un esprit contre son gré invoqué par l'incantation d'un voyant ;
Elle accourut pour distraire le bambin criant le plus fort,
S'assit par terre à ses côtés, le prit sur ses genoux,
Tandis que de la main et de la voix elle rassurait les autres ;
Jusqu'à ce qu'ils se calmassent, entourant de leurs petits bras
Ses genoux et blottissant leurs petites têtes comme des oisillons
Sous l'aile maternelle. Elle dit : « Est-ce bien beau
De crier ainsi ? est-ce poli ? Vous allez faire peur à ce monsieur.   100
Il n'est pas venu pour vous effrayer ; ce n'est pas un vilain mendiant,
C'est un invité, un monsieur gentil, voyez donc comme il est beau ».

    Elle-même leva les yeux : le Comte sourit gracieusement
Et visiblement lui était reconnaissant pour tant de propos flatteurs ;
Elle s'en rendit compte, se tut, baissa les yeux
Et comme un bouton de rose tout entière s'enflamma.

    C'était en effet un beau monsieur : d'une grande taille,
Il avait le visage allongé, des joues pâles, mais fraîches,
Des yeux d'un bleu profond, doux, le cheveu long, plutôt blond ;
Sur les cheveux de petites feuilles et des teignes   110
Qu'il avait arrachées en rampant dans les carrés,
Et qui lui faisaient comme une couronne de verdure détressée.

    « O toi ! dit-il, quel que soit le nom dont je t'honorerai,
Es-tu divinité ou nymphe, esprit ou vision !
Parle ! es-tu sur terre par ta propre volonté,
Ou par le pouvoir d'autrui en ce bas-monde es-tu emprisonnée ?
Ah, je devine, -- certainement un amant éconduit,
Quelque seigneur puissant ou protecteur jaloux
Te garde comme envoûtée dans ce parc de château !
Digne que des chevaliers pour toi se battent l'arme à la main,   120
Digne de devenir l'héroïne de romans tristes !
Révèle-moi, Beauté, le secret de ton cruel destin !
Tu trouveras en moi un sauveur, -- dorénavant d'un geste,
De même que tu règnes sur mon cœur, règne aussi sur mon bras ».
Il tendit le bras.

Elle, vierge rougissante,
Mais le visage tout joyeux, écoutait :
Comme un enfant aime à voir des images pimpantes
Et trouve à s'amuser de babioles brillantes,
Avant d'avoir la notion de leur valeur, ainsi son oreille se régale
De paroles harmonieuses, dont elle ne comprend pas le sens.   130
Pour finir elle demanda : « D'où êtes-vous arrivé ici ?
Et que cherchez-vous ici dans les plates-bandes, mon bon Monsieur ? »

Le Comte ouvrit de grands yeux, confus, étonné,
Il se taisait ; pour finir, baissant le ton de ses paroles :
« Pardon, Mademoiselle ! dit-il, je vois que j'ai dérangé
Vos jeux ! ah, pardonnez-moi, justement je me dépêchais
Pour le déjeuner ; c'est déjà tard, je voulais arriver à l'heure ;
Vous savez bien, par la route il faut faire un détour,
Par le jardin, me semble-t-il, le chemin jusqu'au manoir est plus court.
La jeune fille dit : « C'est par là, Monsieur ;   140
Mais n'abimez pas la plate-bande ; là au milieu du gazon
Il y a un passage ». – « Sur la gauche, ou sur la droite ? » demanda-t-il.
La jardinière, levant ses grands yeux bleus,
Semblait l'examiner, intriguée :
Car la maison se voyait à mille pas comme sur la paume de la main,
Et le Comte demandait son chemin ? Mais le Comte lui
Dire quelque chose absolument voulait et un prétexte cherchait
Pour parler. – « Vous habitez ici ? Près du jardin ?
Ou au village ? comment se fait-il qu'au manoir
Je ne vous aie pas vue ? vous êtes ici depuis peu ? en visite ? »   150
La fille secoua la tête. – « Pardon, Mademoiselle,
Votre chambre n'est-elle pas là où il y a cette petite fenêtre ? »

Il pensait en son for intérieur : si ce n'est pas une héroïne
De roman, c'est du moins une toute jeune, magnifique fille.
Très souvent, une grande âme, un grand esprit se cache
Dans la solitude, comme la rose fleurit au milieu des bois ;
Il suffit de l'exposer au monde, de la mettre au soleil
Pour que par mille couleurs lumineuses ses spectateurs elle étonne !

La jardinière entretemps se releva en silence,

Souleva un enfant et le prit sur un bras,   160
En prit un autre par la main, et plusieurs devant elle
Poussant comme des oies, par le jardin poursuivit son chemin.

    Se retournant elle dit : « Ne pourriez-vous pas, Monsieur,
Ramener dans les plantes toutes mes volailles dispersées ? »
« Moi ramener des volailles ? » s'écria le Comte avec étonnement ;
Elle avait déjà disparu dans l'ombre des arbres.
Un moment encore, par des entrelacs de verdure traversant la charmille,
Quelque chose brilla, à l'instar de deux yeux.

    Le Comte tout seul longtemps encore resta dans le jardin ;
Son âme, comme la terre après le coucher du soleil,   170
Lentement se refroidissait, prenait des couleurs sombres ;
Il commença à rêver, mais ses rêves étaient très déplaisants.
Il s'éveilla, ne sachant pas lui-même après qui il en avait ;
Malheureusement, il avait trouvé peu ! il espérait bien trop !
Car lorsqu'il rampait dans son carré vers cette bergère,
Il avait la tête en feu, son cœur faisait des bonds dans sa poitrine ;
Il s'attendait à tant de charmes chez cette nymphe mystérieuse,
L'avait revêtue de tant de merveilles, en devinant tant d'autres !
Il trouva tout autrement : certes, son visage était beau,
Sa taille svelte, mais quelle gaucherie !   180
Et ces joues rebondies et ce teint coloré
Trahissant un bonheur futile et primaire !
Signe que l'esprit est encore en sommeil, et le cœur inactif ;
Et ces réponses, si campagnardes, si communes !
« A quoi bon se leurrer, s'écria-t-il, je devine trop tard !
Ma nymphe mystérieuse m'a tout l'air de garder des oies ! »

    Avec la disparition de la nymphe toute l'atmosphère enchantée
Avait changé : ces rubans, ces beaux treillis,
Dorés, argentés, hélas ! c'était donc de la paille ?

    Le Comte en se tordant les mains regardait   190
Une botte d'agrostide nouée avec de l'herbe,
Prise pour un panache de plumes d'autruche aux mains de la jeune fille.
Sans oublier le récipient : l'aiguière dorée,

Cette petite corne d'Amalthée, c'était une carotte !
Il la voyait avidement croquée dans la bouche de l'enfant :
C'en était donc fini de l'enchantement ! des charmes ! des merveilles !

De même un garçon, voyant des fleurs de chicorée sauvage
Attirant sa main par leurs tendres et légers bleuets,
Veut les caresser, s'approche et souffle, et à son souffle
Toute la fleur en un duvet dans les airs se disperse,   200
Et l'observateur trop curieux dans sa main ne voit plus que
La tige nue d'une plante gris-verdâtre.

Le Comte s'enfonça son chapeau sur les yeux, et rentrait
Par où il était venu, mais en prenant un raccourci,
Piétinant les légumes, les fleurs et les groseilliers,
Jusqu'à ce que, ayant sauté par-dessus la palissade, il respirât enfin !
Il se souvint alors d'avoir parlé du déjeuner à la jeune fille ;
Peut-être tous sont-ils déjà au courant de sa rencontre
Dans le jardin, près de la maison ? peut-être l'enverront-ils chercher ?
Ont vu qu'il se sauvait ? qui sait ce qu'ils vont penser ?   210
Il convenait donc de revenir. Se baissant derrière les clôtures,
Contournant les délimitations et la végétation, après mille détours
Tout heureux il fut de parvenir finalement à la route
Qui directement conduisait à la cour du manoir.
Il marchait le long de la clôture et détournait la tête du verger,
Comme le voleur la détourne du grenier à blé, afin de ne pas révéler
Qu'il a l'intention de le visiter, ou l'a déjà visité.
Telle était la prudence du Comte, bien que personne ne suivît sa trace ;
Il regardait dans la direction opposée au jardin, sur la droite.

Il y avait là un bois clairsemé, au sol tapissé de gazon ;   220
Sur ce tapis, à travers les troncs blancs des bouleaux,
Sous le chapiteau des lourdes branches de verdure,
Défilaient une foule de formes, aux mouvements bizarres
Pareils à des danses, étrangement habillées : de vrais esprits
Errant sous la lune. Les uns de noirs et ajustés,
Les autres de longs, amples et blancs comme neige, habits revêtus ;
Celui-ci sous un chapeau large comme un bandage de roue,
Celui-là tête nue ; d'autres, comme dans une nuée

Enveloppés, au vent font flotter leurs voiles,
Qui comme des queues de comète leur traînent derrière la tête.   230
Chacun dans une position différente ; celui-ci a pris racine,
Et ne fait que promener de ses yeux baissés le regard circulaire ;
Celui-là, regardant droit devant lui, à l'instar d'un somnambule marche
Comme sur un fil, ne déviant ni à droite, ni à gauche ;
Et tous constamment de différents côtés se baissent
Jusqu'au sol, comme s'ils saluaient jusqu'à terre.
Si l'un de l'autre ils s'approchent ou se rencontrent,
Ils ne se parlent ni ne se saluent,
Profondément pensifs, plongés en eux-mêmes.
Le Comte voyait en eux l'image des ombres élyséennes,   240
Qui, bien qu'inaccessibles aux douleurs et aux soucis,
Errent tranquilles, silencieuses, mais sinistres.

     Qui eût deviné que ces gens si statiques,
Ces gens taciturnes – sont nos amis ?
Les compagnons du Juge ! Le déjeuner bruyant
Ils ont quitté pour le solennel rituel de collecte des champignons :
Gens raisonnables, ils savent mesurer
Leurs paroles et mouvements afin de les adapter
En toute circonstance à l'heure et au lieu.
C'est pourquoi, avant de suivre le Juge au bois,   250
A la fois d'allure et de tenue ils ont changé,
Ils ont revêtu des pélerines de toile pour la promenade,
Dont ils protègent leurs kontusz,
Et leurs têtes ont coiffé de chapeaux de paille,
Ce qui leur donne l'aspect livide des âmes du purgatoire.
Les jeunes également se sont changés, à part Télimène
Et quelques-uns qui s'habillaient à la française.

                                   Ce tableau
Resta incompris du Comte, ignorant des coutumes de la campagne,
Et donc, extrêmement étonné, il fonça vers le bois.

     Il y avait des champignons à foison : les garçons prennent les belles
                                                              [260
Chanterelles, si souvent chantées dans les chansons lituaniennes,

Symboles de virginité, car le parasite ne les mange pas,
Et, chose étrange, aucun insecte ne se pose sur elles.
Les demoiselles courent après le svelte bolet,
Que la chanson appelle colonel des champignons[85].
Tous recherchent le lactaire ; d'une taille plus modeste,
Et moins célébré dans les chansons, mais en revanche le plus goûteux,
Qu'il soit frais, salé, que ce soit en automne
Ou en hiver. Mais le Substitut ramassait des amanites tue-mouches[86].

    Une foule d'autres champignons sont dédaignés, mis de côté   270
Du fait de leur toxicité ou de leur mauvais goût ;
Mais ils ne sont pas inutiles, ils nourrissent le gibier
Et sont des nids à insectes, et embellissent les bois.
Sur la verte nappe des prés, comme tout un service
De table ils ressortent : ici avec leurs bords arrondis
Les russules argentées, jaunes et rouges,
Pareilles à de petites coupes remplies de toutes sortes de vins ;
Le bolet rude, semblable au fond bombé d'un bol renversé,
Les clitocybes, comme des flûtes à champagne élancées,
Les mousserons arrondis, blancs, larges et plats,   280
Tels des tasses de Saxe débordantes de lait,
Et, remplie d'une poudre noirâtre, la sphérique
Vesse-de-loup, comme une poivrière – et d'autres, dont le nom
Des lièvres ou des loups est seul connu,
Par les hommes n'ont pas été baptisés ; et il y en a pléthore.
Personne ne daigne toucher ceux du genre loup ou du genre lièvre,
Et si quelqu'un s'abaisse vers eux, se rendant compte de son erreur,
Furieux, il casse le champignon ou lui donne un coup de pied ;
Ce en quoi, gâtant ainsi l'herbe, très stupidement il se comporte.

    Télimène n'en ramasse ni du genre homme, ni du genre loup,   290
Distraite, s'ennuyant, elle regarde autour d'elle,

---

[85] On connaît en Lituanie la chanson populaire sur les champignons partant en guerre sous la conduite du bolet. Dans cette chanson sont décrites les propriétés des champignons comestibles.

[86] *Le fungus muscarum, utilisé comme insecticide quand il est mélangé à du lait.*

Le nez en l'air. Et donc monsieur le Notaire dans sa colère
Disait d'elle qu'elle cherchait des champignons sur les arbres ;
L'Assesseur plus méchamment la comparait à une femelle
Qui dans les environs cherche un emplacement pour nicher.

En fait elle semblait chercher la solitude, le calme,
S'éloignait doucement de ses compagnons
Et marchait dans le bois vers une hauteur assez escarpée,
Ombragée, car les arbres y poussaient plus densément.
Au milieu se détachait un rocher gris sous lequel un ruisseau   300
Jaillissait en grondant, et tout de suite, comme s'il cherchait de l'ombre,
Se cachait dans les herbes hautes et drues
Qui prospéraient tout autour, gorgées d'eau ;
Là ce vif galopin, langé dans les herbes
Et couché sur un lit de feuilles, immobile, silencieux,
Invisible et à peine audible, gazouille,
Tel un enfant braillard déposé dans son berceau,
Lorsque sa mère au-dessus de lui referme les rideaux verts
Et des feuilles de coquelicot lui répand sous la tête[87].
Un endroit charmant et calme, où souvent se réfugie   310
Télimène et qu'elle appelle « Temple de la rêverie ».

Debout au bord du ruisseau, sur le gazon elle fit tomber
De ses épaules son châle vaporeux, d'un rouge de cornaline,
Et pareille à une nageuse qui pour prendre un bain
Froid se baisse avant d'oser s'immerger,
Elle s'agenouilla et tout doucement s'inclina sur le côté ;
Enfin, comme emportée par le courant de corail,
Elle s'y laissa tomber et de tout son long s'étendit,
Les coudes sur le gazon, les tempes entre les mains,
La tête inclinée vers le sol ; juste en dessous,   320
Brilla le vélin blanc d'un livre français ;
Au-dessus des pages d'albâtre du livre
S'enroulaient ses boucles noires et ses rubans roses.

---

[87] *Pour l'aider à s'endormir ?*

Dans l'émeraude de l'herbe exubérante, sur son châle de cornaline,
En robe longue, comme dans une enveloppe de corail,
Dont se détachaient sa chevelure à une extrémité,
Et à l'autre ses souliers noirs, brillant sur les côtés de l'éclat
De ses bas et mouchoir de neige, de la blancheur de ses bras et visage,
Elle ressemblait de loin à une chenille bigarrée
Sur une feuille verte d'érable en train de ramper.

Hélas !   330

De ce tableau tous les charmes et beautés
En vain attendaient d'être appréciés, personne n'y prêtait attention,
Tellement à ramasser des champignons tous étaient occupés.
Mais Thaddée les remarquait et lançait des regards de biais,
Et n'osant aller tout droit, s'avançait de côté :
Pareil au tireur lorsque sous un abri mobile fait de branchages,
Assis sur deux roues, il s'approche d'une outarde,
Ou bien allant à la chasse aux pluviers, contre son cheval il se cache,
Dépose son fusil sur la selle ou sous le cou de l'animal,
Fait semblant de traîner une herse ou de circuler sur le bord du champ,

[340

Et ainsi se rapproche de plus en plus de l'endroit où sont les oiseaux :
Ainsi se faufilait Thaddée.

Le Juge perturba son manège

Et lui coupa la route, se hâtant vers la source.
De sa blouse les pans blancs flottaient au vent
Ainsi que son grand mouchoir par un bout fixé à sa ceinture ;
Son chapeau de paille, attaché sous le menton, du fait des mouvements
Brusques, se balançait au vent comme une feuille de bardane,
Lui tombant soit sur les épaules, soit sur les yeux ;
A la main une énorme canne : ainsi se déplace monsieur le Juge.
Après s'être lavé les mains en se baissant dans le ruisseau,   350
Devant Télimène il s'assit sur une grosse pierre
Et s'appuyant les deux mains sur le pommeau d'ivoire
De l'énorme canne, il lui tint ce discours :

« Voyez-vous, ma chère, depuis qu'il est arrivé chez nous
Mon petit Thaddée m'inquiète beaucoup ;

Je suis sans enfants, vieux ; ce brave garçon
C'est mon seul réconfort au monde,
Le futur héritier de ma petite fortune. Grâce à Dieu,
Je lui laisserai un beau petit pécule de gentilhomme ;
Il est temps aussi de réfléchir à son avenir, à son mariage ;   360
Mais considérez un peu, ma chère, mon embarras !
Vous savez que monsieur Jacek, mon frère, le père de Thaddée,
Homme bizarre, difficile à pénétrer quant à ses intentions,
Ne veut pas rentrer au pays, Dieu sait où il se cache,
Et ne veut même pas à son fils donner signe de vie,
Tout en continuant à s'occuper de lui. D'abord aux légions
Il voulait l'envoyer, à mon grand désespoir.
Ensuite il accepta néanmoins qu'il reste à la maison
Et qu'il se marie. Il pourrait déjà avoir trouvé épouse ;
J'ai déniché un parti ; aucun citoyen   370
Ne pourra concurrencer par le nom et la lignée
Le Chambellan ; sa fille aînée Anna
Est à marier, belle jeune fille, et bien dotée.
J'ai voulu amorcer la chose ». – Là-dessus Télimène pâlit,
Posa son livre, se releva un peu et s'assit.

    « Pour l'amour de ma petite maman, dit-elle, Monsieur mon Frère,
A cela y a-t-il quelque sens ? Avez-vous l'amour de Dieu au cœur ?
Vous pensez donc faire le bonheur de Thaddée
En faisant de ce jeune homme un cul-terreux !
Vous lui fermerez le monde ! croyez-moi. Il vous maudira un jour ! 380
Ensevelir un tel talent dans les forêts et les champs !
Croyez-moi, pour ce que j'ai vu, c'est un enfant intelligent,
Cela vaut la peine qu'il se frotte au grand monde ;
Vous ferez bien, mon Frère, de l'envoyer dans une capitale ;
Par exemple à Varsovie ? ou bien, savez-vous ce que je pense,
A Saint-Pétersbourg ? Moi certainement cet hiver
J'irai là-bas pour affaires : nous établirons ensemble
Ce qu'il faut faire de Thaddée ; je connais là-bas beaucoup de monde,
J'y ai des relations : c'est la meilleure façon d'obtenir une situation.
Avec mon aide, il s'introduira dans les meilleures maisons,   390
Et lorsqu'il sera familier des personnes qui comptent,
Il obtiendra une situation, une distinction ; alors qu'il renonce

A sa charge, s'il le veut, et rentre à la maison,
Ayant acquis et notoriété et expérience du monde.
Qu'en pensez-vous, mon Frère ? » -- « Bien sûr, pendant sa jeunesse,
Dit-il, il n'est pas mauvais pour un garçon de sortir un peu,
De faire un tour d'horizon, de se frotter au monde ;
Moi dans ma jeunesse j'ai vu pas mal de pays :
J'étais à Piotrków[88], à Dubno[89], tantôt dans le sillage du tribunal
Comme avocat, tantôt pour de mes propres affaires   400
Prendre soin, je suis même allé à Varsovie.
J'en ai bien profité ! Mon neveu également je voudrais
L'envoyer dans le monde, comme un simple voyageur,
Comme un compagnon achevant son temps d'apprentissage,
Afin qu'un peu d'expérience il acquière.
Pas pour des honneurs ni des distinctions ! ce sont là bassesses,
Honneur moscovite, décoration, à quoi cela rime-t-il ?
Qui donc parmi les anciens seigneurs, et même ceux d'aujourd'hui,
Parmi les gentilshommes du district ayant tant soit peu de fortune,
De tels colifichets a cure ? Ne sont-ils pas estimés   410
Des gens parce qu'on respecte leur naissance, leur bonne réputation,
Ou leur fonction, mais locale, découlant du choix
Des citoyens, et non de la faveur d'un quidam ».

Télimène l'interrompit : « Si c'est ce que vous pensez, mon Frère,
Tant mieux, alors envoyez-le comme voyageur ».

« Voyez-vous, ma Sœur, dit le Juge en se grattant tristement la tête,
Je voudrais bien, mais j'ai de nouvelles difficultés !
Monsieur Jacek ne renonce pas à diriger son fils
Et m'envoie justement dans les pattes le bernardin
Robak, qui est arrivé venant de l'autre côté de la Vistule,   420
Ami de mon frère, au fait de toutes ses intentions :
Et donc ils ont décidé du sort de Thaddée

---

[88] *Piotrków Trybunalski, au centre de la Pologne actuelle dans la voïévodie de Łódź, autrefois siège de la Cour d'appel suprême de la République Polonaise pour les affaires de la noblesse relevant du droit coutumier.*
[89] *Actuellement en Ukraine.*

Et veulent qu'il se marie, qu'il épouse Zosia[90],
Votre pupille ; les deux obtiendront,
Outre ma petite fortune, de la part de Jacek une dot
En capital ; vous savez, ma chère, qu'il a des capitaux,
Et c'est aussi grâce à lui que j'ai pratiquement tout l'héritage,
Il a donc le droit d'en disposer. – Pensez-y, ma chère,
Afin que cela se passe le mieux possible ;
Il faut leur faire faire connaissance. C'est vrai qu'ils sont très jeunes,
                                                                    [430
En particulier la petite Zosia, mais cela ne fait rien ;
Il serait enfin temps de tirer la petite Zosia de sa réclusion,
Car elle m'a tout l'air de sortir de l'enfance ».

        Télimène, étonnée et presque effrayée,
Se soulevait de plus en plus et s'agenouilla sur son châle ;
D'abord attentivement elle écouta, puis d'un mouvement de la main
Elle contesta, agitant vivement celle-ci devant son oreille,
Repoussant comme des insectes les paroles désagréables
Pour les faire revenir dans la bouche de l'orateur. –

                                « Ha ! Ha ! voilà qui est nouveau !
Si c'est bon ou non pour Thaddée,   440
Dit-elle en colère, à vous seul d'en juger, mon cher,
Moi je n'ai rien à voir avec Thaddée, c'est votre affaire à vous seuls,
Faites-en un économe, ou installez-le aubergiste,
Qu'il serve à boire, ou ramène du gibier de la forêt :
Faites de lui ce que vous voulez ; mais pour ce qui est de Zosia ?
Qu'avez-vous à voir avec Zosia ? C'est moi qui dispose de sa main,
Moi seule ! Si monsieur Jacek a donné de l'argent
Pour l'éducation de Zosia, et qu'il lui a attribué
Une petite pension annuelle, et a daigné promettre davantage,
Il ne l'a pas encore achetée pour autant. Du reste vous savez,   450
Et jusqu'à ce jour on ne l'a pas oublié dans le monde,
Que votre générosité pour nous n'est pas sans raison.
Aux Horeszko les Soplica sont redevables de quelque chose ».

_____

[90] *Diminutif de « Zofia", Sophie.*

(Cette partie du discours, le Juge l'écoutait avec une incroyable
Gêne, tristement et manifestement de mauvais gré ;
Comme s'il appréhendait la suite, il baissa la tête
Et acquiesçant de la main, rougit fortement).

    Télimène finissait : « J'ai été sa nourrice,
De Zosia je suis la parente, la seule tutrice.
Personne d'autre que moi ne va penser à son bonheur ».   460
« Et si elle trouve son bonheur dans ce mariage ? »
Dit le Juge en relevant les yeux. « Si du petit Thaddée
Elle tombe amoureuse ? » -- « Amoureuse ? Plan sur la comète ;
Amoureuse ou pas, voilà bien ce qui m'importe !
Zosia ne sera pas, il est vrai, un parti bien doté,
Mais elle n'est pas non plus n'importe quelle villageoise ou noble,
Elle descend d'illustres magnats, c'est une fille de voïévode,
Née d'une Horeszko ; elle trouvera un mari !
Nous avons tant veillé à son éducation !
A moins qu'ici elle ne se soit ensauvagée ». – Le Juge écoutait, attentif,
[470
La regardant dans les yeux ; il semblait s'être calmé,
Car il dit assez joyeusement : « Bon, alors quoi faire ?
Dieu m'est témoin, je voulais sincèrement régler l'affaire ;
Ne nous fâchons pas, si vous n'êtes pas d'accord, ma chère,
C'est votre droit ; c'est triste – mais il ne convient pas de se fâcher ;
Je proposais, mon frère me l'a demandé, mais on n'oblige personne ;
Si vous récusez messire Thaddée,
Je réponds à Jacek que ce n'est pas de ma faute
Si les fiançailles de Thaddée avec Zosia ne peuvent aboutir.
A présent, je vais réfléchir tout seul ; on pourra avec le Chambellan 480
Engager des pourparlers et on règlera tout le reste ».

    Entretemps Télimène était revenue de son emportement :
« Doucement Frérot, moi je ne récuse rien !
Vous-même avez dit que c'était encore trop tôt, -- trop jeunes, --
Réfléchissons, attendons, cela ne peut faire de mal,
Faisons faire connaissance au jeune couple ; on va surveiller,
On ne peut pas comme ça confier le bonheur des autres au hasard.
Mais je vous préviens d'avance, que Thaddée ne soit pas par vous

Encouragé, contraint à aimer Zosia,
Le cœur n'a pas de maître, il n'est pas un esclave,   490
Et de toute contrainte il sait briser l'entrave[91] ».

   Là-dessus, le Juge se leva et s'éloigna pensif ;
Messire Thaddée s'approchait, venant du côté opposé,
Faisant semblant d'être attiré là par les champignons ;
Dans la même direction le Comte lui aussi s'avance doucement.

   Le Comte, pendant l'altercation entre le Juge et Télimène,
Se tenait derrière des arbres, fort étonné de cette scène ;
Il avait sorti de sa poche du papier et un crayon, instruments
Qu'il avait toujours sur soi, et courbé sur un tronc
Déployant sa feuille, visiblement dessinait un tableau   500
En monologuant : « Comme si on les avait groupés exprès :
Lui sur une pierre, elle sur l'herbe, un ensemble pittoresque !
Des têtes expressives ! des visages qui s'opposent ! »

   Il s'approchait, s'arrêtait, essuyait sa lunette,
S'éventait les yeux de son mouchoir et regardait à nouveau :
« Ce spectacle merveilleux, magnifique, devrait-il
Disparaître ou changer lorsque plus près je serai ?
Cette herbe veloutée sera-ce des nèfles et des blettes ?
Dans cette nymphe découvrirai-je quelque intendante ? »

   Bien que le Comte eût déjà vu Télimène   510
Chez le Juge, qu'il fréquentait assez souvent,
Il ne lui avait pas prêté attention ; il s'étonna soudain,
Reconnaissant en elle le modèle de son dessin.
La beauté du lieu, le charme de sa pose et le bon goût de sa tenue
L'avaient changée, elle était à peine reconnaissable.
Dans ses yeux brillaient encore les feux mal éteints de sa colère ;
Son visage vivifié par les souffles de vent frais,
L'altercation avec le Juge et l'arrivée soudaine des jeunes gens,
Avait pris une coloration intense, plus vive que d'habitude.

------

[91] *Ces vers célèbres ont été maintes fois cités !*

« Madame, dit le Comte, daignez pardonner mon audace,   520
Je viens tout à la fois m'excuser et remercier.
M'excuser d'avoir suivi vos pas en cachette,
Et remercier d'avoir été le témoin de votre rêverie ;
Je vous ai tellement offensée ! Je vous suis tellement redevable !
J'ai interrompu un instant de votre rêverie : je vous dois un instant
D'inspiration ! instants divins ! condamnez l'homme,
Mais l'artiste attend votre pardon !
J'ai beaucoup osé, je vais oser encore davantage !
Jugez ! » -- là il s'agenouilla et tendit sa composition.

Télimène jugeait l'ébauche   530
Avec le ton, bien que poli, d'une personne en art experte,
Avare de compliments, mais prodigue d'encouragements :
« Bravo, dit-elle, félicitations, pas mal de talent.
Mais à cultiver ; et il faut, plus particulièrement,
Rechercher une belle nature ! O, cieux bienheureux
De l'Italie ! jardins de roses des Césars !
Vous, classiques cascades de Tivoli !
Et terribles passages taillés dans les rochers du Pausilippe[92] !
Voilà, Comte, le pays des peintres ! Chez nous, quelle misère !
L'enfant des muses, mis en nourrice à Soplicowo,   540
A coup sûr mourra. Cher Comte, je vais encadrer cela
Ou le placer dans mon album, dans ma collection de dessins,
Que j'ai recueillis de partout : j'en ai pas mal dans mon secrétaire ».

Ils commencèrent donc à parler de l'azur des cieux,
Du bruit de la mer et des brises parfumées, et des sommets rocheux,
Y mêlant çà et là, comme d'habitude le font ceux qui voyagent,
La moquerie et le dénigrement du pays natal.

Et pourtant autour d'eux s'étendaient les forêts
Lituaniennes, si graves et pleines de beauté ! –

---

[92] *Colline en bordure de la baie de Naples, célèbre pour ses panoramas. Un tunnel creusé du temps de Tibère dans le tuf volcanique y a été retrouvé au 19ème siècle.*

Les merisiers entourés d'une couronne de houblons sauvages,   550
Les sorbiers à la fraîche pourpre pastorale,
Les coudriers semblables à des ménades avec leurs sceptres verts
Revêtus, comme de pampres, de perles de noisettes ;
Plus bas, les petits des sous-bois : l'aubépine, dans les bras de la viorne,
Les mûres dans les ronces blottissant leurs lèvres noires.
Les arbres et arbustes se sont pris par leurs mains feuillues,
Pareils à des demoiselles et jeunes gens s'apprêtant à danser
Autour du couple de mariés. Au milieu de leur groupe se dresse
Ce couple, dominant toute la gent forestière
Par sa taille élancée et ses couleurs séduisantes :   560
Le bouleau blanc, l'épousée, avec son époux le charme.
Et plus loin, comme des anciens, les enfants et petits-enfants
Observant, sont assis en silence ici les hêtres chenus,
Là les matrones peupliers, et à la barbe moussue
Le chêne, portant cinq siècles sur son échine bossue,
S'appuie, comme sur des colonnes tombales brisées,
Sur des chênes, de ses ancêtres les cadavres pétrifiés.

        Messire Thaddée tournait en rond, passablement ennuyé
Par cette longue conversation, à laquelle il ne pouvait participer ;
Jusqu'à ce que des pays étrangers on se mît à célébrer les bosquets 570
Et énumérer les espèces d'arbres, les unes après les autres :
Les orangers, les cyprès, les oliviers, les amandiers,
Les cactus, les aloès, les mahonias, les santals,
Les citronniers, le lierre grimpant, les noyers, et même les figuiers,
Célébrant leurs formes, leurs fleurs et leurs tiges, --
Thaddée ne cessait de s'irriter et de s'indigner,
Et pour finir ne put plus longtemps retenir sa colère.

        C'était un rustre, mais sensible au charme de la nature,
Et, regardant sa forêt natale, il dit plein d'inspiration ;
« J'ai vu au jardin botanique de Wilno   580
Ces arbres célèbres poussant en orient
Et dans le midi, sur cette belle terre d'Italie ;
Lequel d'entre eux à nos arbres peut se comparer ?
L'aloès avec ses longues feuilles allongées en paratonnerre,
Ou le citronnier, nabot aux boules dorées,

Aux feuilles vernies, courtaud et pansu,
Comme une femme petite, laide, mais riche ?
Ou le cyprès tant vanté, long, fin et maigre !
Qui davantage semble être l'arbre de l'ennui que de la tristesse ?
On dit que c'est une tristesse sur une tombe :   590
Pareil à un laquais allemand dans un deuil à la cour d'un noble,
N'osant ni lever les mains ni incliner la tête,
De peur d'enfreindre un brin d'étiquette.

     Notre brave bouleau n'est-il pas plus beau,
Lui qui, pareil à une villageoise pleurant son fils
Ou une veuve son mari, qui se tord les mains, défait
Sur ses épaules le flot de ses tresses tombant jusqu'à terre !
Muet de détresse, avec quelle expressivité il sanglote !
Pourquoi Monsieur le Comte, si vous aimez la peinture,
Ne peignez-vous pas nos arbres, ceux de chez vous ?   600
Vraiment, les voisins de vous vont plaisanter,
Si, habitant la féconde plaine lituanienne,
Vous ne peignez que des rochers et des déserts ».

     « Mon ami ! dit le Comte, une belle nature
C'est la forme, l'arrière-plan, la matière, mais l'âme c'est l'inspiration,
Qui s'élève sur les ailes de l'imagination,
On la polit par le goût, on la conforte par des règles.
La nature ne suffit pas, ni l'enthousiasme,
Si l'artiste ne s'échappe dans les sphères de l'idéal !
Tout ce qui est beau n'est pas pour autant susceptible d'être peint ! 610
Vous apprendrez tout cela dans les livres en son temps.
Pour ce qui est de la peinture : pour faire un tableau il faut
Des points de vue, un groupe, un environnement et un ciel,
Un ciel italien ! De là aussi, dans l'art des paysages,
L'Italie a été, est, et sera la patrie des peintres.
De là aussi, à part Breughel, pas Van der Helle,
Mais le paysagiste (car il y a deux Breughel)[93],

---

[93] *Il y a en fait au moins quatre Breughel : Pierre l'Ancien, Pierre le Jeune, son premier fils, qu'on a surnommé « Van der Helle » (d'Enfer) à cause de sa*

Et à part Ruysdael, dans tous les pays du nord,
Où s'est-il trouvé un paysagiste de première force ?
Des cieux, il faut des cieux ! » -- « Notre peintre Orłowski[94],   620
L'interrompit Télimène, avait le goût *Soplicovien.*
(Il faut savoir que des Soplica c'est la maladie,
De ne se plaire à rien en dehors de leur patrie).
Orłowski, qui a passé sa vie à Saint-Pétersbourg,
Peintre célèbre (j'ai quelques esquisses de lui dans mon secrétaire),
Habitait tout près de l'empereur, à la Cour, comme au paradis,
Et vous ne croirez pas à quel point il avait le mal du pays !
Il aimait toujours évoquer les temps de sa jeunesse,
Il glorifiait tout ce qui est polonais : la terre, le ciel, les forêts... »

« Et il avait raison ! s'écria Thaddée avec flamme :   630
Votre ciel italien, comme j'en ai entendu parler,
Bleu, pur, c'est tout comme de l'eau gelée ;
Le vent et la tempête ne sont-ils pas cent fois plus beaux ?
Chez nous, il suffit de lever les yeux : que de spectacles !
Combien de scènes et de tableaux par le seul jeu des nuées !
Car chacune d'elle est différente : celle d'automne, par exemple,
Rampe comme une tortue, paresseuse, grosse d'une averse,
Et du ciel jusqu'à terre fait descendre de longues raies
Telles des tresses dénouées, des cordes de pluie ;
Un nuage de grêle, comme un ballon, rapide vole au vent,   640
Sphérique, bleu sombre, avec du jaune au milieu brillant,
Un grand bruit s'entend à l'entour ; même ces banals,
Blancs petits nuages, voyez comme ils sont changeants !
Pour commencer pareils à un vol d'oies sauvages ou de cygnes,
Avec le vent derrière, tel un faucon, qui les pousse et les rassemble :
Ils se serrent, grossissent, se développent, nouvelles merveilles !
Leurs échines se tordent, leurs crinières s'ébouriffent,
Ils allongent des rangées de pattes et la voûte céleste

---

*prédilection pour la peinture d'incendies, Jean Breughel l'Ancien, son second
fils, et Jean Breughel le Jeune, fils de ce dernier.*
[94] Peintre de genre connu ; quelques années avant sa mort il a commencé à
peindre des paysages. Il est mort il y a peu de temps à Saint-Pétersbourg.

Parcourent au galop comme une horde de coursiers dans la steppe :
Tous blancs comme l'argent, ils se sont mélangés – soudain   650
De leurs échines poussent des mâts, de leurs crinières des voiles,
La horde se fait navire, et vogue majestueusement,
Tranquillement, doucement, dans la plaine céleste azurée ! »

        Le Comte et Télimène regardaient en l'air ;
Thaddée d'une main leur montrait le nuage,
Et de l'autre doucement serrait la petite main de Télimène ;
Quelques minutes déjà s'étaient écoulées de cette scène silencieuse ;
Le Comte étendit son papier sur son chapeau
Et sortit son crayon. Alors, importune à l'oreille,
Se fit entendre la cloche du manoir, et tout de suite le bois   660
Silencieux de cris et de clameurs se remplit.

        Le Comte hochant la tête dit sur un ton grave :
« Ainsi en est-il en ce monde, le destin tout achève au son d'une cloche,
Les calculs d'une noble pensée, les plans de l'imagination,
Les amusements de l'innocence, les joies de l'amitié,
Les épanchements des cœurs sensibles ! – lorsqu'au loin l'airain rugit,
Tout s'embrouille, se rompt, se trouble et s'anéantit ! »
Là, vers Télimène tournant un regard plein de tendresse :
« Que reste-t-il ? » -- et elle lui répondit : « Le souvenir ! »
Et voulant quelque peu du Comte adoucir la tristesse,   670
Elle cueillit et lui tendit une fleur de myosotis.
Le Comte y déposa un baiser et l'épingla à sa poitrine ;
Thaddée, de l'autre côté, écarta une touffe d'herbe,
Voyant que dans cette herbe vers lui se glissait
Quelque chose de blanc : c'était une petite main semblable à un lys ;
Il la saisit, l'embrassa et ses lèvres silencieusement
Y plongea comme une abeille dans le calice d'un lys ;
Il sentit du froid sur ses lèvres, trouva une clé et un blanc
Papier enroulé en cornet : c'était un petit billet ;
Il s'en empara, le cacha dans sa poche ; il ne sait ce que la clé signifie :
                                                                    [680
Mais ce petit billet blanc le lui expliquera.

        La cloche continuait à sonner, et en écho du fond des bois silencieux

Lui répondirent mille cris et clameurs ;
C'était l'appel pour rechercher et faire venir,
Signal de la fin de la collecte des champignons pour aujourd'hui,
Appel pas du tout triste, ni funèbre,
Comme le Comte en eut l'impression, mais plutôt appel à dîner.
Cette cloche sous son auvent chaque midi battant le rappel
Pour le dîner rassemble les hôtes et le personnel :
C'était l'usage dans beaucoup d'anciens manoirs　　　　　　690
Et l'était resté chez le Juge. Et donc du bois
Sortait tout le groupe, portant de petites corbeilles,
Des paniers, des serviettes nouées aux extrémités,
Pleins de champignons ; et les demoiselles d'une main tenaient,
En guise d'éventail replié, un bolet charnu,
Et de l'autre, semblable à un bouquet de fleurs des champs,
Des armillaires et des russules de couleurs les plus diverses.
Le Substitut avait une amanite tue-mouches. Arrive, sans rien
Dans les mains, Télimène, qu'accompagnent les jeunes seigneurs.

Les invités entrèrent dans l'ordre et firent cercle[95] :　　　　700
Le Chambellan prit la place la plus élevée à table ;
Cet honneur lui revient du fait de son âge et de sa fonction,
S'y rendant, il s'inclina vers les dames, les seniors et les jeunes.
Près de lui se tenait le Quêteur, le Juge tout près du Bernardin,
Le Bernardin récita une courte prière en latin ;
On servit ensuite de la vodka ; puis tous s'assirent
Et en silence mangeaient avec entrain le potage froid lituanien.

On dînait plus silencieusement que d'habitude ;
Personne ne parlait malgré les invites du maître de maison.
Les parties prenantes à la grande controverse canine　　　　710
Pensaient au combat de demain et aux mises ;
Penser intensément souvent contraint la bouche à se taire.
Télimène, parlant toujours à Thaddée,
Vers le Comte parfois était obligée de se tourner,

---

[95] *Tout ce passage reprend à dessein, pratiquement mot pour mot, celui figurant au Livre premier (vers 300-307).*

Et même parfois de jeter un coup d'œil à l'Assesseur :
De même l'oiseleur son piège à chardonnerets surveille
En même temps que celui à moineaux. Thaddée et le Comte,
Tous deux contents d'eux, tous deux heureux,
Pleins d'espoir tous les deux, et donc peu loquaces.
Le Comte sur sa fleur portait un fier regard,   720
Et Thaddée discrètement regardait dans sa poche,
Pour voir si la petite clé toujours y était ; et même de la main il prenait
Et tortillait le petit billet, qu'il n'avait toujours pas lu.
Le Juge au Chambellan tokay et champagne
Versait, le servait avec empressement, lui serrait le genou,
Mais n'avait pas envie de parler avec lui
Et visiblement appréhendait quelques secrets ennuis.

  Les assiettes et les plats défilaient en silence ;
Pour finir interrompit du dîner le cours ennuyeux
Un hôte inattendu, entrant en hâte, le garde forestier ;   730
Il ne fit même pas attention que c'était justement l'heure du dîner,
Accourut auprès du Maître ; on voyait à son allure et à sa mine
Qu'il était porteur d'une nouvelle importante et peu ordinaire.
Toute l'assemblée vers lui tourna les yeux,
Et lui, reprenant un peu haleine, dit : « Un ours, Monseigneur ! »
Le reste, tout le monde le devina : que l'animal de la forêt-mère[96]
Etait sorti, qu'il voulait passer dans les forêts au-delà du Niémen,
Qu'il fallait vite le pourchasser, tout le monde en était d'accord,
Même sans se concerter, ni réfléchir –
On constatait cette unanimité aux paroles hachées,   740
Aux gestes vifs, aux multiples ordres lancés,
Qui, sortant en foule et simultanément de tant de bouches,
Visaient cependant tous le même objectif.

  « Au village ! cria le Juge, à cheval ! il me faut un centenier !
Demain battue à l'aube, mais pour les volontaires ;

─────────────────

[96] « Forêt-mère » ou forêt primaire : une des dernières forêts primaires en Europe, la forêt de Białowieża, subsiste encore aujourd'hui, bien que menacée, à cheval sur les territoires de la Pologne et de la Biélorussie.

A qui se présentera avec une pique, que de son temps de corvée
On ôte deux jours de corvée publique et cinq de corvée seigneuriale ».

Le Chambellan s'écria : « Vite, pour seller mon cheval gris
Qu'à mon manoir on coure dare-dare ; y prendre séance tenante
Mes deux « sangsues » connues dans toute la région,   750
Le mâle s'appelle le Commissaire et la femelle le Procureur[97].
Qu'on les muselle, les boucle dans un sac
Et qu'on les amène ici à dos de cheval pour gagner du temps ».
« Wańka[98] ! » cria en russe l'Assesseur à l'adresse d'un garçon,
« Qu'on aiguise mon couteau de chasse venant de Sanguszko :
Tu sais, le couteau que m'a offert le Prince ;
Qu'on vérifie ma cartouchière, si chaque emplacement a sa balle ».
« Les fusils, crièrent tous, qu'ils soient fin prêts ! »
L'Assesseur sans cesse braillait : « Du plomb, du plomb !
J'ai dans mon sac un moule pour les balles ». – « Le curé,   760
Qu'on le prévienne ! ajouta monsieur le Juge, que demain de bon matin
Il célèbre une messe dans la chapelle forestière : une toute petite offerte
Pour les chasseurs, une messe ordinaire de Saint Hubert ».

Une fois les ordres donnés, le silence se fit ;
Chacun réfléchissait et regardait autour de soi,
Comme s'il cherchait quelqu'un ; petit à petit les yeux de tous
Sont attirés et se posent sur le visage grave du Substitut :
C'était signe qu'ils recherchaient pour la future expédition
Un chef et qu'au Substitut ils remettaient le bâton de commandement.
Le Substitut se leva, il avait compris la volonté de ses compagnons 770
Et avec sérieux frappant de la main sur la table,
De son sein il tira une chaînette dorée
A laquelle était suspendue une montre grosse comme une poire.

---

[97] Cette espèce de chiens anglais, petits et robustes, appelées sangsues, est utilisée pour la chasse au gros gibier, en particulier l'ours.
Le commissaire, ou capitaine commissaire, est le chef de la police rurale. – Le
procureur est un magistrat du ministère public. Ces fonctionnaires, ayant souvent la possibilité d'abuser de leur pouvoir, sont abhorrés par les citoyens.
[98] *Diminutif de Vania, lui-même diminutif de Ivan : « Jean » en russe.*

« Demain, dit-il, à quatre heures trente, à la chapelle forestière
Rendez-vous mes frères tireurs, ainsi que la troupe des rabatteurs ».

Il dit et sortit de table, avec derrière lui le garde forestier ;
Il leur faut réfléchir et organiser la chasse.

Ainsi quand pour le lendemain les chefs ont annoncé la bataille,
Les soldats dans le camp leur arme nettoient puis mangent
Ou dorment sur leur capote ou leur selle, libres de soucis,   780
Tandis que leurs chefs, sous leur tente silencieuse, réfléchissent.

Le dîner s'arrêta, le jour se coucha sur le ferrage des chevaux,
L'alimentation des chiens, la collecte et le nettoyage des armes,
Pratiquement personne ne se mit à table pour le souper ;
Même le camp du Courtaud et le parti du Faucon
De leur grande et ancienne querelle cessèrent de se préoccuper :
Bras dessus, bras dessous, le Notaire et l'Assesseur
Recherchent du plomb. Les autres, épuisés,
Se couchèrent plus tôt, afin de se réveiller au petit matin.

A Thaddée aujourd'hui on a donné une chambre dans la maison. 790
Il y entra, ferma la porte, posa la bougie dans la cheminée,
Et, feignant d'être déjà endormi, resta l'œil ouvert.
Visiblement, il attendait la nuit, et le temps lui paraissait long.
Il se mit à la fenêtre et par une ouverture surveillait
Ce que fait le veilleur, du manoir arpentant constamment les abords.
Lorsque bien loin il le vit, à pieds joints
Il sauta, ferma la fenêtre, s'abaissant jusqu'à terre
Et se faufilant le long des murs. Plus loin, ses pas
D'un voile épais par la nuit d'automne furent recouverts[99].

∗∗∗

---

[99] *Les dix vers qui précèdent ont été censurés par l'auteur à la demande de lecteurs ou auditeurs choqués par la conduite pseudo-incestueuse de son héros !*

LIVRE QUATRIEME

POLITIQUE ET CHASSE

*

Sommaire :

*

C ontemporains des grands-ducs lituaniens, arbres
  De Białowieża, de Świteź, des Ponary, de Kuszelewo[100] !
Dont l'ombre autrefois tombait sur les têtes couronnées
Du terrible Witenes, du grand Mendog
Et de Giedymin[101], lorsque sur la colline des Ponary
Autour d'un feu de chasseurs, sur une peau d'ours
Il était couché, écoutant les chants du sage Lizdejko,
Et par la vue de la Wilija et le bruit de la Wilejka
Bercé, rêvait d'un loup de fer[102] ;
Et réveillé, sur l'ordre exprès des dieux   10
Il fonda la ville de Wilno, qui gîte au milieu des forêts
Comme le loup au milieu des bisons, des sangliers et des ours.
De cette ville de Wilno, comme de la louve romaine,
Sortirent Kiejstut et Olgierd et les Olgierdides[103],

---

[100] *Mickiewicz pourrait être né à proximité du lac de Świteź, dans le village de Zaosie, actuellement situé en Biélorussie. Il écrira des ballades sur ce lac mystérieux sous lequel se trouverait la ville engloutie éponyme.*
Białowieża est aujourd'hui en Pologne, Kuszelewo en Biélorussie, et les Ponary dans la banlieue de la capitale lituanienne Wilno, rendus tristement célèbres par le massacre de la communauté juive qui y fut perpétré pendant la seconde guerre mondiale.
[101] *Witenes, Mendog, Giedymin sont des princes lituaniens ayant régné aux 13ème-14ème siècles.*
[102] D'après la tradition, le Grand-Duc Giedymin rêva sur la colline des Ponary d'un loup de fer et sur les conseils du druide Lizdejko fonda la ville de Wilno. *Celle-ci tirerait son nom de la rivière qui l'arrose, la Wilejka, affluent de la Wilija, elle-même affluent du Niémen.*
[103] *C'est-à-dire les Jagellon, Olgierd étant le père de Władysław II Jagiełło, premier roi de Pologne et Lituanie (voir la note 2).*

Aussi bons chasseurs que fameux chevaliers,
Qu'ils combattent l'ennemi ou chassent le sanglier.
Le songe du chasseur nous a dévoilé les mystères de l'avenir,
Qu'à la Lituanie, du fer et des forêts toujours il faudra.

    Forêts ! chez vous est venu chasser le dernier,
Le dernier des rois à porter le kalpak[104] witoldien[105] [106],   20
Des Jagellon le dernier guerrier heureux
Et en Lituanie le dernier monarque chasseur.
O arbres de mon pays natal ! Si le Ciel permet
Que je revienne vous voir, mes vieux amis,
Vous retrouverai-je encore ? Etes-vous toujours en vie,
Vous, autour desquels, jadis, enfant je m'essayais à marcher ?...
Le grand Baublis[107] est-il encore là, lui dont l'immense cavité,
Par les siècles creusée, comme dans une bonne maison,
Douze personnes à table à souper pouvait accueillir ?
Le bois de Mendog fleurit-il en contrebas de l'église paroissiale[108] ? 30
Et là-bas en Ukraine, est-t-il toujours debout,
Devant la maison des Hołowiński, sur les bords de la Roś[109],
Ce tilleul à la frondaison si large qu'à son ombre
Pouvaient danser cent couples de jeunes gens et demoiselles ?

------

[104] *Coiffe haute, à extrémité pointue ou tronquée et à bords retroussés, parfois ornés de fourrure, originaire d'Asie centrale.*
[105] *De Witold le Grand, gouverneur et Grand-Duc de Lituanie, cousin germain et rival de Władysław II Jagiełło ; sa politique ambitionnait de faire de la Lituanie une grande puissance indépendante.*
[106] Sigismond-Auguste fut, selon l'antique coutume, porté sur le trône du Grand-Duché de Lituanie, il a ceint le glaive et s'est couronné du kalpak. Il aimait beaucoup la chasse.
Il a régné de 1548 à 1572. C'est le dernier des Jagellon, mort sans descendance.
[107] Dans le district de Rosienie *(au centre de la Lituanie actuelle)*, sur la propriété de Paszkiewicz, écrivain local, poussait un chêne appelé Baublis, naguère à l'époque païenne considéré comme sacré. A l'intérieur de ce géant pourri, Paszkiewicz a installé un cabinet d'antiquités lituaniennes.
[108] Non loin de l'église paroissiale de Nowogródek il y avait de vénérables tilleurs, dont beaucoup ont été abattus vers 1812.
[109] *Affluent de rive droite du Dniepr.*

O nos monuments ! Combien chaque année vous massacre,
Vénale ou administrative, la hache moscovite !
Elle ne laisse de refuge ni aux chanteurs des bois,
Ni aux bardes, à qui votre ombre est aussi plaisante qu'aux oiseaux.
Et pourtant le tilleul de Czarnolas, à la voix de Jean[110] sensible,
Tant de rimes a inspiré ! et ce chêne bavard   40
Au barde cosaque tant de merveilles a chanté[111] !

Combien vous suis-je redevable, ô arbres de mon pays !
Piètre tireur, fuyant les moqueries de mes compagnons
Pour avoir manqué un gibier, combien dans votre calme
Ai-je chassé de rêveries, lorsque dans un sauvage repaire,
Oubliant la chasse, je m'asseyais sur une butte,
Et qu'à côté de moi, ici brillait l'argent des mousses chenues,
Taché du grenat d'une myrtille noire écrasée,
Et là-bas rougeoyaient les collines couvertes de bruyère,
Décorées d'airelles rouges comme de perles de corail.   50
Autour c'était l'obscurité ; les branches en hauteur
Etaient suspendues comme des nuages verts, denses et bas ;
Parfois par-dessus cette voûte immobile la tempête faisait rage,
Geignant, grondant, hurlant, fulminant, tonnant :
Curieux, étourdissant vacarme ! il me semblait
Que là-haut au-dessus de ma tête une mer suspendue se déchaînait.

En bas, on dirait une ville en ruines : ici un chêne renversé
Sort de terre, comme un énorme abattis ;
Sur lui s'appuient, pareils à des débris de murs et de colonnes,

---

[110] *Allusion au poète de la Renaissance Jan Kochanowski et à son village patrimonial de Czarnolas (« Forêt Noire ») en Mazovie (Pologne centrale).*
[111] Voir le poème de Goszczyński « Le château de Kaniów ».
*Seweryn Goszczyński est un activiste, révolutionnaire polonais, également poète
romantique, contemporain de Mickiewicz qu'il a connu dans l'émigration en
1838 à Paris ; de même que Mickiewicz a chanté la Lituanie et la Biélorussie,
Goszczynski a chanté l'Ukraine et la Galicie, ce qui lui vaut ici l'appellation de
« barde cosaque ».*

Ici des poutres à moitié pourries, là des rondins branchus,   60
Entourés d'une enceinte de végétation ; dans ces décombres
Jeter un œil vous saisit d'horreur : là gîtent les maîtres de la forêt,
Sangliers, ours, loups ; à leur porte traînent les os
A moitié rongés de quelque visiteur imprudent.
Parfois au-dessus de la végétation surgissent,
Comme deux jets d'eau, deux bois de cerf
Et l'éclair jaunâtre de l'animal passe entre les arbres,
Comme un rayon de soleil fugace tombé entre leurs troncs.

    Et à nouveau c'est le silence ici-bas. Le pic-vert sur le sapin
Frappe légèrement et va plus loin, disparaît,   70
Il s'est caché, mais ne cesse de frapper du bec,
Comme l'enfant jouant à cache-cache.
Plus près se tient l'écureuil, une noix entre les pattes
Grignotant ; son panache il a suspendu au-dessus de ses yeux,
Comme une aigrette au-dessus du casque d'un cuirassier ;
Bien qu'ainsi protégé, il observe autour de soi ;
Ayant vu l'étranger, le danseur des bois bondit
D'un arbre sur l'autre, rapide comme l'éclair ;
Et pour finir disparaît dans l'invisible cavité d'un tronc,
A l'instar d'une dryade rentrant dans son arbre attitré.   80
Silence à nouveau.

        Voilà qu'une branche effleurée frémit,
Et parmi les grappes d'alisier qu'on a écartées,
Plus vermeils que leurs baies, apparaissent des visages :
C'est une cueilleuse de myrtilles ou de noisettes, une jeune fille ;
Dans un petit panier de simple écorce elle propose sa collecte
D'airelles fraîches, vermeilles comme ses lèvres ;
A côté marche un jeune homme, inclinant les branches de noisetiers
Dont la jeune fille attrape au vol les virevoltantes noisettes.

    Là-dessus, entendant le son des cors et le bruit de la meute,
Ils devinent que d'eux des chasseurs se rapprochent,   90
Et parmi les denses branchages, affolés,
Disparaissent soudain à la vue, tels des divinités sylvestres.

Grande agitation à Soplicowo ; mais ni le vacarme des chiens,
Ni le hennissement des coursiers, ni le grincement des voitures,
Ni le son des cors signifiant le début de la chasse
Ne purent tirer Thaddée de sa couche ;
Tombé au lit tout habillé, il dormait tel une marmotte dans son trou.
Aucun des jeunes ne pensa le rechercher dans le manoir,
Chacun, occupé de soi-même, s'empressait d'aller au rendez-vous ;
On oublia complètement le compagnon endormi.   100

Lui ronflait ; le soleil, par l'ouverture au milieu du volet
En forme de cœur découpée, tomba dans la chambre obscure,
Pareil à une colonne de feu, droit sur la face du dormeur ;
Lui voulait encore prolonger son sommeil et se retournait,
Se protégeant de la lumière ; soudain il entendit frapper,
Et se réveilla ; c'était un réveil joyeux.
Il se sentait frais comme un gardon, respirait avec légèreté,
Se sentait heureux, se souriait à lui-même :
Pensant à tout ce qui lui était arrivé hier,
Il rougissait et soupirait, et avait le cœur qui battait.   110
Il jeta un coup d'œil à la fenêtre : ô merveille ! dans la pure clarté,
Dans ce cœur, brillaient deux yeux clairs,
Grand ouverts, comme il en en va d'habitude d'un regard
Qui de la lumière du jour se plonge dans l'ombre ;
Il aperçut aussi une petite main, comme un éventail du côté
Du soleil placée, pour se protéger la vue ;
Ses doigts menus, tournés vers la lumière rose,
Comme des rubis rougissaient dans leur transparence ;
Il voyait des lèvres curieuses, légèrement entrouvertes,
Et de petites dents brillant comme des perles au milieu de coraux,   120
Et des joues qui, bien que cachées du soleil par une main
Rosée, elles-mêmes tout entières comme des roses flamboyaient.

Thaddée dormait sous la fenêtre ; lui-même caché dans l'ombre,
Couché sur le dos, il s'étonnait de la merveilleuse apparition
Qu'il avait juste au-dessus de lui, presque sur la figure,
Ne sachant si elle était réelle, ou s'il voyait en songe
Un de ces jolis, clairs minois enfantins,
Qu'on se souvient d'avoir vus en rêve pendant ses années d'innocence.

Le petit minois se pencha – il le vit, tremblant de crainte
Et de joie, hélas ! il le vit très distinctement,   130
Se souvint, reconnut ces courts cheveux, d'un blond clair,
Enroulés dans de menues, blanches comme neige, papillotes,
Ressemblant à des coques argentées, qui sous le soleil
Brillaient comme une auréole sur une icône de saint.

    Il se leva en sursaut ; et la vision aussitôt disparut,
Effrayée par le bruit ; il attendit, elle ne revenait pas !
Il entendit seulement trois coups renouvelés
Et ces paroles : « Levez-vous, Monsieur, il est temps pour la chasse,
Vous ne vous êtes pas réveillé ». Il sauta au bas du lit et des deux mains
Repoussa les volets, si bien qu'ils claquèrent sur leurs gonds   140
Et en s'ouvrant cognèrent des deux côtés contre le mur ;
Il sauta, regarda tout autour, étonné, troublé,
Ne vit rien, de personne ne repéra la trace :
Non loin de la fenêtre il y avait la palissade du verger ;
Des feuilles de houblon et leurs guirlandes de fleurs s'y
Balançaient ; ses mains légères les avaient-t-elles effleurées ?
Ou le vent ? Thaddée longtemps les regarda,
Et n'osa aller au jardin ; il s'appuya seulement à la palissade,
Leva les yeux et, un doigt posé sur les lèvres,
A lui-même imposa le silence, craignant que, par une parole précipitée,
                                                                       [150
De sa pensée il ne rompît le fil ; puis il se frappa le front,
Comme frappant à la porte de ses vieux souvenirs, en lui endormis,
Et pour finir, se mordant les doigts jusqu'au sang,
A pleine voix s'écria : « Bien fait, bien fait pour moi ! ».

    Dans le manoir, si bruyant il y a encore un instant,
C'était le désert et le silence comme dans un cimetière :
Tous étaient partis ; Thaddée tendit
L'oreille et y appliquant la main en cornet,
Ecoutait, jusqu'à ce que le vent soufflant de la forêt lui apportât
L'écho des sonneries de cor et les cris de la foule des chasseurs.   160

    Le cheval de Thaddée attendait tout sellé à l'écurie,
Il prit donc son fusil, sauta sur sa monture et comme un fou

Fonça vers les auberges qui se trouvaient près de la chapelle,
Où de bon matin devaient se rassembler les rabatteurs.

Elles se dressaient, bancales, chacune d'un côté de la route,
Et de leurs fenêtres se menaçaient comme deux ennemis face à face ;
L'ancienne de droit appartient au propriétaire du château,
La nouvelle, comme pour défier le château, par Soplica fut édifiée.
Dans celle-là, comme en son royaume, commandait Gerwazy,
Dans celle-ci, la place d'honneur à table revenait à Protazy.   170

La nouvelle auberge n'avait rien d'original.
L'ancienne était construite selon l'antique modèle
Imaginé par les charpentiers de Tyr,
Puis diffusé à travers le monde par les Juifs :
Une architecture des autres bâtisseurs
Complètement inconnue, que nous avons héritée des Juifs.

Devant, l'auberge ressemble à un bateau, derrière, à un temple :
Un bateau, véritable arche de Noé quadrangulaire,
Qu'aujourd'hui on appelle communément étable ;
On y trouve différents animaux : chevaux, vaches, bœufs,   180
Chèvres barbues ; dans les hauteurs quantité de volatiles
Et au moins quelques paires de batraciens, ainsi que des insectes.
La partie arrière, bâtie sur le modèle d'un temple bizarre,
Rappelant par son apparence cet édifice de Salomon
Que, les premiers formés à l'art de la construction,
Les charpentiers de Hiram[112] ont édifié en terre de Sion.
Depuis, les Juifs le perpétuent dans leurs synagogues,
Et des synagogues ce plan se retrouve dans leurs auberges et étables.
Le toit de bardeaux et de chaume, pointu, retroussé vers le ciel,
Est recourbé comme un kalpak juif déchiré.   190
Du sommet jaillissent les avancées de la galerie,
Que soutient une rangée de nombreuses colonnes en bois ;
Des colonnes, au grand étonnement des architectes,
Durables, bien qu'à moitié pourries et posées de travers

---

[112] *D'après la légende biblique, Hiram est l'architecte du Temple de Salomon.*

Comme à la Tour de Pise, pas selon les modèles
Grecs, car elles n'ont ni bases ni chapiteaux.
Au-dessus des colonnes courent des arcs semi circulaires,
Egalement en bois, imités de l'art gothique.
En surface des décorations recherchées, non pas au burin et au ciseau,
Mais habilement taillées à l'herminette de charpentier,   200
De guingois comme les branches des chandeliers de sabbat ;
Aux extrémités pendent de petites boules, des espèces de boutons,
Que les Juifs en priant se suspendent au front
Et que dans leur langue ils appellent « tsitsit »[113].
En un mot, cette auberge branlante, de travers, de loin
Ressemble au Juif lorsqu'en priant il se balance :
Le toit est pareil à son chapeau, le chaume ébouriffé à sa barbe,
Les murs enfumés et sales à sa souquenille noire,
Et devant, les sculptures ressortent comme les « tsitsit » sur son front.

          L'auberge est divisée en deux comme dans une synagogue :   210
Une partie, remplie de grandes pièces tout en longueur,
Servant exclusivement aux dames et messieurs les voyageurs,
Dans la deuxième, une énorme salle. Le long de chaque mur
S'étire une longue table étroite en bois, avec de nombreux pieds,
Et à côté des tabourets qui, bien que plus bas, ressemblent à la table
Comme des enfants à leur père.

          Sur les tabourets tout autour
Etaient assis des paysans, des paysannes, et aussi de la petite noblesse,
Tous côte à côte ; seul l'économe faisait bande à part.
Après la messe du matin, c'était dimanche, de la chapelle
Ils étaient venus s'amuser un peu et boire un coup chez Jankiel.   220
Déjà devant chacun d'eux moussait sa petite jatte de gnole,
Et au-dessus de tous avec sa grosse bouteille courait la patronne.

---

[113] *Il semble y avoir confusion entre les « tsitsit », franges ou tresses que les Juifs orthodoxes suspendent aux quatre coins de leurs vêtements ou de leur châle de prière, et les « téfilines », encore appelés phylactères, ces petites boîtes contenant des passages de la Bible, qu'ils s'attachent au bras et au front pendant la prière.*

Au milieu l'aubergiste, d'un long, descendant jusqu'à terre,
Caftan vêtu, fermé par des agrafes d'argent,
Avait passé une main derrière sa ceinture de soie noire,
Et de l'autre gravement caressait sa barbe blanche ;
Jetant des coups d'œil à l'entour, il donnait des ordres,
Accueillait les arrivants, venait à côté de ceux qui étaient installés
Et engageait la conversation, calmait les querelleurs,
Mais ne servait personne et de l'un à l'autre se contentait d'aller.   230
C'était un Juif âgé, partout connu pour son honnêteté,
Depuis de nombreuses années il gérait l'auberge, et aucun villageois,
Aucun gentilhomme ne s'était plaint de lui au manoir ;
Se plaindre de quoi ? Il avait un bon choix de boissons,
Comptait avec précaution, mais sans tromperie,
N'interdisait pas de faire la fête, mais ne souffrait pas l'ivrognerie,
Grand amateur de bals : chez lui les mariages
Et les baptêmes se fêtaient ; chaque dimanche
Il faisait venir des musiciens du village,
Avec présence à la fois de contrebasse et de cornemuse.   240

Il connaissait la musique, lui- même était reconnu pour son talent ;
Avec un cymbalum[114], l'instrument de son peuple,
Il allait jadis dans les manoirs et l'on admirait sa musique,
Et aussi ses chants, car il chantait avec maestria et en expert.
Bien que Juif, il parlait assez correctement le polonais,
Et en particulier s'était pris d'amour pour les chansons populaires ;
De chacun de ses voyages outre-Niémen, il ramenait quantité
De « kołomyjki » de Halicz[115], de mazurkas de Varsovie ;
Dans toute la région il se dit, je ne sais si c'est sûr, que
Le premier, de l'étranger il ramena   250
Et répandit à l'époque dans le district
Cet air, aujourd'hui célèbre dans le monde entier,

---

[114] *Le cymbalum (les « cymbały » en polonais) est un instrument à cordes frappées et à table, dont jouaient fréquemment les musiciens juifs et tsiganes en Europe centrale et orientale.*
[115] Les « kołomyjki » sont des chansons russes, du genre des mazurkas polonaises. *Halicz, ancienne capitale de la Galicie, est aujourd'hui en Ukraine.*

Que pour la première fois sur la terre des Ausones[116]
Les trompettes polonaises des légions aux Italiens[117] ont joué.
Le don de chanter paie beaucoup en Lituanie,
Il s'attire l'affection des gens, rend célèbre et enrichit :
Jankiel fit fortune : rassasié de profit et de gloire,
Au mur il raccrocha le cymbalum aux cordes mélodieuses ;
S'installant avec ses enfants à l'auberge, il s'occupait de ce commerce,
Et en outre il était aussi adjoint du rabbin dans la ville voisine,   260
Et toujours partout un hôte plaisant, et pour les ménages
Un conseiller ; il connaissait bien le commerce des grains
Et celui des « wiciny »[118] : une telle compétence est indispensable
A la campagne. – Il avait aussi la réputation d'être un bon Polonais.

Le premier il résolut les conflits, souvent même sanglants,
Entre les deux auberges : il prit les deux en gérance ;
Le respectaient pareillement et les vieux partisans
Des Horeszko et les gens du juge Soplica.
Lui seul parvenait à maintenir l'équilibre entre le terrible
Porte-clés des Horeszko et le querelleur Huissier ;   270
Devant Jankiel réprimaient leurs vieux griefs
Gerwazy et Protazy, redoutables l'un par le bras, l'autre par la langue.

Gerwazy n'était pas là ; il était parti à la chasse,
Ne voulant pas qu'une expédition aussi importante et difficile
Incombât au seul Comte, jeune et inexpérimenté ;
Il l'accompagna donc, pour le conseiller et aussi le défendre.

Aujourd'hui, la place de Gerwazy, la plus éloignée de l'entrée,
Entre deux bancs, dans le recoin extrême de l'auberge,
Appelée « pokucie »[119], était occupée par le père quêteur Robak ;

[116] *C'est-à-dire en Italie.*
[117] *Il s'agit bien entendu de l'hymne polonais : voir les notes 12 et 52.*
[118] *Voir la note 74.*
[119] Place d'honneur, où l'on plaçait jadis les divinités domestiques, et où jusqu'à
ce jour les Russes mettent leurs icônes. C'est là que le villageois lituanien installe l'hôte qu'il veut honorer.

Jankiel l'y avait installé ; visiblement, il respectait   280
Beaucoup le Bernardin, car dès qu'il voyait
Le niveau de son verre baisser, il accourait aussitôt
Et commandait qu'on lui rajoutât de l'hydromel de juillet[120].
On disait que lui et le Bernardin s'étaient connus dans leur jeunesse
Quelque part à l'étranger. Robak allait souvent
De nuit à l'auberge, et tenait des conciliabules avec le Juif
A propos de choses importantes ; on disait que des marchandises
Le religieux passait en fraude, calomnie non digne de foi.

    Robak s'appuyant sur la table discourait à mi-voix,
La foule des gentilshommes l'entourait et prêtait l'oreille,   290
Le nez penché vers la tabatière du père ;
On se servait, et comme des mortiers les gentilshommes éternuaient.

    « Révérendissime, dit Skołuba en éternuant,
Ça c'est du tabac, qui te remonte jusqu'en haut du cerveau !
Depuis que je traîne un nez (et là il caressa son long nez),
Je n'en ai pas prisé de pareil (là il éternua une deuxième fois) ;
Un vrai tabac de bernardin, sûrement originaire de Kowno[121],
Ville célèbre dans le monde pour son tabac et son miel.
J'y suis allé il y a déjà … » Robak l'interrompit : « Santé
A vous tous, messieurs, messeigneurs !   300
Pour ce qui est du tabac, hum, il vient
De plus loin que vous ne le pensez, mon cher Skołuba ;
Il vient de Jasna Góra[122] ; les prêtres pauliniens
Fabriquent un tel tabac à Częstochowa,
Où se trouve l'icône, rendue célèbre par tant de miracles,
De la Sainte Vierge Mère de Dieu, Reine de la Couronne
Polonaise ; on l'appelle toujours aussi Grande-Duchesse de Lituanie !
Mais si jusqu'à présent elle a gardé sa couronne royale,

---

[120] *Hydromel de qualité supérieure, fait à partir de miel de tilleul récolté en juillet.*
[121] *Aujourd'hui Kaunas, la deuxième ville de Lituanie.*
[122] *Voir la note 4.*

Maintenant au Grand-Duché de Lituanie s'est installé le schisme[123] ! »
« De Częstochowa ? dit Wilbik, là-bas je me suis confessé,   310
Quand j'ai participé à un pardon il y a trente ans de cela ;
Est-il vrai que les Français sont maintenant dans la ville,
Qu'ils veulent démolir l'église et vont emporter le trésor ?
Car tout cela est écrit dans le *Courrier Lituanien* ?
« Ce n'est pas vrai, dit le Bernardin, non, Sa Majesté
Napoléon est le catholique le plus exemplaire ;
Par le pape n'a-t-il pas été sacré ? ils vivent en bonne entente
Et ramènent les gens à la foi parmi le peuple français
Qui s'est un peu corrompu ; certes, de Częstochowa
On a beaucoup donné d'argent pour le trésor national,   320
Pour la Patrie, pour la Pologne : c'est Dieu lui-même qui le veut,
De la Patrie ses autels sont toujours le trésor ;
En tout cas dans le Duché de Varsovie nous avons cent mille
Soldats polonais, peut-être davantage bientôt,
Et qui va les payer ? vous, les Lituaniens ?
Vous qui ne mettez votre obole que dans la caisse moscovite ».
« Allons donc, s'écria Wilbik, c'est qu'ils nous la prennent de force ».
« Ah, mon bon Seigneur ! » se manifesta humblement un petit paysan,
S'inclinant avec respect devant le religieux et se grattant la tête,
« Pour la noblesse, ce n'est qu'un demi mal,   330
Mais nous ils nous écorchent tout crus » – « Manant ! cria Skołuba,
Imbécile, bien fait pour toi, car toi, paysan, tu as pris l'habitude
Comme l'anguille d'être écorché ; mais nous, les bien-nés,
Nous les tout-puissants, à la liberté dorée accoutumés !
Ah, mes frères, avant, en son domaine, le gentilhomme n'était-il pas...
« Oui, oui, crièrent-ils tous en chœur : ... l'égal du voïévode ![124] »)
Aujourd'hui ils contestent notre noblesse, ils nous obligent à fouiner

---

[123] *Les fidèles de l'Eglise uniate gréco-catholique en Lituanie et Biélorussie étaient souvent considérés par les gouvernements tsaristes comme des orthodoxes convertis de force au catholicisme et subissaient des pressions pour rejoindre les rangs de l'Eglise orthodoxe russe. Sous prétexte de dé-latinisation, leur rite fut progressivement assimilé au rite orthodoxe et l'Eglise uniate fut carrément abolie en Lituanie et Biélorussie par Nicolas 1ᵉʳ en 1839.*
[124] *Aphorisme célèbre dont la petite noblesse se régalait.*

Dans des papiers pour la documenter ».
« Passe encore pour vous, monsieur, s'écria Juraha,
Vous dont les arrière-grands-parents paysans ont été ennoblis,   340
Mais à moi, descendant de ducs ! me demander un certificat
Précisant la date de mon ennoblissement ? Dieu seul s'en souvient !
Le Moscale n'a qu'à aller dans la forêt demander au chêne
De qui il a eu un certificat pour s'élever au-dessus de tous les arbres ».
« Mon cher duc, dit Żagiel, si un quidam vous voulez encenser,
Des couronnes[125] vous trouverez sans doute sur plus d'un blason ».
« Sur vos armoiries il y a une croix, cria Podhajski, c'est une secrète
Allusion au fait que dans la maison il y avait un récent converti ».
« Faux ! l'interrompit Birbasz, puisque moi qui de comtes tatars
Descends, j'ai aussi des croix au-dessus des armoiries des Korab[126] ».
                                                                    [350
« Le « Poraj[127] », cria Mickiewicz, avec une couronne sur champ jaune,
Sont des armoiries ducales, Stryjkowski[128] en parle abondamment ».

        Alors dans toute l'auberge s'éleva un grand brouhaha ;
Le père Bernardin eut recours à sa tabatière,
La présentant successivement aux orateurs ; le vacarme cessa de suite,
Chacun prisa par politesse et éternua à plusieurs reprises ;
Le Bernardin, profitant du répit, poursuivit :
« Oh, cette tabatière de grands personnages a fait éternuer !
Le croirez-vous, messieurs, que de cette tabatière
Monsieur le Général Dąbrowski a prisé quatre fois ? »   360
« Dąbrowski ? » s'écrièrent-ils. – « Oui, oui, le général ;
J'étais dans le camp, lorsqu'il a repris Gdańsk aux Allemands,
Il devait écrire quelque chose ; craignant de s'endormir,
Il prisa, éternua et par deux fois me donna une tape sur l'épaule :

---

[125] *Des couronnes (« mitry ») dessinées sur un blason étaient signe de dignité ducale ou princière.*
[126] *Armoiries représentant un bateau surmonté d'une tour crénelée.*
[127] *Ces armoiries représentant une rose blanche sur fond rouge, sont notamment celles de la maison des Mickiewicz.*
[128] *Historien et poète polonais du 16ème siècle, considéré comme le premier historien de la Lituanie.*

« Père Robak, dit-il, Père Bernardin,
Nous nous reverrons en Lituanie, peut-être avant la fin de l'année ;
Dites aux Lituaniens de m'attendre avec du tabac
De Częstochowa, je n'en prends pas d'autre que celui-là ».

Le discours du Père provoqua un tel étonnement,
Une telle joie, que toute cette bruyante assistance   370
Se tut un moment ; puis des paroles à mi-voix
On se répétait : « Du tabac de Pologne ? Częstochowa ?
Dąbrowski ? de la terre d'Italie[129] ? » -- jusqu'à ce que tous en chœur,
Comme si leurs pensées, leurs paroles elles-mêmes avaient fusionné,
Tous à l'unisson, comme sur un mot d'ordre,
Criassent : « La marche de Dąbrowski ! » Tous à la fois l'entonnèrent,
Tous s'embrassèrent : le paysan avec le comte tatar,
La Couronne avec la Croix, le Poraj avec le Griffon et le Korab ;
Ils oublièrent tout, même le Bernardin,
Ne faisant que chanter et crier « De la vodka, de l'hydromel, du vin ! »
                                                                      [380

Longtemps le père Robak avec attention écouta ce chant,
Mais à la fin il voulut l'interrompre ; il prit à deux mains
Sa tabatière, par ses éternuements perturba la mélodie,
Et avant qu'ils ne la reprissent, s'empressa de prendre la parole :
« Vous appréciez mon tabac, mes chers Seigneurs,
Voyez-donc ce qui se passe à l'intérieur de ma tabatière ! ».
Et là, en essuyant de son mouchoir le fond sali,
Il montra, peinte dessus, une armée, toute petite,
Comme des pattes de mouches ; au centre, un homme à cheval,
Grand comme un hanneton, certainement le commandant de la troupe ;
                                                                      [390
Il éperonnait son cheval, comme s'il voulait bondir dans les cieux,
Une main sur les rênes, l'autre près du nez.
« Regardez bien, dit Robak, cette pose terrible ;
Devinez de qui elle est ? » -- Tous avec curiosité regardaient. –
« C'est un grand homme, un empereur, mais pas des Moscales,

---

[129] *Allusion à un passage de l'hymne national polonais.*

Leurs tsars n'ont jamais prisé ».
« Un grand homme, s'écria Cydzik, et en capote ?
Moi je pensais que les grands hommes allaient d'or vêtus,
Car chez les Moscales n'importe quel général, Monsieur,
Est aussi chamarré d'or qu'un brochet safrané ».   400
« Bah, l'interrompit Rymsza, moi dans ma jeunesse j'ai bien vu
Kościuszko, le guide de notre nation :
Un grand homme ! et pourtant il portait une redingote cracovienne,
La « czamarka », -- « Quelle czamarka, Monsieur ?
Répliqua Wilbik, c'est ce qu'on appelait une « taratatka ».
« Mais l'une a des brandebourgs, tandis que l'autre est toute simple »
Cria Mickiewicz ; et les disputes s'engageaient
A propos des formes différentes de la « taratatka » et de la « czamara ».

L'astucieux Robak, voyant ainsi s'égailler
La discussion, entreprit à nouveau de la recentrer sur son foyer,   410
Sur sa tabatière ; il la présentait, ils éternuaient,
Se souhaitaient prospérité, et lui poursuivait son discours :
« Lorsque l'empereur Napoléon, dans une bataille, prise
Sans désemparer, c'est le signe certain qu'il va la gagner ;
A Austerlitz, par exemple ; les Français étaient en position
Avec leurs canons, et sur eux se ruait une vague de Moscales :
L'Empereur regardait silencieux ; à chaque canonnade des Français,
Les Moscales par régiments se couchent comme de l'herbe fauchée.
Les régiments déferlaient au galop, et mordaient la poussière ;
A chaque régiment tombé, l'Empereur prenait une prise ;   420
Jusqu'à ce qu'Alexandre, avec son petit frère
Constantin et l'empereur allemand François,
Prissent la poudre d'escampette ; et l'Empereur, voyant la bataille finie,
Leur jeta un regard, se mit à rire, et se secoua les doigts.
Voilà, si quelqu'un d'entre vous ici présent, Messieurs,
Vient à intégrer l'armée de l'Empereur, qu'il se souvienne de cela ».

« Ah ! s'écria Skołuba, mon Père Quêteur !
Quand donc cela sera-t-il ! Il y en a pourtant, dans le calendrier,
Des fêtes, et pour chaque fête on nous promet les Français !
On regarde, on regarde, à s'en fatiguer les yeux,   430
Et le Moscale tel il nous tenait, tel il continue à nous tenir à la gorge ;

Avant que le soleil ne se lève, la rosée nous aura mangé les yeux ».

« Monsieur, dit le Bernardin, se plaindre est affaire de bonne femme
Et c'est le fait d'un Juif que d'attendre les bras croisés
Que quelqu'un arrive à l'auberge et frappe à la porte ;
Avec Napoléon, battre les Moscales, ce n'est pas un exploit.
Il a déjà par trois fois donné une raclée aux Teutons,
Les sales Prussiens il les a piétinés, les Anglais il les a rejetés
Loin par-delà la mer, aux Moscales aussi il leur règlera leur compte ;
Mais la suite, la connaissez-vous, mon cher Seigneur ?   440
Eh bien alors la noblesse lituanienne en selle se mettra
Et son sabre saisira, quand plus personne à combattre il n'y aura ;
Napoléon, après avoir seul vaincu tout le monde, enfin
Dira : « Je me passerai de vous, que m'êtes-vous ? »
Il ne suffit donc pas d'attendre l'hôte, il ne suffit même pas de l'inviter,
Il faut rassembler ses gens et installer les tables,
Et avant la fête il faut nettoyer la maison de ses ordures ;
Nettoyer la maison, je répète, nettoyer la maison, mes enfants ! »

Un silence s'ensuivit, puis des voix dans l'assistance :
« Comment nettoyer la maison ? que voulez-vous dire, mon Père ?   450
Nous ferons tout, nous sommes prêts à tout,
Mais parlez plus clairement, très cher Père » [130].

Le Père regardait par la fenêtre, ayant cessé de parler ;
Il vit quelque chose qui l'intrigua, par la fenêtre passa la tête,
Et peu après dit en se levant : « Aujourd'hui, on n'a pas le temps,
On en parlera plus longuement entre nous plus tard ;
Demain je serai pour mes affaires au chef-lieu du district
Et en chemin passerai vous voir, Messeigneurs, pour ma quête ».

« Arrêtez-vous donc à Niehrymowo pour la nuit, mon Père,
Dit l'Econome, monsieur le Porte-Enseigne[131] sera content ;   460
Il y a un vieux proverbe en Lituanie disant :

---

[130] *On notera le ton « évangélique » de tout ce passage.*
[131] *Titre purement honorifique à l'époque.*

Heureux comme un quêteur à Niehrymowo ! »
« Chez nous aussi, dit Zubkowski, passez, s'il vous plaît ;
On trouvera bien là-bas une demi-pièce de toile, un tonnelet de beurre,
Un bélier ou une vachette ; rappelez-vous, mon Père, ces paroles :
Heureux homme, il est tombé comme un curé à Zubkowo ».
« Chez nous aussi » dit Skołuba. – « Chez nous » dit Terajewicz,
« Aucun bernardin n'est sorti en ayant faim de Pucewicze ».
C'est ainsi que toute la noblesse par ses prières et promesses
Promenait le Père ; lui avait déjà passé la porte.   470

    Par la fenêtre, il venait de voir Thaddée,
Qui galopait sur la route, sans chapeau,
Tête baissée, pâle, le visage lugubre,
Ne cessant d'éperonner et de cravacher son cheval.
Ce spectacle avait fortement troublé le père Bernardin ;
Et donc d'un pas rapide il se hâtait de suivre le jeune homme
En direction de la grande forêt qui, à perte de vue,
Marquait de noir la ligne d'horizon.

    Qui donc a exploré les immensités des forêts lituaniennes
Jusqu'en leur centre même, jusqu'au cœur de la sylve ?   480
Le pêcheur à peine en bordure visite les fonds marins ;
Le chasseur tourne autour du cœur des forêts lituaniennes,
A peine les connaît-il en surface, leur allure, leur visage,
Mais les secrets intérieurs de leur cœur lui sont étrangers :
La rumeur ou le conte seuls savent ce qui s'y passe.
Car quand bien même on arriverait à traverser les bois et les sous-bois,
On tombe en s'enfonçant sur un rempart de troncs, souches, racines,
Défendu par des marais, des milliers de ruisseaux
Et un lacis de végétation inextricable, et des fourmilières,
Des nids de guêpes, de frelons, des nœuds de serpents.   490
Si par un courage surhumain on parvient aussi à vaincre ces obstacles,
Un plus grand danger il nous faut plus loin affronter :
Plus loin, à chaque pas nous guettent, telles des pièges à loups,
De petites mares, à moitié recouvertes par la végétation,
Si profondes qu'on n'en voit pas le fond
(Il est très probable que des diables y résident).
L'eau de ces sources est vitreuse, tachée de rouille sanglante.

Et toujours fume de l'intérieur, dégageant une haleine fétide,
Par laquelle les arbres tout autour perdent feuilles et écorce ;
Chauves, rabougris, vermoulus, malades,   500
Affaissant leurs branches envahies par un entrelac de mousses
Et inclinant leurs troncs bosselés de champignons difformes,
Ils se tiennent autour de l'eau, comme une bande de sorcières
Se chauffant autour d'un chaudron dans lequel elles cuisent un cadavre.

    Au-delà de ces petites mares, non seulement par la marche,
Mais aussi par la vue il est inutile de se projeter ;
Car là-bas tout est recouvert d'un nuage de brume,
Qui éternellement des marécages mouvants fume :
Et au-delà de cette brume, pour finir (selon la rumeur publique)
S'étend une très belle contrée, luxuriante,   510
La grande capitale du royaume des animaux et des plantes.
Y sont entreposées les semences de tous les arbres et végétaux,
Dont les tribus essaiment de par le monde ;
En elle, comme dans l'arche de Noé, de toute espèce animale
Au moins un couple se conserve pour la reproduction :
En son centre même (d'après ce qu'on dit) ont leurs châteaux :
L'ancien Auroch, le Bison et l'Ours, les empereurs de la forêt.
Autour d'eux sur les arbres nichent le Lynx rapide,
Et le vorace Glouton, tels de vigilants ministres ;
Plus loin, comme de nobles vassaux subordonnés,   520
Habitent les Sangliers, les Loups et les Elans à ramure.
Au-dessus de leurs têtes, des Faucons et des Aigles sauvages,
Vivant de la table des seigneurs, de leurs cours les affidés.
Ces couples d'animaux, fondamentaux et patriarcaux,
Cachés au cœur de la forêt, invisibles au monde,
Envoient leurs enfants s'établir en dehors des frontières de la forêt,
Et eux-mêmes dans la capitale prennent du bon temps ;
Jamais ils ne périssent par le fer ni par le feu.
Mais meurent âgés d'une mort naturelle.
Ils ont aussi leur cimetière, où proches de la mort,   530
Les oiseaux déposent leurs plumes, les quadrupèdes leur fourrure.
L'ours, lorsqu'en mangeant il ne peut mastiquer sa nourriture,
Le cerf décrépit lorsqu'à peine il peut avancer une patte devant l'autre,
Le lièvre chenu, lorsque le sang commence à se figer dans ses veines,

Le corbeau, lorsqu'il est devenu blanc, le faucon aveugle,
L'aigle, lorsque son vieux bec s'est tellement recourbé,
Que, refermé à jamais, il n'alimente plus son gosier[132],
Vont au cimetière. Même l'animal plus petit, blessé
Ou malade, court mourir sur ses terres natales.
C'est pourquoi dans les endroits accessibles, habités par l'homme,   540
Jamais ne se trouvent d'ossements d'animaux morts[133].
On dit que là-bas dans la capitale, parmi les animaux
Règnent de bonnes mœurs, car ils se gouvernent eux-mêmes ;
Pas encore corrompus par la civilisation des hommes,
Ils ne connaissent pas le droit de propriété, qui nous pourrit le monde,
Ils ne connaissent ni les duels, ni l'art de la guerre.
Tels leurs pères jadis, les enfants aujourd'hui vivent en ce paradis,
Tout à la fois sauvages et sociaux, dans l'amour et la concorde,
Jamais l'un ne mord ni n'encorne l'autre.
Même si un humain tombait chez elles, fût-il sans armes,   550
Il pourrait passer tranquillement au milieu de ces bêtes sauvages ;
Elles le regarderaient de ce regard étonné
Avec lequel en ce dernier, sixième jour de la création,
Leurs pères primitifs, qui logeaient dans l'éden,
Regardaient Adam, avant de se fâcher avec lui.
Heureusement, l'homme ne s'égarera pas en ces endroits reculés,
Car Effort, Effroi et Mort lui en interdisent l'accès.

Parfois seulement, des chiens acharnés dans leur poursuite,
Tombés par inadvertance au milieu de marais, de mousses et de ravines,
Affolés à la vue de leur immensité,   560
Fuient en couinant, le regard éperdu ;
Et longtemps après, alors que la main du maître les caresse,
Tremblent encore à ses pieds, par la peur possédés.

---

[132] Les becs des grands oiseaux rapaces se tordent de plus en plus avec l'âge et à la fin leur pointe tranchante, s'étant recourbée, ferme le bec et l'oiseau est condamné à mourir de faim. Cette opinion populaire a été admise par certains ornithologues.

[133] En effet, il n'est pas d'exemple où l'on ait trouvé un jour le squelette d'un animal mort.

Ces saints des saints des forêts, inconnus des hommes,
Dans leur langage les chasseurs les appellent : « Forêts-mères ! »

Ours stupide ! si tu étais resté dans ta forêt-mère,
Jamais le Substitut ne t'eût connu ;
Mais soit que du rucher l'odeur t'ait séduit,
Soit que tu aies senti une attirance pour l'avoine mûre,
Tu es sorti à l'orée de la forêt, là où le bois est plus clairsemé,   570
Et là aussitôt le garde forestier ta présence a repéré,
Et aussitôt des rabatteurs envoyé, rusés espions,
Afin de reconnaître où tu as gîte et couvert.
A présent le Substitut avec sa battue, déjà du côté de la forêt-mère
Ayant placé ses troupes, te condamne le retour.

Thaddée apprit que pas mal de temps
Déjà s'était écoulé depuis que la meute dans l'abîme boisé s'était jetée.
Silence. En vain les chasseurs tendent-ils l'oreille ;
En vain chacun écoute-t-il, comme le plus intéressant des langages,
Le silence, longtemps sur place attendant, immobile :   580
Seule la musique de la forêt leur joue son air lointain.
Les chiens ont plongé dans la forêt, comme des plongeurs sous l'eau,
Et les tireurs, tournant vers le bois leur fusil à double canon,
Regardent le Substitut. Il s'est agenouillé, interroge le sol de l'oreille ;
Comme sur le visage du médecin le regard des amis lit
Le verdict de vie ou de mort d'une personne qui leur est chère,
Ainsi les tireurs, confiants dans les compétences du Substitut,
Plongeaient en lui des regards d'espoir et d'effroi.
« Le voilà ! Le voilà ! » -- dit-il à mi-voix, se redressant prestement.
Lui avait entendu ! Les autres en étaient encore à écouter ; enfin   590
Ils entendent : un chien aboie, puis deux, vingt,
Tous les chiens ensemble en une meute désordonnée
Aboient, hurlent, ils sont tombés sur des traces, ils glapissent,
Clatissent. Ce n'est plus l'aboiement régulier
De chiens coursant un lièvre, un renard ou une biche ;
Mais un aboiement court, répété, saccadé, hargneux ;
Non, les chiens ne sont pas tombés sur une trace lointaine :
Ils pourchassent à vue. Soudain les aboiements de la poursuite cessent,
Ils ont atteint la bête. Nouveau vacarme, couinement : la bête se défend

Et sûrement estropie : parmi les glapissements des chiens   600
On entend de plus en plus souvent d'un agonisant le gémissement.

   Les tireurs se tenaient debout, chacun d'eux, l'arme prête,
Vers l'avant se banda comme un arc, la tête projetée vers le bois.
Mais ils ne peuvent attendre plus longtemps ! Déjà leur position
Les uns après les autres ils abandonnent et s'introduisent dans la forêt,
Voulant le premier joindre la bête, malgré l'avertissement du Substitut
Qui, circulant à cheval d'une position à l'autre,
Avait crié que quiconque, simple paysan ou jeune seigneur,
Abandonnerait sa place, recevrait un coup de laisse sur l'échine !
Rien n'y faisait ! Tous en dépit de l'interdiction   610
Coururent dans le bois. Trois coups de feu retentirent d'un seul coup ;
Puis une canonnade continue, jusqu'à ce que, dominant la fusillade,
L'ours rugît et remplît tout le bois de l'écho de son rugissement.
Rugissement formidable, de douleur, de rage, de désespoir !
Puis des chiens le vacarme, des tireurs les cris, des traqueurs les cors
Tonnaient du cœur de la forêt. Des tireurs – les uns courent vers le bois,
Les autres arment leur fusil, et tous se réjouissent :
Seul le Substitut se désole, crie qu'on a manqué.
Les tireurs et les rabatteurs sont partis dans la même direction,
Pour couper la route à la bête entre la forêt et sa retraite,   620
Tandis que l'ours, effrayé par cette multitude de chiens et d'hommes,
A fait marche arrière vers des lieux moins rigoureusement gardés,
En direction des champs, abandonnés par le cordon de tireurs,
Où, des nombreux rangs de chasseurs, seuls étaient restés à leur poste
Le Substitut, Thaddée, le Comte avec quelques rabatteurs.

   Du fond de la forêt, ici plus aérée, on entend rugir, le bois craquer ;
Soudain des broussailles jaillit l'ours, comme des nuages la foudre ;
Les chiens l'entourent, l'effraient, mordent ; il se redressa sur ses pattes
Arrière, regarda alentour, rugissant pour effrayer ses ennemis,
Et, de ses pattes de devant, soit les racines des arbres,   630
Soit leurs souches noircies, soit des pierres prises dans les racines,
Il arrachait et en bombardait chiens et hommes, jusqu'à briser un arbre.
Le faisant tournoyer comme une massue de droite et de gauche,
Il se rua droit sur les derniers gardiens de la battue :
Le Comte et Thaddée. Eux sans broncher

Attendent de pied ferme, les canons de leurs fusils dirigés sur la bête,
Comme deux paratonnerres pointés vers le cœur d'un nuage noir ;
Jusqu'à ce que, appuyant sur les détentes simultanément,
(Les novices !), leurs deux fusils ensemble ils fissent tonner :
Ils manquèrent. L'ours fit un bond ; eux, plantée là juste à côté,   640
Une pique ils saisirent à quatre bras,
Se la disputant. Ils regardent, et dans la gueule
Enorme, écarlate, brillent deux rangées de crocs,
Et déjà une patte griffue vers leurs têtes s'abaisse ;
Ils pâlirent, bondirent vers l'arrière, là où la forêt s'éclaircit
S'enfuyant. La bête à leur hauteur déjà parvenue, déjà ses griffes
Armait, manquait son but, se rapprochait, se redressait à nouveau
Et de sa grosse patte noire touchait du Comte la blonde chevelure.
Elle l'eût scalpé comme on enlève un chapeau d'une tête,
Lorsque l'Assesseur et le Notaire sur les côtés surgirent,   650
Et Gerwazy de devant à quelque cent pas accourut,
Et Robak avec lui, bien que sans fusil – et tous les trois à la fois,
Comme sur commande, ensemble firent feu.
L'ours fit un bond en l'air, comme un lièvre devant des lévriers,
Et s'écroula la tête la première, et de ses quatre pattes
Faisant une culbute, la masse de sa sanglante carcasse
Abattit juste sous le Comte, le renversant.
Il rugissait encore, voulait encore se relever, quand sur lui se jetèrent
Le Procureur en furie et le Commissaire hargneux[134].

Pendant ce temps le Substitut saisit, à une courroie accroché,   660
Son cor en corne de bison, long, moucheté et tors
Comme un boa, l'appliqua des deux mains sur ses lèvres,
Gonfla ses joues comme des ballons, se colora de sang à vue d'œil,
Ferma à demi les yeux, inspira profondément la moitié de son ventre
Et envoya dans ses poumons toute la réserve d'air qu'il contenait,
Et sonna : le cor, comme la tempête par son souffle irrésistible,
Emporte dans la forêt la musique et la dédouble par l'écho.
Les tireurs firent silence, les traqueurs étaient stupéfaits
Par la puissance, la pureté et l'étrange harmonie de sa sonnerie.

―――――――――――――――――――

[134] *Les chiens du Chambellan (voir la note 97).*

Le vieillard, qui jadis par les bois était admiré pour son art, pleinement
[670
Le déploya encore une fois aux oreilles des chasseurs ;
Bientôt il remplit, anima la forêt et les chênaies,
Comme s'il y avait lâché une meute et commencé à chasser.
Car dans la sonnerie il y avait un abrégé du déroulement de la chasse :
D'abord une attaque sonore, alerte – c'est l'appel ;
Ensuite les plaintes se succèdent – c'est le glapissement des chiens ;
Et de temps à autre un ton plus sec, comme le tonnerre – ce sont les tirs.

    Là il s'arrêta, le cor toujours à la bouche ; tous croyaient
Que le Substitut continuait de jouer, mais c'était l'écho.

    Il souffla de nouveau. On eût cru que le cor de forme changeait   680
Et qu'aux lèvres du Substitut tantôt il grossissait, tantôt il mincissait,
Imitant les cris des animaux : une fois en un cou de loup
S'allongeant, longuement, atrocement il hurle ;
Une autre, comme s'élargissant en un gosier d'ours,
Il rugit ; puis un beuglement de bison déchira les airs.

    Là il s'arrêta, le cor toujours à la bouche ; tous croyaient
Que le Substitut continuait de jouer, mais c'était l'écho.
Ayant entendu ce chef-d'œuvre de l'art de sonner du cor,
Les chênes le répétaient aux chênes, les hêtres aux hêtres.

    De nouveau il joue. Comme si le cor en contenait cent autres,   690
On entend, mêlés, le vacarme des traqueurs, les cris de colère, d'alarme
Des tireurs, de la meute et du gibier ; jusqu'à ce que vers le ciel
Il lève son cor et que l'hymne triomphal percute les nuages.

    Là il s'arrêta, le cor toujours à la bouche ; tous croyaient
Que le Substitut continuait de jouer, mais c'était l'écho.
Dans le bois il se trouva autant de cors que d'arbres,
Se renvoyant la sonnerie de l'un à l'autre, comme de chœur en chœur.
Et la musique allait s'éployant, de plus en plus loin,
De plus en plus silencieuse et de plus en plus pure et parfaite,
Jusqu'à s'anéantir quelque part au loin, quelque part à la porte du ciel !
[700

Le Substitut, enlevant les deux mains de son cor,
Les écarta ; le cor tomba, à sa courroie de cuir suspendu
Se balançant. Le Substitut, le visage gonflé, rayonnant,
Les yeux levés au ciel, se dressait comme inspiré,
A l'écoute des derniers sons qui s'anéantissaient.
Et en même temps tonnèrent des milliers d'applaudissements,
Des milliers de félicitations et de vivats.

Le calme revint peu à peu et les yeux de l'assistance
Se tournèrent vers l'imposant et encore chaud cadavre de l'ours.
Il gisait éclaboussé de son sang, troué de balles,   710
La poitrine empêtrée et enfoncée dans la végétation ;
Ses pattes de devant étaient largement écartées,
Il respirait encore, et dégueulait des flots de sang par le museau,
Ouvrait encore les yeux, mais ne pouvait plus bouger la tête ;
Les sangsues du Chambellan le tiennent sous les oreilles,
Du côté gauche le Procureur, et du droit s'accrochait
Le Commissaire qui, pressurant la gorge, en suçait le sang noir.

Alors le Substitut ordonna qu'une barre de fer fût introduite
Entre les mâchoires des chiens pour leur ouvrir la gueule.
Avec les crosses on renversa sur le dos la dépouille de la bête   720
Et un nouveau vivat percuta par trois fois les nuées.

« Alors ? – cria l'Assesseur, faisant tourner le canon de son fusil –
Alors, mon petit fusil ? bravo à nous, bravo !
Alors, mon petit fusil, petite « ptaszyna »[135],
Mais combien remarquable ! Ce n'est pas nouveau pour lui :
Aucune cartouche il ne gâchera.
C'est le prince Sanguszko qui me l'a offert ».
Et il montrait le fusil, merveille de travail
Bien que petit, et il commença à énumérer ses qualités.
« Moi je courais – coupa le Notaire, s'essuyant la sueur du front –   730

---

[135] Les « ptaszynki » *(littéralement « petits oiseaux »)* sont des fusils de petit
calibre, dans lesquels on introduit une petite balle. Les bons tireurs atteignent un
oiseau en vol avec de tels fusils.

Je courais juste derrière l'ours ; et monsieur le Substitut crie :
« Restez où vous êtes ! Comment rester ? L'ours fonce dans le champ,
Se taillant dare-dare comme un lièvre, toujours plus loin, plus loin ;
Je n'avais plus de souffle, aucune chance de le rattraper,
Je regarde : il file sur la droite, et là le bois est clairsemé…
Je l'ai donc pris dans mon viseur : attends-voir, plantigrade,
Me suis-je dit, -- et basta : le voilà, rétamé !
Un sacré fusil, un vrai Sagalas,
C'est écrit dessus : *Sagalas London à Bałabanówka*[136] »
(Là-bas habitait un célèbre armurier, un Polonais, qui fabriquait   740
Des fusils polonais, mais les décorait de noms anglais).

     « Comment cela – s'emporta l'Assesseur – par tous les ours !
Ce serait donc vous qui l'auriez tué ? que racontez-vous là ? »
« Ecoutez, monsieur – répliqua le Notaire – ici ce n'est pas une enquête
Mais une battue, et je vais pouvoir prendre tout le monde à témoin… »

     Et alors une dispute acharnée s'engagea au sein de la bande :
Les uns prenant le parti de l'Assesseur, les autres du Notaire.
Personne ne pensa à Gerwazy, car tous étaient accourus
Par les côtés et n'avaient pas remarqué ce qui s'était passé devant.
Le Substitut prit la parole : « A présent au moins il y a de quoi ;   750
Car ici, messieurs, il ne s'agit pas d'un quelconque lièvre,
Mais d'un ours ; ici au moins ça vaut la peine de demander réparation,
Soit au sabre, soit même au pistolet.
Il est difficile de trancher votre querelle, donc, selon un antique usage,
Notre permission je vous donne d'aller en duel.
Je me souviens, de mon temps il y avait deux voisins,
Tous deux honnêtes, nobles depuis des générations,
Et habitant au bord de la Wilejka[137], chacun d'un côté.
L'un s'appelait Domejko, l'autre Dowejko.
A deux ils tirèrent en même temps sur une ourse :   760
Difficile de dire qui la tua ; ils se disputaient terriblement

---

[136] *Village aujourd'hui en Ukraine, où s'assemblaient des fusils de chasse, contrefaçons des fusils renommés de la firme anglaise « Sagalas ».*
[137] *Voir la note 102.*

Et jurèrent de se tirer dessus en duel, séparés par la peau de l'ours :
A la façon des gentilhommes, pardi, pratiquement canon contre canon.
Ce duel fit beaucoup de bruit ;
En son temps, on chantait des chansons à son sujet.
Moi j'étais témoin ; comment tout cela s'est passé,
Je vais le raconter en détail en commençant par le début… »

Il n'eût pas le temps de parler que Gerwazy avait tranché la querelle.
Il tournait avec attention autour de l'ours,
Et finit par sortir son grand couteau, fendit en deux sa gueule   770
Et à l'arrière de la tête, du cerveau ouvrant les circonvolutions,
Il trouva la balle, la sortit, la nettoya sur sa tunique,
L'ajusta aux cartouches, aux canons des fusils,
Puis levant la paume de sa main sur laquelle reposait cette balle :
« Messieurs – dit-il – cette balle ne vient pas de votre arme,
Elle est sortie de ce fusil à un coup de Horeszko
(Là il souleva un vieux fusil, ficelé de partout),
Mais ce n'est pas moi qui ai tiré. Ah, il en fallait
De l'audace ; souvenir terrible, j'avais la vue qui se brouillait !
Car droit sur moi couraient les deux jeunes seigneurs,   780
Et l'ours juste derrière, déjà sur la tête du Comte,
Le dernier des Horeszko ! bien que par les femmes.
« Jésus-Marie ! » ai-je crié et les anges du Seigneur
En aide m'ont envoyé le père bernardin.
Lui nous a fait honte à tous ; ah, le vaillant petit père !
Alors que je tremblais, que je n'osais toucher la détente,
Lui m'a arraché le fusil des mains, a visé, a tiré :
Tirer entre deux têtes ! à cent pas, sans rater !
Et en pleine gueule ! lui fracasser les dents de cette façon !
Messieurs ! je suis vieux : j'ai vu un seul   790
Homme capable de se distinguer par un tel tir.
Jadis si célèbre parmi nous par tant de duels,
Qui aux femmes en tirant faisait sauter les talons de leurs patins[138],
Ce scélérat des scélérats, fameux à jamais,

---

[138] *Souliers à semelle fort épaisse que les femmes portaient autrefois pour se grandir (Le Littré).*

Ce Jacek, *vulgo*[139] le Moustachu – je ne rappellerai pas son nom…
Mais il a passé le temps maintenant de chasser l'ours ;
Certainement en enfer jusqu'aux moustaches ce voyou est plongé.
Gloire au Père ! à deux personnes il a sauvé la vie –
Peut-être même à trois : Gerwazy ne va pas se vanter,
Mais si le dernier enfant du sang des Horeszko   800
Dans la gueule de la bête était tombé, je ne serais plus de ce monde,
Et l'ours aurait dévoré là-bas mes vieux os ;
Venez, Père, nous allons boire à votre santé ».

En vain cherchait-on le Père ; on sait seulement
Qu'après avoir tué la bête il fit une apparition,
Accourut auprès du Comte et de Thaddée,
Et voyant que tous deux étaient sains et saufs,
Porta les yeux au ciel, dit une prière en silence
Et vite partit en courant dans le champ, comme si quelqu'un le traquait.

Entretemps, sur ordre du Substitut, avec des brassées de bruyère,
[810
Des branchages secs et des souches, on forma un bûcher.
Le feu pétille, une colonne grise de fumée s'élève,
Et s'élargit dans les airs pour former un baldaquin.
Les piques sont disposées en faisceaux au-dessus des flammes ;
Sur leurs pointes on a suspendu des chaudrons ventrus ;
Des chariots, on apporte des légumes, des farines et des rôtis,
Et du pain.

Le Juge a ouvert un coffre fermé à clé,
Dans les compartiments duquel s'alignent les cols blancs des flacons ;
Il choisit parmi eux la plus grande carafe de cristal
(Il l'a reçue en cadeau du père Robak) :   820
C'est de la vodka de Gdańsk, une boisson agréable aux Polonais.
« Vive – cria le Juge en levant la bouteille –
La ville de Gdańsk, autrefois polonaise, et qui le redeviendra ! »
Et il versait à chacun de la liqueur argentée, jusqu'à ce qu'à la fin

---

[139] *Communément appelé.*

L'or commençât à goutter et briller au soleil[140].

Le bigos cuisait dans les chaudrons. Difficile par des mots de rendre
Le goût extraordinaire du bigos, sa couleur et son arôme merveilleux ;
Il n'entendra que le cliquetis des mots et l'ordre des rimes
Sans en concevoir la teneur, l'estomac du citadin.
Pour apprécier de la Lituanie les chansons et les plats,   830
Il faut avoir la santé, vivre à la campagne et revenir de battue.

    Et pourtant, même sans ces apprêts, ce n'est pas n'importe quel plat
Que le bigos, car c'est une savante composition de produits de qualité.
On prend pour cela de la choucroute hachée,
Qui, selon le proverbe, coule toute seule en bouche ;
Enfermée dans le chaudron, d'un cocon humide elle enveloppe
Les meilleurs morceaux d'une viande de choix ;
Et mijote, jusqu'à ce que le feu en ait exprimé
Tous les sucs, que sur les bords de la marmite jaillisse l'écume
Et que l'air tout autour embaume.   840

    Le bigos est prêt. Les tireurs, avec un triple vivat,
Armés de leurs cuillères, accourent et tapent dans la marmite ;
Le cuivre résonne, la fumée crache, le bigos tel du camphre s'évapore ;
Il a disparu, s'est volatilisé ; dans le fond des chaudrons seule
Bouillonne de la vapeur, comme dans les cratères de volcans éteints.

    Lorsqu'ils eurent bu, mangé à volonté,
Ils déposèrent la bête sur un chariot, et enfourchèrent leur monture,
Tous contents, prolixes, à l'exception de l'Assesseur
Et du Notaire ; ces derniers étaient d'une humeur pire que la veille,
Se disputant à propos des qualités, l'un de son Sanguszko,   850
L'autre de son Sagalas de Bałabanówka.
Le Comte et Thaddée eux-aussi chevauchent moroses,
Honteux d'avoir manqué leur coup et d'avoir reculé :

---

[140] Dans le fond des bouteilles de vodka de Gdańsk sont déposées de petites
paillettes d'or. *Il s'agit de la fameuse Danziger Goldwasser, aujourd'hui fabri-
quée exclusivement en Allemagne.*

IV – POLITIQUE ET CHASSE

Car en Lituanie, qui d'une battue a laissé s'échapper un gibier,
Longtemps doit trimer pour se refaire une réputation.

Le Comte disait qu'il avait été le premier à atteindre la pique,
Et que Thaddée l'avait gêné dans l'affrontement avec la bête ;
Thaddée soutenait qu'étant plus fort
Et plus habile à manier la lourde pique,
Au Comte il avait voulu prêter main-forte : ainsi de temps à autre   860
Echangeaient-ils leurs piques dans le brouhaha et le vacarme général.

Le Substitut chevauchait au milieu ; le respectable vieillard
Etait extrêmement gai et très volubile.
Voulant distraire les disputeurs et les amener à s'accorder,
Il terminait de leur raconter l'histoire de Dowejko et Domejko :
« Cher Assesseur, si j'ai voulu qu'avec le Notaire
Vous vous battiez en duel, ne pensez pas que je sois assoiffé
De sang humain ; Dieu m'en garde ! J'ai voulu vous distraire,
J'ai voulu vous servir comme une farce,
Renouveler une facétie que moi-même il y a de cela quarante ans   870
Ai imaginée – formidable ! Vous êtes jeunes,
Vous ne vous en souvenez pas ; mais de mon temps,
Elle était célèbre depuis les forêts d'ici jusqu'aux bois de Polésie[141].

« Tous les problèmes de Domejko et Dowejko
Provenaient, chose étrange, d'une similitude de noms
Fort inconfortable. Car lorsqu'au cours des diétines
Les partisans de Dowejko recrutaient des alliés,
Quelqu'un murmurait à l'oreille d'un noble : « Votez pour Dowejko ! »
Celui-ci, ayant mal entendu, votait pour Domejko.
Lorsqu'au cours d'un banquet le maréchal Rupejko porta un toast :   880
« Vive Dowejko ! » -- d'autres crièrent : « Domejko ! »
Et qui au centre était assis y perdait son latin,
Surtout lors des discours confus qu'au cours d'un dîner l'on tient.

---

[141] *Région historique s'étendant actuellement sur quatre pays : la Biélorussie,
l'Ukraine, la Pologne et la Russie.*

Il y eut pire. Un jour à Wilno un gentilhomme ivre
En se battant au sabre avec Domejko reçut deux blessures ;
Plus tard, ce gentilhomme, en rentrant de Wilno chez lui,
Par un hasard étrange tomba sur Dowejko en prenant le bac.
Et donc en voguant sur la Wilejka sur le même bac,
Il demande à son voisin qui il est. L'autre répond : Dowejko –
Séance tenante, il sort sa rapière de dessous sa pelisse :   890
Tchak, tchak ! et pour Domejko il raccourcit la moustache de Dowejko.

« Et pour finir, pour faire bonne mesure, il fallut encore
Qu'il arrivât au cours d'une chasse
Que les deux homonymes à proximité l'un de l'autre se trouvassent,
Et ensemble sur la même ourse tirassent.
Il est vrai qu'après leurs coups de feu elle tomba raide morte ;
Mais elle avait déjà une dizaine de balles dans le ventre.
Beaucoup de personnes avaient des fusils d'un calibre identique :
Qui avait tué l'ourse ? allez savoir ! comment ?

« Là ils s'écrièrent : « Assez ! Il faut en finir une fois pour toutes,
                                                                              [900
Dieu ou le diable nous ont réunis, il faut se séparer ;
Deux soleils, c'est manifestement un de trop en ce monde ! »
Et donc je vous prends les sabres, et en garde sur les lignes !
Deux individus respectables ; plus la noblesse essaie de les accorder,
Plus ils s'affrontent avec ardeur.
Ils changèrent d'arme : des sabres on passa aux pistolets.
Ils se mettent en garde, on leur crie qu'ils sont trop rapprochés ;
Eux pour mal faire avaient juré que séparés par la peau de l'ours
Ils se tireraient dessus : mort inévitable ! presque canon contre canon.
Les deux étaient de fameux tireurs – « Soyez témoin, Hreczecha[142] ! »
                                                                              [910
« D'accord – répondis-je – que le bedeau tout de suite creuse le trou :
Car un tel litige ne peut s'achever sans qu'il ne se passe rien ;
Mais battez-vous à la façon des gentilshommes et non des bouchers.
Assez de raccourcir la distance, je vois que vous n'avez pas peur ;

---

[142] *Nom de famille du Substitut (cf. vers 816 du Livre I).*

Vous voulez vous tirer dessus, les canons appuyés sur vos ventres ?
Je ne le permettrai pas. D'accord pour les pistolets,
Mais il faudra tirer à une distance ni plus longue ni plus courte
Que celle d'une peau d'ours. Moi de mes propres mains
En tant que témoin je vais étaler la peau par terre,
Et moi-même je vais vous placer : vous Monsieur, d'un côté   920
Vous vous mettrez au bout du museau, et vous Monsieur, de la queue ».
« D'accord ! » -- crient-ils ; quand ? – demain ; où ? – à l'auberge Usza.
Ils se séparèrent. Et moi, direction Virgile... »

  Un cri interrompit le Substitut : « Attaque ! ». Juste sous les chevaux
Un lièvre avait déboulé ; déjà le Courtaud, déjà le Faucon le coursent.
On avait emmené les chiens à la battue sachant qu'au retour
Dans les champs facilement on pourrait tomber sur un lièvre ;
Ils allaient sans laisse près des chevaux ; quand ils aperçurent le lièvre,
Avant même d'être excités par les tireurs, à sa poursuite ils se jetèrent.
Le Notaire et l'Assesseur voulurent également les rejoindre à cheval ;
                                                                    [930
Mais le Substitut les arrêta en criant : « Stop ! on reste là et on regarde !
J'interdis à quiconque de bouger d'un pas ;
D'ici on voit tous très bien, le lièvre va dans le champ ».
Effectivement, le lièvre sentant derrière lui les chasseurs et la meute,
Filait dans le champ, dressant ses oreilles telles deux cornes de daguet,
Et allongeait son corps gris sur le fond des labours,
Et ses pattes sous lui ressortaient comme quatre antennes,
On eût dit qu'il ne les bougeait pas, que la terre il ne faisait
Qu'effleurer, comme l'hirondelle frôlant l'eau de son bec.
Derrière lui, la poussière, derrière celle-ci les chiens ; de loin il semblait
                                                                    [940
Que le lièvre, la poussière et les lévriers ne formaient qu'un seul corps :
Comme si quelque serpent rampait à travers le champ,
Le lièvre étant sa tête, la poussière son cou bleu foncé,
Et les chiens comme une queue dédoublée qu'il agiterait.

  Le Notaire et l'Assesseur regardent, bouche bée,
Retiennent leur souffle. Et là le Notaire devient pâle comme un linge,
L'Assesseur lui aussi pâlit ; ils voient... se passer une horreur :
Ledit serpent, plus il est loin, plus il s'étire,

Déjà en deux il se scinde, déjà ce cou de poussière a disparu,
Déjà la tête est proche du bois, et les queues ! loin derrière !   950
La tête se perd et, comme si une dernière fois un pompon on avait
Agité, s'engloutit dans le bois, au bord duquel la queue s'est cassée.

Les pauvres chiens, déboussolés, couraient aux abords du bois,
Semblant se concerter, s'accuser mutuellement.
Ils finissent par revenir, sautant lentement par-dessus les sillons,
Les oreilles baissées, la queue basse,
Et une fois revenus, de honte n'osent lever les yeux,
Et au lieu d'aller à leurs maîtres, se tiennent à l'écart.

Le Notaire baissa son front affligé sur sa poitrine,
L'Assesseur dardait son regard, mais avec tristesse ;   960
Ensuite ils commencèrent à expliquer à l'assistance :
Leurs lévriers à aller sans laisse n'étaient pas habitués,
Le lièvre avait surgi à l'improviste, il avait été mal coursé
Dans le champ, où sans doute il faudrait chausser les chiens,
Tellement de pierres et de cailloux pointus il y avait de partout…

Ces traqueurs expérimentés expliquèrent la chose savamment ;
Les chasseurs auraient pu tirer grand profit de ces discours,
Mais ils n'écoutaient pas avec attention. Les uns se mirent à siffler,
Les autres à rire tout haut, d'autres encore, se souvenant de l'ours,
En parlaient sans arrêt, occupés qu'ils étaient de la récente battue.   970

Le Substitut à peine au lièvre jeta un seul coup d'œil ;
Voyant qu'il s'était échappé, il tourna la tête avec indifférence
Et termina son discours interrompu : « Où en étais-je donc ?
Ah oui ! que j'avais pris les deux au mot,
Que par-dessus une peau d'ours ils allaient se tirer dessus …
Les nobles de crier : « La mort assurée ! Presque canon contre canon ! »
Et moi d'éclater de rire. Car j'avais appris auprès de mon ami Maro[143]
Que la peau d'une bête a une dimension non négligeable.

---

[143] *Publius Vergilius Maro, dit Virgile, qui décrit dans l'Enéide l'épisode de la fondation de Carthage par la reine Didon.*

Vous savez en effet, messieurs, que la reine Didon
Est arrivée par mer chez les Libyens et là-bas avec bien du mal   980
A négocié à son profit un morceau de terre
Sous réserve qu'on pût le recouvrir avec une peau de bœuf[144] :
Sur ce petit morceau de terre s'est édifiée Carthage !
Et donc moi la nuit je réfléchis à cela avec attention.

Au point du jour, déjà d'un côté dans sa petite voiture
Arrive Dowejko, de l'autre Domejko sur son cheval.
Ils regardent, et voient tendu en travers de la rivière un pont poilu,
Une ceinture faite en peau d'ours découpée en lanières.
J'ai placé Dowejko sur la queue de la bête
D'un côté, et Domejko de l'autre côté :   990
« Canardez-vous maintenant – dis-je – la vie entière, si vous le voulez,
Mais je ne vous lâcherai pas avant que vous ne vous soyez touchés[145] ».
Eux de se mettre en colère ; et les gentilshommes à terre de se pâmer
De rire, et moi avec le curé, en paroles graves,
D'appuyer mes dires sur l'Evangile et les statuts[146] ;
Rien à faire : il leur fallut s'accorder de bon cœur.

Leur litige par la suite en une amitié à vie se convertit,
Et Dowejko épousa la sœur de Domejko ;
Domejko épousa la sœur de son beau-frère, une Dowejko,
Ils partagèrent leur patrimoine en deux parts égales,   1000
Et à l'endroit où s'était passé cet incident si bizarre,

---

[144] La reine Didon ordonna de découper en lanières une peau de bœuf, et de cette
façon enferma dans les limites de la peau un vaste champ, où elle construisit
Carthage. Le Substitut avait lu le récit de cet épisode non pas dans l'Enéide,
mais certainement dans les commentaires des scoliastes.

[145] *Le poète semble jouer sur le double sens du verbe « godzić » : mettre d'accord, mais aussi atteindre avec un projectile ; on pourrait donc aussi bien comprendre : « ... avant que vous ne vous soyez mis d'accord ».*

[146] *On appelait ainsi le code de lois établies par les diètes jusqu'à Sigismond-
Auguste ; elles faisaient l'objet d'une publication en langue latine.*

Ils bâtirent une auberge qu'ils appelèrent *Niedźwiadek*[147] ».

*** [148]

---

[147] *Ce nom (« Ourson ») est un clin d'œil du poète à son ami Ignacy Domejko, scientifique, ingénieur des mines et patriote lituanien, né à Niedźwiadka Wielka (« Grande Oursonne »), village à proximité de Nowogródek.*
[148] Nb. Certains passages du Livre IV sont de la plume de Stefan Witwicki *(aux chapitres « La forêt-mère » et « L'ours »).*

LIVRE CINQUIEME

LA DISPUTE

*

Sommaire :

Les plans de chasse de Télimène.
La jardinière se prépare à aller dans le grand monde et écoute
les leçons de sa tutrice.
Les tireurs sont de retour.
La grande surprise de Thaddée.
Deuxième rencontre au Temple de la rêverie et réconciliation
facilitée par l'entremise des fourmis.
A table ressort l'affaire de la chasse.
L'histoire du Substitut à propos de Rejtan et du prince Denassów
est interrompue.
L'engagement des tractations entre les parties
est également interrompu.
Une apparition avec une clé.
La dispute.
Le Comte et Gerwazy tiennent un conseil de guerre.

*

L e Substitut rentre du bois, sa chasse glorieusement terminée,
Alors que Télimène, au fond du manoir désert
Commence la sienne. A vrai dire elle est immobile,
Assise les bras croisés sur la poitrine,
Mais par la pensée elle poursuit deux gibiers ; elle cherche le moyen
De piéger et d'attraper les deux :
Le Comte et Thaddée. Le Comte est un jeune seigneur,
Héritier d'une grande maison, d'une beauté séduisante,
Déjà un peu amoureux : mais quoi ? cela peut changer !
Et puis, aime-t-il sincèrement ? consentira-t-il à se marier ?   10
Avec une femme de quelques années plus âgée ! sans fortune !
Sa famille le lui permettra-t-elle ? qu'en dira-t-on dans le monde ?

Télimène, toute à ces réflexions, se releva du sofa
Et se souleva sur la pointe des pieds : on eût dit qu'elle avait grandi ;
Découvrit quelque peu sa poitrine, se cambra,
Et s'observa d'un œil consciencieux,
Et à nouveau demanda conseil au miroir :
Après un moment, elle baissa le regard, soupira et se rassit.

Le Comte est un seigneur ! Les gens fortunés sont versatiles !
Le Comte est blond… les blonds ne sont pas des passionnés !   20
Et Thaddée ? un petit rustre ! un brave garçon !
Un enfant droit ! il aime pour la première fois !
Surveillé, il ne rompra pas facilement ses premiers liens ;
En outre, envers Télimène il a déjà des obligations …
Les hommes, tant qu'ils sont jeunes, bien que versatiles en pensée,
Sont sentimentalement plus stables que les vieux, car scrupuleux.
Un cœur juvénile, simple et vierge, longtemps
Est reconnaissant des premières douceurs de l'amour !

A la fois il accueille et se départit avec joie du plaisir,
Comme d'un modeste festin qu'on partage avec un ami.					30
Seul le vieil ivrogne, qui a déjà consumé ses intestins,
A le dégoût de la boisson dont il s'abreuve outre mesure.
Tout cela Télimène le savait pertinemment,
Car intelligence et grande expérience elle avait à la fois.

	Mais que diront les gens ? On pourrait disparaître de leur vue,
Partir ailleurs, vivre à l'écart
Ou, mieux, quitter complètement la région,
Par exemple faire un petit voyage dans la capitale,
Sortir le jeune homme dans le grand monde,
Diriger ses pas, l'aider, le conseiller,					40
Lui former le cœur, avoir en lui un ami, un frère,
En conclusion – profiter de la vie tant que l'âge le permet !

	Ainsi remontée, gaiement et crânement dans sa chambre
Elle fit quelques tours. A nouveau elle baissa la tête.

	Il vaudrait la peine aussi de s'occuper du sort du Comte –
Ne pourrait-on lui glisser Zosia ?
Elle n'est pas riche : mais en revanche égale à lui par la naissance,
D'une maison sénatoriale, c'est une fille de dignitaire.
Si leur mariage pouvait se faire,
Télimène chez eux trouverait un refuge					50
Pour l'avenir ; parente de Zosia et marieuse du Comte,
Pour le jeune couple elle serait comme une mère.

	Après avoir ainsi résolument délibéré avec soi-même,
Par la fenêtre elle appelle Zosia qui jouait dans le verger.

	Zosia en tenue légère du matin et la tête découverte,
Se tenait debout avec un tamis qu'elle portait bien haut ;
A ses pieds la volaille accourait de partout. D'ici des poules hirsutes
Se bousculent en rond ; de là-bas, des petits coqs huppés,
Sur leurs têtes agitant leurs crêtes couleur corail,
Et ramant de leurs ailes à travers allées et buissons,					60
Font le pas de l'oie en exhibant leurs talons à éperons ;

Derrière eux le dindon ballonné lentement se dandine,
Récriminant contre les rouspétances de sa criarde épouse ;
Çà et là des barques-paons avec leurs longues queues
Louvoient dans l'herbe, et de ci de là du ciel
Tombe, tel une boule de neige, un pigeon au plumage argenté.
Au centre d'un cercle de vert gazon,
Se presse la ronde des volatiles, criarde, remuante,
Ceinturée par un cordon de pigeons en forme de ruban
Blanc, et au milieu des étoiles, des mouchetures, des stries bigarrées. 70
Ici des becs ambrés, là des crêtes de corail
S'élèvent de la masse emplumée tels des poissons de dessous l'onde,
Des cous ressortent et gracieusement se mouvant,
En permanence se balancent, à l'instar de nénuphars ;
Des milliers d'yeux comme des étoiles brillent vers Zosia.

   Elle se dresse au milieu de cette basse-cour, la dominant de haut ;
De blanc vêtue, portant un long déshabillé, elle-même
Pivote, pareille à un tourniquet d'eau au milieu de fleurs ;
Elle puise dans son tamis et sur les ailes et les têtes déverse
De sa main d'une blancheur de perle une copieuse pluie de perles   80
De gruau d'orge. Cette céréale digne des tables seigneuriales
Est préparée pour accompagner les bouillons lituaniens ;
Zosia, en les dérobant dans l'armoire de l'intendante
Pour sa volaille, au ménage cause un dommage.

   Elle entendit l'appel : « Zosia ! » C'est la voix de sa tante !
A sa volaille elle déversa d'un seul coup le reste des gourmandises,
Et, faisant tourner le tamis comme une danseuse
Un tambourin, frappant dessus en cadence, la vierge espiègle
Se mit à sauter par-dessus paons, pigeons et poules :
Les volatiles affolés dans les airs s'égaillèrent en foule.   90
Zosia, à peine touchant terre,
Parmi eux paraissait être celle qui le plus haut planait :
Devant elle, les pigeons blancs, effrayés par sa course,
Volaient comme devant le char de la déesse de l'amour.

   Zosia dans la petite chambre bondit par la fenêtre en criant,
Et tout essoufflée s'assit sur les genoux de sa tante ;

Télimène, lui donnant un baiser et la caressant sous le menton,
Observe avec joie la vivacité et la beauté de l'enfant
(Car elle chérissait vraiment sa pupille).
Mais, reprenant un air sérieux,   100
Se leva et parcourant la chambre en long et en large,
Le doigt sur les lèvres, tint ce discours :

    « Zosia, ma chérie, tu en arrives à oublier complètement
Et ta condition, et ton âge : n'entres-tu pas aujourd'hui
Dans ta quatorzième année ? Il est temps de laisser dindons et poulets ;
Pfut ! Voilà bien un amusement digne d'une fille de dignitaire !
Et de la marmaille crasseuse des paysans déjà à satiété
Tu t'es occupée ! Zosia, tu fais pitié à voir :
Ta peau est affreusement hâlée, une vraie Bohémienne,
Et comme une provinciale tu marches et te déplaces.   110
Moi je vais m'occuper de tout cela à l'avenir ;
Je vais commencer ce jour, aujourd'hui je te sortirai dans le monde,
Au salon, avec les invités – et nous en avons un tas,
Fais attention pour ne pas me faire honte ».

    Zosia bondit et battit des mains,
Et se suspendant des deux bras au cou de sa tante,
Alternativement pleurait et riait de joie.
« Ah, ma tante, je n'ai pas vu d'invités depuis si longtemps !
Depuis que je vis ici avec les poules et les dindons,
Le seul invité que j'aie vu était un pigeon ramier.   120
Je commence à m'ennuyer un petit peu à rester ainsi dans ma chambre ;
Monsieur le Juge dit même que c'est mauvais pour la santé ».

    « Le Juge ! – l'interrompit sa tante – il m'a toujours tarabustée
Pour te sortir dans le monde, au nez il m'a toujours marmonné
Que tu étais déjà grande : il ne sait pas lui-même ce qu'il raconte,
Le vieillard, n'étant jamais sorti dans le grand monde.
Moi mieux que lui je sais combien de temps il faut
A une jeune fille pour faire effet, une fois sortie dans le monde.
Sache, Zosia, que celui qui à la vue des gens grandit,
Même s'il est beau, intelligent, ne produira pas d'effet sur eux   130
Si tous sont habitués à le voir depuis qu'il est tout petit ;

Mais qu'une demoiselle instruite, sortie de l'adolescence,
Au monde soudain apparaisse dans sa splendeur, venue d'on ne sait où,
Alors tous par curiosité auprès d'elle s'empressent,
Prêtent attention à tous ses mouvements, ses regards,
Tendent l'oreille à ses paroles et aux autres les répètent ;
Et une fois que le monde d'une jeune personne s'est entiché,
Tous se doivent de la vanter, même si elle ne plaît pas.
T'orienter, j'imagine, tu sais faire : dans la capitale
Tu as grandi ; bien que depuis deux ans tu habites la région,   140
Tu n'as pas encore tout à fait oublié Saint-Pétersbourg.
Allons Zosia, fais-toi belle, va chercher là-bas dans le cabinet,
Tu trouveras tout ce qu'il faut pour t'habiller.
Dépêche-toi, car d'un moment à l'autre de la chasse ils vont rentrer ».

    On fit venir la femme de chambre et une jeune domestique,
Dans une cuvette d'argent on déversa un broc d'eau.
Zosia, comme un petit oiseau dans le sable, s'ébroue, se lave
Les bras, le visage et le cou, aidée de la domestique.
Télimène ouvre ses magasins pétersbourgeois,
En sort des flacons de parfum, des pots de pommade,   150
D'un parfum délicat asperge Zosia de partout,
(L'odeur emplit la pièce), lui pommade les cheveux.
Zosia enfile des bas blancs ajourés,
Et des escarpins blancs de Varsovie, en satin.
Pendant ce temps la femme de chambre lui laça son corselet,
Puis recouvrit la poitrine de la demoiselle d'un petit peignoir ;
On se mit à lui enlever ses papillotes posées au fer à friser,
Les boucles, trop courtes, furent tressées en deux nattes,
Laissant les cheveux à plat sur le front et les tempes ;
La femme de chambre, ensuite, de bleuets fraîchement cueillis   160
Une couronne tressée remet à Télimène,
Qui l'épingle avec art sur la tête de Zosia,
De droite à gauche : les fleurs sur les cheveux clairs
Ressortent magnifiquement, comme sur des épis de blé !
On enlève le peignoir, toute la tenue est prête.
Zosia par la tête enfila sa robe blanche,
Enroule sur sa main son mouchoir blanc de batiste
Et ainsi tout entière paraît aussi blanche qu'un lys.

Après avoir une dernière fois arrangé et ses cheveux et sa tenue,
On lui commanda de se promener en long et en large dans la pièce. 170
Télimène observe d'un œil expert,
Reprend sa nièce, se fâche et s'énerve ;
Et finit par crier de désespoir devant la révérence de Zosia :
« Malheureuse de moi ! Zosia, tu vois ce que signifie
De vivre avec des oies, des bergers ! les jambes tu écartes
Comme un garçon, tu lances des œillades de droite et de gauche,
Une vraie divorcée !... Fais la révérence, vois comme elle est gauche ! »
« Ah, ma tante – dit tristement Zosia – qu'y puis-je ?
Vous m'enfermiez : personne avec qui danser,
Par ennui, à nourrir la basse-cour et faire la nounou je me suis plu. 180
Mais attendez ma tante, que je m'amuse
Un peu avec les gens, et vous verrez comment je progresserai ».

« Des deux maux – dit la tante – le moindre est encore la volaille,
Par rapport aux pouilleux que jusqu'à présent nous avons accueillis ;
Souviens-toi seulement de ceux qui passaient chez nous :
Le curé, qui marmonnait ses prières ou jouait aux dames,
Et ces avocats avec leurs pipes ! En voilà des prétendants !
Avec eux tu en apprendrais de belles manières.
A présent au moins cela vaut la peine de se montrer,
On a du beau monde à la maison.   190
Fais bien attention, Zosia, il y a ici un jeune Comte,
Un monsieur bien élevé, parent de voïévode,
Tâche de lui être agréable ».

                    On entend les hennissements des chevaux,
Et le vacarme des chasseurs ; ils arrivent au portail : « Les voilà ! »
Prenant Zosia par le bras, elle accourut dans la salle.
Les chasseurs n'entraient pas encore dans les pièces de réception ;
Ils devaient se changer dans leurs chambres,
Pour ne pas être en veste face aux dames. Les premiers sont les jeunes,
Messire Thaddée et le Comte, qui à toute vitesse se sont changés.

Télimène officie en tant que maîtresse de maison,   200
Accueille les arrivants, les assied, leur fait la conversation,

Et présente sa nièce à tous, à tour de rôle.
D'abord à Thaddée, comme proche parente :
Zosia fait une révérence polie, lui s'incline profondément,
La bouche déjà ouverte, il s'apprêtait à lui dire quelque chose,
Mais, regardant Zosia dans les yeux, il fut tellement effrayé
Que, se tenant muet devant elle, tantôt il rougissait, tantôt il pâlissait ;
Lui-même ne pouvait deviner ce qui se passait dans son cœur.
Il se sentit très malheureux – il avait reconnu Zosia !
A sa taille et à ses cheveux lumineux, et à sa voix ;   210
Il avait vu cette silhouette et cette charmante tête sur la palissade,
Cette voix mélodieuse l'avait réveillé aujourd'hui pour la chasse.
Le Substitut dut arracher Thaddée à sa confusion ;
Voyant qu'il pâlissait et vacillait sur ses jambes,
Dans sa chambre il lui conseilla de partir pour se reposer.
Thaddée se mit dans un coin, s'appuyant à une petite cheminée,
Sans rien dire – faisant de grands yeux égarés
Qui roulaient tantôt sur la tante, tantôt sur la nièce.
Télimène avait remarqué qu'au premier regard
Zosia avait produit un tel effet sur lui ;   220
Elle ne devina pas tout, car malgré son trouble
Elle amuse les invités, sans pour autant quitter le garçon des yeux.
Finalement, après l'avoir épié un moment, elle accourt à lui :
Est-il bien ? pourquoi cette tristesse ? -- demande-t-elle, insiste,
Fait des allusions à Zosia, commence à plaisanter avec lui ;
Thaddée immobile, accoudé à la cheminée,
Sans mot dire fronçait les sourcils et faisait la grimace :
Il ne fit que troubler et davantage étonner Télimène.
Elle changea donc aussitôt de visage et de ton,
Se leva fâchée et par des paroles dures   230
Commença à déverser sur lui insinuations et reproches.
Thaddée lui aussi s'emporta, comme piqué au vif,
Lui lança un regard oblique, et sans rien dire, l'ignorant,
Du pied repoussa son fauteuil et se précipita hors de la pièce,
En claquant la porte derrière lui. Par chance, cette scène
De tous les hôtes passa inaperçue, à l'exception de Télimène.

    Ayant franchi le portail, il courut droit dans les champs.
Pareil à un brochet à qui un hameçon a transpercé la gorge,

Et qui se débat dans l'eau et s'immerge, croyant pouvoir se sauver,
Mais partout derrière lui emmène le fer et le fil :   240
Ainsi Thaddée derrière lui traînait ses chagrins,
Enjambant les fossés et sautant par-dessus les clôtures,
Sans but et sans chemin ; jusqu'à ce que, pas mal de temps
Ayant erré, il finît par s'enfoncer dans le bois
Et tomba, exprès ou par hasard,
Sur le tertre qui hier de son bonheur avait été le témoin,
Où il reçut ce petit billet, gage d'amour,
Endroit, comme on le sait, *Temple de la rêverie* appelé.

Jetant un coup d'œil à l'entour, il voit : c'est elle !
Télimène, seule, plongée dans ses pensées,   250
Différente d'hier par la pose et la tenue,
En tenue légère, sur une pierre, elle-même comme pétrifiée ;
Le visage blotti entre les mains,
Bien qu'on n'entende pas ses sanglots, on voit qu'elle est en pleurs.

En vain le cœur de Thaddée se défendait-il ;
Il prit pitié, se sentit ému par son chagrin.
Longtemps il la regarda, muet, caché derrière un arbre,
Et finit par soupirer et avec colère se dire à soi-même :
« Sot que je suis ! Qu'en peut-elle, si je me suis trompé ? »
Et donc doucement de derrière l'arbre il pencha la tête vers elle –   260
Lorsque soudain Télimène en sursaut se relève,
Se jette de droite et de gauche, saute en travers du ruisseau,
Les bras écartés, les cheveux défaits, pâle,
Fonce dans le bois, fait des bonds, s'agenouille, tombe,
Et ne pouvant plus se relever, sur le gazon se tortille ;
On voit à ses mouvements quelles affreuses souffrances elle endure :
Elle se prend la poitrine, le cou, les pieds, les genoux.
Thaddée bondit, pensant qu'elle était devenue folle
Ou que d'épilepsie elle était atteinte. Mais une autre raison
A ces mouvements il y avait.

A proximité, près des bouleaux,   270
Il y avait une grande fourmilière. Ces insectes laborieux
Tout autour sur l'herbe se déplaçaient en file indienne, actifs et noirs.

On ne sait si c'était par nécessité ou par plaisir
Qu'ils aimaient particulièrement visiter le *Temple de la rêverie* ;
Depuis le tertre central jusqu'aux bords de la source
Ils s'étaient fait un chemin, par lequel circulaient leurs troupes.
Par malchance, Télimène s'était assise au milieu :
Les fourmis, séduites par l'éclat de bas tout blancs,
Y pénétrèrent, et se mirent à chatouiller et mordre de bon cœur,
Télimène dut s'enfuir, se secouer,   280
Et finalement sur l'herbe s'asseoir pour chasser ces insectes.

    Thaddée ne pouvait lui refuser son aide :
Nettoyant sa robe, il s'abaissa jusqu'à ses pieds,
Et du visage de Télimène sa bouche par hasard il approcha –
Dans une position aussi amicale, bien que sans évoquer
Leurs disputes de la matinée, ils finirent par se réconcilier ;
Et on ne sait combien de temps aurait duré l'entretien,
Si de Soplicowo la cloche ne les avait réveillés –
Signal du souper…

    Il était temps de rentrer à la maison,
Surtout qu'on entendait quelque part craquer des branches.   290
Peut-être les cherche-t-on ? rentrer ensemble n'était pas convenable ;
Et donc Télimène à droite se glisse du côté du jardin,
Et Thaddée à gauche court rejoindre la grand-route.
Les deux éprouvèrent quelque frayeur lors de ce retour :
Télimène avait l'impression qu'à un moment de derrière un buisson
Avait lui le visage maigre, encapuchonné de Robak ;
Thaddée avait bien vu par deux fois
Lui apparaître sur sa gauche une ombre blanche et allongée,
Il ne savait ce que c'était, mais subodorait
Que c'était le Comte dans sa longue redingote anglaise.   300

    Le souper était servi dans le vieux château. Le têtu Protazy,
Faisant fi des interdictions formelles du Juge,
En l'absence des maîtres avait à nouveau investi le château,
Pour y faire valoir (comme il disait) sa lettre de créance.
Les invités entrèrent dans l'ordre et firent cercle ;
Le Chambellan prit la place la plus élevée à table ;

Cet honneur lui revient du fait de son âge et de sa fonction,
S'y rendant, il s'inclina vers les dames, les seniors et les jeunes.
Le Quêteur n'était pas à table ; la place du bernardin
Est occupée par la femme du Chambellan, à droite de son mari.   310
Le Juge, quand il eut placé tous les invités selon les règles,
Faisant le signe de croix en latin, bénit la tablée.
On servit de la vodka aux hommes ; alors tous s'assirent
Et en silence mangeaient avec entrain le potage à la crème lituanien.

    Après le potage il y eut les écrevisses, les poulets, les asperges,
Accompagnés de tokay et de vin de Malaga.
Ils mangent, boivent, mais tous sont silencieux. Probablement jamais,
Depuis qu'ont été édifiés les murs de ce château
Qui tant de frères gentilshommes avait généreusement traité,
Qui tant de joyeux toasts avait entendu et répercuté,   320
On ne se rappelait un souper aussi sinistre ;
Seul le bruit des bouchons qui sautaient et celui des assiettes
Etaient répercutés par le grand et morne vestibule du château :
On eût dit qu'un mauvais esprit avait cousu la bouche des invités.

    Il y avait beaucoup de raisons de se taire. Les chasseurs
De la forêt profonde étaient revenus assez volubiles,
Mais, pensant à la battue, une fois leur enthousiasme refroidi,
Ils s'aperçoivent que peu glorieusement ils en sont sortis :
Il avait fallu qu'une capuche de religieux,
Echappée Dieu sait d'où, telle Filip de son village de Konopie[149], 330
Suppléât tous les tireurs du district ? O honte !
Que va-t-on dire de cela à Oszmiana et Lida,
Qui depuis des siècles au district d'ici disputent
La première place en matière de tir ! Ils ruminaient donc cela.

    Et puis l'Assesseur et le Notaire, outre leurs communes rancunes,

---

[149] Un jour lors d'une diète le député Filip, originaire de son village patrimonial
de Konopie *(« le chanvre »)*, prenant la parole, s'écarta tellement du sujet qu'il
provoqua l'hilarité générale dans la salle. D'où est né le proverbe : il s'est
échappé comme Filip de son village de Konopie.

Avaient en mémoire le récent affront subi par leurs lévriers.
Ils ont devant les yeux cet infâme lièvre : il allonge ses bonds,
Et de la lisière du bois les défie en remuant la queue,
Et de cette queue fustige leur cœur comme avec un fouet.
Ils avaient le nez dans leur assiette.   340
Et l'Assesseur de se plaindre avait encore une autre raison
En voyant Télimène et ses rivaux.

    A Thaddée Télimène assise tourne à moitié le dos,
Troublée, à peine elle ose lui jeter un regard ;
Elle voulait distraire le Comte tout attristé,
Engager une conversation suivie, le mettre de meilleure humeur ;
Car le Comte était revenu bizarrement aigri de sa promenade,
Ou plutôt, comme le pensait Thaddée, de son embuscade.
Entendant Télimène, il leva un front arrogant,
Fronça les sourcils, lui jeta un regard presque méprisant ;   350
Puis il se rapprocha, le plus près qu'il put, de Zosia,
Lui verse à boire, lui avance des assiettes,
Lui fait mille politesses, s'incline, sourit,
De temps en temps lève les yeux au ciel et profondément soupire.
On voit cependant, malgré ses talents d'illusionniste,
Qu'il lui fait la cour uniquement pour fâcher Télimène :
Car, comme par hasard tournant la tête,
Il lui lance des regards de plus en plus irrités.

    Télimène n'arrivait pas à comprendre ce que tout cela signifiait ;
Haussant les épaules, elle pensa : drôles d'individus !   360
Finalement du nouveau flirt du Comte assez contente,
Vers son deuxième voisin elle se tourna.

    Thaddée, tout aussi lugubre, ne mangeait et ne buvait rien,
Semblant écouter les conversations, il mit le nez dans son assiette ;
Télimène lui sert du vin, lui se fâche
De son insistance ; interrogé sur sa santé – il bâille.
Il n'apprécie pas (tellement il avait changé en une soirée),
Que Télimène soit trop portée aux flirts ;
Il se scandalise que sa robe ait un décolleté si profond,
Indécent – et que dire, quand il leva les yeux !   370

Il prit même peur ; il avait à présent les yeux décillés.
A peine le visage vermeil de Télimène eut-il vu,
Qu'il découvrit d'un seul coup un grand, effroyable, secret –
Grand Dieu ! il était peint de vermillon !

        Soit que le vermillon fût de mauvaise qualité,
Soit que sur son visage il se fût effacé par quelque hasard,
Par endroits il s'était atténué, laissant paraître un teint plus grossier...
Peut-être que Thaddée lui-même, dans le *Temple de la rêverie*,
Lui parlant de trop près, du fond de teint blanc ôta
Le carmin plus léger qu'une poussière d'aile de papillon ;
Télimène était revenue trop précipitamment du bois   380
Pour avoir eu le temps d'arranger ses couleurs :
Autour de la bouche surtout, se voyaient les taches de rousseur.
Et voilà que les yeux de Thaddée, tels de rusés espions,
Ayant découvert une tricherie, se mettent à passer en revue
Le reste des appâts et partout mettre en évidence quelque filouterie :
Il manque deux dents dans la bouche ; sur le front, aux plis des yeux,
Des rides ; des milliers de rides se cachent sous le menton !

        Hélas ! Thaddée éprouva à quel point il ne faut pas
Regarder de trop près une belle chose ; à quel point il est honteux
D'espionner son amante ; même à quel point il est horrible   390
De changer ses goûts et son cœur – mais qui est maître de son cœur ?
En vain veut-il remplacer le manque d'amour par la bonne volonté,
Aux rayons de son regard à nouveau réchauffer le froid de son âme :
Ce regard, pareil à la lune qui éclaire mais sans réchauffer, déjà
Ne brillait qu'en surface de son âme, qui en profondeur se figeait.
A lui-même se faisant de tels remords et reproches,
Il plongea le nez dans son assiette, se mordant les lèvres en silence.

        Entretemps, à nouveau le tente son mauvais génie,
Il écoute discrètement ce que Zosia dit au Comte.
Le jeune fille, conquise par l'amabilité de celui-ci,   400
D'abord rougit, baissant les yeux,
Puis ils se mirent à rire, et pour finir parlèrent
D'une certaine rencontre inopinée dans le jardin,
D'un certain piétinement de bardanes et de plates-bandes,

Thaddée, tendant de plus en plus l'oreille,
Avalait ces amères paroles et les ruminait en son âme.
C'était vraiment sa fête. Comme dans le jardin la vipère
De sa langue bifide boit le suc empoisonné des plantes,
Puis s'enroule en pelote et se couche sur la route,
Menaçant le pied imprudent qui lui court dessus :   410
Ainsi Thaddée, gorgé du poison de la jalousie,
Faisait l'indifférent, mais crevait de colère.

Dans la réunion la plus gaie, il suffit que quelques-uns soient fâchés,
Pour qu'aussitôt leur morosité sur les autres déteigne :
Les tireurs depuis longtemps se taisaient ; la deuxième partie de la table
Elle aussi se tut, contaminée par la bile de Thaddée.

Même monsieur le Chambellan, extraordinairement sombre,
N'avait pas envie de parler, voyant ses filles,
Bien dotées et ravissantes, dans la fleur de l'âge,
De l'avis général les tout premiers partis du district,   420
Silencieuses, délaissées par les jeunes gens silencieux.
Le Juge, puissance invitante, se sentait également concerné ;
Et le Substitut, les voyant ainsi tous silencieux,
Considérait ce souper non pas entre Polonais, mais entre loups.

Hreczecha avait l'ouïe très fine pour détecter le silence.
Lui-même était une pipelette, et adorait bavarder.
Pas étonnant ! Avec la noblesse il avait passé sa vie en banquets,
En chasses, congrès, conseils de diétines :
A entendre un brouhaha permanent il était accoutumé,
Même lorsqu'il se taisait ou avec sa tapette une mouche   430
Poursuivait ou quand, s'installant pour rêver, les yeux il fermait ;
Dans la journée, il cherchait la conversation, la nuit il lui fallait réciter
Des prières à n'en plus finir ou lui raconter des histoires.
D'où cette aversion qu'il avait pour la pipe,
Inventée par les Allemands pour faire de nous des étrangers ;
Il disait : rendre la Pologne muette, c'est germaniser la Pologne[150].

---

[150] *Jeu de mots entre « Niemiec » (l'Allemand) et « niemy » (muet).*

Le vieillard, ayant passé sa vie à parler, dans la parlote voulait reposer ;
Le silence le réveillait : tel le meunier,
Par le cliquetis des roues endormi, dès qu'elles cessent de tourner,
Se réveille en criant avec effroi : « Et le verbe s'est fait... »[151].   440

  Le Substitut en s'inclinant faisait signe au Chambellan,
Et portant la main à la bouche fit un geste discret vers le Juge
Pour demander la parole. Les seigneurs à cette muette sollicitation
Tous deux branlèrent la tête, ce qui signifie : « nous vous en prions ».
Le Substitut attaqua.

      « Si j'osais, je prierais les jeunes
De s'amuser comme à l'ancienne pendant le souper,
Ne pas rester silencieux et ruminer : serions-nous des pères capucins ?
Qui parmi la noblesse se tait, agit exactement comme
Un chasseur qui dans son fusil laisserait rouiller sa cartouche.
C'est pour cela que de nos ancêtres j'admire la loquacité :   450
Après la chasse ils se mettaient à table non seulement pour manger,
Mais aussi pour mutuellement pouvoir se dire
Ce que chacun avait sur le cœur ; les critiques, les compliments
Aux tireurs et rabatteurs, les chiens, les coups de feu,
Etaient mis sur la table ; il en résultait un chahut
A l'oreille des chasseurs aussi agréable qu'une seconde battue.
Je sais, je sais ce que vous avez. Ce nuage de noirs soucis
M'a tout l'air de sortir de la capuche de Robak !
Vous avez honte de vos ratés ! Ne soyez pas consumés par la honte :
J'ai connu de meilleurs chasseurs que vous, qui pourtant rataient ;   460
Toucher, rater, s'améliorer, c'est le lot de tout chasseur.
Moi-même, bien que traînant un fusil depuis que je suis enfant
Je ratais ; ce tireur célèbre, Tułoszczyk, ratait lui aussi,
Même feu monsieur Rejtan n'atteignait pas toujours sa cible.
Je parlerai de Rejtan après. Quant au fait que
Les deux jeunes seigneurs, de la battue ont laissé s'échapper

---

[151] *Jeu de mots entre les deux sens du verbe « stać » : devenir et s'arrêter ; on peut donc comprendre soit « Et le Verbe s'est fait... chair et il a habité parmi nous » (Evangile selon Saint Jean, 1-14), soit « Et le verbe s'est arrêté » ?*

La bête, et ne l'ont pas convenablement affrontée,
Bien qu'ayant une pique à la main : cela personne ne le loue
Ni ne le blâme. Car déguerpir en ayant une cartouche dans le canon
Signifiait pour les anciens être lâche parmi les lâches ;   470
De même que tirer à l'aveuglette (comme beaucoup le font),
Sans laisser venir la bête, sans la mettre en joue,
Est chose honteuse ; mais qui vise bien,
Qui laisse bien venir à lui la bête,
S'il a raté, sans déshonneur peut reculer,
De même que combattre à la pique – mais volontairement,
Sans y être contraint : puisqu'aux tireurs la pique est confiée
Non pour l'attaque mais seulement pour la défense.
Il en était ainsi chez les anciens. Et donc croyez-moi,
Votre retraite non plus ne la prenez pas à cœur,   480
Mon cher Thaddée et vous noble Comte ;
Chaque fois que vous penserez à l'incident d'aujourd'hui
Vous vous souviendrez aussi de la recommandation du vieux Substitut :
Ne jamais se marcher sur les pieds,
Son coup, ne jamais le tirer à deux sur la même bête ».

    Alors que le Substitut prononçait le mot *bête*,
L'Assesseur souffla à mi-voix : *fillette* ;
« Bravo ! » s'écrièrent les jeunes, un brouhaha et des rires fusèrent ;
On se répétait à tour de rôle la recommandation de Hreczecha,
Et notamment son dernier mot ; les uns *bête*,   490
Et les autres, riant à gorge déployée, criaient *fillette*.
Le Notaire susurra : *nénette*, l'Assesseur : *coquette*,
Plantant en Télimène un regard aussi acéré qu'un poignard.

    Le Substitut ne pensait nullement faire allusion à quiconque,
Ni ne prêtait attention à ce qu'on pouvait bien murmurer en cachette ;
Il était très heureux d'avoir pu dérider les dames et les jeunes,
Il s'adressa aux chasseurs, voulant les consoler eux-aussi ;
Et il commença, se versant un verre de vin :

    « Des yeux je cherche le bernardin en vain ;
Je voudrais lui raconter une aventure curieuse,   500
Pareille à l'incident de la battue d'aujourd'hui.

Le Porte-clés a dit qu'il ne connaissait qu'une seule personne
Capable de tirer aussi juste à longue distance ;
Moi j'en connaissais un deuxième : lui aussi par un coup de feu ajusté
Deux seigneurs a sauvé ; moi-même je l'ai vu,
Quand dans les forêts de Naliboki[152] se sont rendus
Le député Tadeusz Rejtan et le prince Denassów.
Ces seigneurs n'ont pas jalousé la gloire du gentilhomme ;
A table ils ont même été les premiers à porter un toast en son honneur,
L'ont comblé d'une multitude de magnifiques cadeaux,   510
Dont la peau du sanglier tué. De ce sanglier
Et du coup de feu je vous parlerai en tant que témoin oculaire :
Car c'était un incident pareil à celui d'aujourd'hui,
Et il est arrivé aux plus grands tireurs de mon temps,
Au député Rejtan et au prince Denassów ».

        Là-dessus le Juge se manifesta en remplissant sa coupe :
« Je bois à la santé de Robak, Substitut, à votre initiative !
S'il n'est pas possible d'enrichir un quêteur par des présents,
On se débrouillera tout de même pour lui payer sa poudre :
Nous gageons que l'ours aujourd'hui tué dans le bois   520
Pendant deux ans suffira à nourrir le monastère.
Mais au père je ne donnerai pas la peau, ni ne l'emporterai de force,
Soit le moine devra me la céder par modestie,
Soit je lui achèterai, même au prix d'une dizaine de martres.
Nous disposerons de cette peau selon notre volonté :
Les premiers lauriers et la gloire par le serviteur de Dieu sont déjà pris ;
Quant à la peau, son Excellence notre noble Seigneur Chambellan
La donnera à celui qui a mérité le second prix ».

        Le Chambellan se passa la main sur le crâne et fronça les sourcils ;
Les tireurs commencèrent à murmurer, chacun se mit en avant :   530
Un tel avait repéré la bête, un tel l'avait blessée,
Un tel avait rameuté les chiens, celui-là avait fait revenir la bête
Dans la forêt, l'Assesseur se disputait avec le Notaire,
L'un vantant les qualités de son fusil Sanguszko,

---

[152] *Vaste forêt primaire située au nord-ouest de la Biélorussie actuelle.*

L'autre celles de son arme Sagalas de Bałabanówka.

« Cher Juge, mon voisin – finit par dire le Chambellan –
A juste titre le premier prix a été obtenu par le serviteur de Dieu ;
Mais il n'est pas aisé de trancher qui est le second,
Car tous me paraissent avoir des mérites équivalents,
Tous se valent par l'habileté, la compétence et le courage.   540
Mais le sort en a distingué deux par le danger encouru.
Deux se sont trouvés au plus près des griffes de l'ours ;
Thaddée et monsieur le Comte ; la peau leur revient.
Messire Thaddée cèdera la place (j'en suis sûr),
En tant que plus jeune et parent du maître de maison ;
Et donc les *spolia opima*[153] vous les prendrez, noble Comte :
Que ce butin votre salle des chasses décore,
En souvenir de la fête d'aujourd'hui,
Symbole de chance à la chasse, gage d'une gloire à venir ».

Il se tut, joyeux, pensant avoir fait plaisir au Comte ;   550
Sans savoir à quel point il avait de douleur son cœur transpercé.
Car le Comte, à l'évocation de la salle des chasses,
Involontairement leva les yeux : et ces têtes de cerfs,
Ces larges ramures, telles une forêt de lauriers
Plantée de la main de pères pour en couronner leurs fils,
Ces piliers ornés de rangées de portraits,
Ce vieux blason demi-caprin brillant sur la voûte,
Avec les voix du passé s'adressèrent à lui de tous les côtés.
Il s'éveilla de sa rêverie, se souvint où, chez qui il était invité :
L'héritier des Horeszko, invité sur ses propres terres,   560
Convive des Soplica, ses ennemis séculaires !
Et avec cela, la jalousie qu'à l'égard de Thaddée le Comte ressentait
Contre les Soplica d'autant plus l'animait.

Il dit donc avec un sourire amer : « Ma maisonnette est trop petite,

---

[153] *Les « dépouilles opimes » : trophée récupéré sur le corps de son adversaire par un général romain ayant vaincu en combat singulier le commandant d'une armée ennemie.*

Elle ne possède pas d'endroit digne d'un aussi splendide présent ;
Que l'ours plutôt au milieu de ces cervidés attende
Qu'en même temps que le château, le Juge daigne me le rendre ».

Le Chambellan, devinant ce qui se préparait,
Fit sonner sa tabatière dorée, et demande la parole.
« De louanges vous êtes digne – dit-il – Comte, mon voisin,   570
Pour veiller à vos affaires même à table,
Pas comme ces jeunes seigneurs à la mode qui ont votre âge,
Et qui vivent sans compter. Moi je compte et souhaite
Par un accord amiable conclure mes jugements d'affaires de bornage.
A ce jour, seul du château le *fundum*[154] pose un problème :
Je vous propose d'échanger, d'indemniser ce *fundum*
Par de la terre de la façon suivante... » Et là il commença à expliquer
Clairement (comme à son habitude) le plan du futur échange.
Il en était déjà à la moitié de son exposé, quand une agitation inopinée
S'amorça en bout de table. Certains aperçurent quelque chose,   580
La montrent du doigt ; d'autres d'y porter le regard s'empressèrent,
Jusqu'à ce que toutes les têtes, comme des épis courbés
Par un vent contraire, se tournassent dans le sens opposé,
Vers un coin.

          De ce coin, là où était suspendu le portrait du défunt,
Du Sénéchal, dernier de la lignée des Horeszko,
D'une petite porte cachée entre les piliers,
Se dégagea silencieusement, telle un fantôme, une silhouette :
Gerwazy ; on le reconnut à sa taille, à son visage,
A ses demi-caprins argentés sur sa livrée jaune.
Il avançait raide comme un piquet, muet et grave,   590
Sans se découvrir, sans même incliner la tête ;
A la main il tenait une clé luisante comme une dague,
Il ouvrit une armoire et commença à y tourner quelque chose.

          Aux deux coins du vestibule, appuyées à des piliers, se dressaient
Deux horloges à carillon, enfermées dans des armoires ;

---

[154] *Terrain attaché au château.*

De vieilles drôlesses, depuis longtemps désaccordées du soleil,
Indiquant souvent midi au coucher de celui-ci.
Gerwazy ne s'était pas préoccupé d'en faire réparer les mécanismes,
Mais ne voulait pas les laisser sans avoir été remontées :
De sa clé chaque soir il torturait ces horloges ;   600
De les remonter était justement venue l'heure.
Au moment où le Chambellan sur son affaire concentrait l'attention
Des parties intéressées, il tira sur le poids :
Des engrenages rouillés firent grincer leurs dents ébréchées,
Le Chambellan tressaillit et interrompit son exposé.
« Frère – dit-il – à un peu plus tard remettez votre travail si urgent ! »
Et terminait le plan de l'échange. Mais le Porte-clés, par bravade,
Tira encore plus fort sur le deuxième poids ;
Et bientôt le bouvreuil perché sur le haut de l'horloge,
En battant des ailes se mit à entonner les notes du carillon.   610
L'oiseau, fabriqué avec art, était malheureusement cassé,
Il se mit à bafouiller et piailler de plus en plus affreusement.
Et les invités de rire ; le Chambellan une nouvelle fois dut s'arrêter.
« Mon petit Porte-clés – cria-t-il – ou plutôt ma petite chouette,
Si à votre bec vous tenez, arrêtez-moi ce boucan ! ».

    Mais ces menaces nullement n'effrayèrent Gerwazy !
Il posa gravement sa main droite sur l'horloge,
Et sa gauche sur sa hanche. Ainsi calé sur ses deux mains,
« Petit Chambellan ! – cria-t-il – vous pouvez toujours plaisanter,
Le moineau est plus petit que la chouette, mais sur ses propres rognures
                                                         [620
Plus audacieux il est que la chouette dans le château d'autrui :
Porte-clés n'est pas chouette[155] ; et qui dans les combles d'autrui
De nuit s'introduit, celui-là est une chouette, et moi je vais l'effrayer ».
« Qu'on le mette à la porte ! » cria le Chambellan.

                    « Monsieur le Comte ! –

---

[155] *Peut-être y a-t-il là un jeu de mots entre « klucznik », porte-clés, et « puszczyk », nom signifiant normalement la chouette, mais faisant penser au verbe puścić, « laisser entrer » ?*

S'écria le Porte-clés – vous voyez ce qui se passe !
Votre honneur n'est-il pas assez souillé
Par le fait que vous mangiez et buviez avec ces Soplica ?
Faut-il encore que moi, officier du château,
Gerwazy Rębajło, Porte-clés des Horeszko,
Dans la maison de mes maîtres je sois outragé ? vous le supporterez ? »
                                                                          [630
Là Protazy par trois fois s'écria : « Taisez-vous !
Dégagez ! Moi, Protazy Baltazar Brzechalski,
Aux deux prénoms, naguère officier général du tribunal,
Vulgo Huissier, je procède à un constat d'huissier,
A un constat formel, sollicitant
Le témoignage de tous les gentilhommes ici présents,
Et appelant monsieur l'Assesseur à l'instruction,
A la demande de monsieur le Juge Soplica :
Qu'il y a eu incursion, c'est-à-dire franchissement de limites,
Intrusion au château, dont le Juge à ce jour jouit légalement   640
A preuve évidente qu'il y prend des repas ».
« Grande gueule[156] ! – braillla le Porte-clés – je vais vite t'instruire ! »
Et détachant ses clés métalliques de sa ceinture,
Il les fit tournoyer au-dessus de sa tête et les lança de toutes ses forces,
Le trousseau de métal partit comme un caillou éjecté d'une fronde,
En quartiers il eût certainement fracassé la tête de Protazy ;
Heureusement, l'Huissier s'abaissa et échappa à la mort.

       Tous d'un bond se levèrent ; pendant un moment il y eut un sourd
Silence, jusqu'à ce que le Juge criât : « Qu'on entrave[157] ce lascar !
Holà, mes gens ! » -- et le personnel se précipita allègrement   650
Dans l'étroit passage entre les murs et le banc.
Mais le Comte leur barra le chemin avec une chaise en travers,
Et sur ce fragile rempart appuyant une jambe :

---

[156] *Nouveau jeu de mots entre « Brzechacz » (aboyeur, grande gueule...) et Brzechalski, le nom de l'Huissier.*
[157] *Entraves consistant en des espèces de carcans faits de demi-poutres assemblées, dans les ouvertures desquels on passait les mains et les pieds des prisonniers.*

« Halte-là ! – cria-t-il – Juge ! personne n'a le droit
De s'en prendre à mon serviteur dans ma propre maison :
Qui du vieillard a à se plaindre, qu'il s'adresse à moi ! ».

   Le Chambellan lorgna vers le Comte :
« Je n'ai pas besoin de votre aide pour châtier
Ce nobliau impertinent ; quant à vous, mon cher Comte,
Avant l'ordonnance, trop tôt vous vous appropriez ce château ;   660
Vous n'êtes pas le maître ici, ce n'est pas vous qui nous invitez.
Restez tranquille, comme vous l'étiez auparavant ; si de blancs cheveux
Vous n'avez cure, respectez au moins du district la première autorité ».

   « Que m'importe ? – grommela le Comte – assez de bavardages ;
Fatiguez-en d'autres avec vos égards et vos autorités !
J'ai déjà fait suffisamment de bêtises en me commettant avec vous
Dans ces beuveries, qui se terminent en grossièretés ;
Vous me rendrez raison de l'outrage fait à mon honneur.
Au revoir à jeun ! Suivez-moi, Gerwazy ! »

   Jamais à une telle réponse ne s'était attendu   670
Le Chambellan. Il était justement en train de remplir sa flûte ;
Comme foudroyé par l'insolence du Comte,
S'appuyant sur la flûte et tenant la bouteille immobile,
Il inclina sa tête sur le côté et tendit l'oreille,
Ecarquilla les yeux, entrouvrit la bouche ;
Il se taisait mais serrait sa flûte avec une telle force,
Que le verre en éclata bruyamment et son contenu aux yeux lui gicla.
On eût dit qu'avec le vin du feu s'était déversé dans son âme,
Tellement son visage s'embrasa, tellement son œil s'enflamma.
Il fit effort pour parler ; son premier mot, indistinctement   680
Il le mâcha, jusqu'à ce qu'il lui sortît entre les dents : « Bouffon !
Petit comte ! Vous allez voir ! Thomas, mon sabre ! Moi ici-même
Je vais vous apprendre à vivre, bouffon, ça par exemple !
Les égards, les autorités les fatiguent, ces délicates petites oreilles !
Moi, à ces oreilles, je vais leur tailler en pièces leurs petites boucles !
Dehors, à la porte ! A l'arme blanche ! Thomas, mon sabre ! »

   Là-dessus, ses amis s'empressèrent auprès du Chambellan ;

Le Juge lui saisit la main : « Arrêtez, c'est mon affaire,
C'est moi qu'on a défié en premier. Protazy, mon sabre !
Je vais te le faire danser comme un ourson avec un bâton ».   690
Mais Thaddée réfréna le Juge : « Monsieur mon oncle,
Monseigneur Chambellan, vous sied-il
De vous commettre avec ce dandy ; n'y a-t-il pas de jeunes ici ?
Confiez-moi cela : moi je vais le châtier comme il convient.
Et vous, monsieur le fier-à-bras, qui défiez les aînés,
Nous verrons si vous êtes un si terrible guerrier :
Nous nous expliquerons demain, et choisirons le lieu et les armes ;
Et pour aujourd'hui disparaissez, tant que vous êtes entier ».

                              Le conseil était judicieux :
Le Porte-clés et le Comte tombèrent dans un embarras peu commun.
Aux places d'honneur seul un grand vacarme bouillonnait,   700
Mais en bout de table les bouteilles volaient
Autour de la tête du Comte. Les femmes terrorisées
Supplient, pleurent ; Télimène, en criant « Hélas ! »
Porta les yeux au ciel, se leva, et retomba évanouie,
Et abandonnant son cou sur l'épaule du Comte,
Sur la poitrine de ce dernier déposa son col de cygne.
Le Comte, bien qu'en colère, s'arrêta dans son élan,
Et commença à la ranimer, à la frictionner.

                              Cependant Gerwazy,
Exposé aux chocs des tabourets et des bouteilles,
Déjà titubait, déjà les domestiques ayant retroussé leurs manches   710
En nombre se jetaient sur lui de partout : lorsque par chance
Zosia, voyant cet assaut, bondit et, saisie de pitié,
Protège le vieillard en mettant ses petits bras en croix.
Ils se continrent ; Gerwazy doucement reculait,
Disparut à leur vue, on cherche où sous la table il a pu se cacher :
Et voilà que soudain, de l'autre côté, il ressort comme de dessous terre ;
De ses bras robustes soulevant et portant en l'air un gros banc,
Le faisant tourner tel un moulin à vent, il balaya la moitié du vestibule,
Emmena le Comte ; et ainsi, par le banc tous deux protégés,
Ils reculaient vers la petite porte ; ils sont déjà tout près :   720
Gerwazy s'arrêta, jeta encore un regard à l'ennemi.

Un instant il réfléchit, perplexe, s'il fallait reculer en bon ordre,
Ou avec sa nouvelle arme revenir à la charge :
Il choisit la deuxième alternative. Déjà le banc, comme un bélier,
Il le souleva par l'arrière pour donner l'assaut ; déjà, baissant la tête,
La poitrine portée vers l'avant, la jambe levée,
Il s'apprêtait à foncer... il aperçut le Substitut, et son cœur se glaça.

Le Substitut, assis en silence et les yeux à demi fermés,
Dans une profonde méditation semblait plongé.
Ce n'est que lorsque le Comte avec le Chambellan se disputa,   730
Et menaça le Juge, que le Substitut la tête releva,
Prisa par deux fois et se frotta les yeux.
Le Substitut était certes parent éloigné du Juge,
Mais, habitant son accueillante maison,
Avec un soin infini veillait à la santé de son ami.
C'est pourquoi il observait la lutte avec attention ;
Il allongea doucement sa main sur la table, paume et doigts vers le haut,
Posa son couteau sur la paume, le manche tourné vers l'ongle
De l'index, et la lame dirigée vers le coude ;
Puis il balançait son bras légèrement incliné vers l'arrière,   740
Comme s'il s'amusait : mais il avait le regard fixé sur le Comte.

L'art de lancer les couteaux, terrible dans les batailles rapprochées,
Etait à l'époque déjà négligé en Lituanie,
Seuls les anciens le connaissaient ; le Porte-clés l'avait expérimenté
Parfois dans les rixes de cabaret, le Substitut y excellait :
On voyait à l'élan de son bras qu'il allait frapper fort,
Et à son œil on pouvait facilement deviner qu'il visait le Comte
(Le dernier des Horeszko, bien que par les femmes).
Moins vigilants, les jeunes n'avaient pas saisi les gestes du vieillard :
Gerwazy pâlit, protège le Comte avec le banc,   750
Recule vers la porte. « A l'attaque ! » cria toute la bande.

Pareil à un loup, alors qu'il charognait, tout à coup assailli,
Il se jette en aveugle dans la meute qui lui interrompt son festin ;
Déjà il est derrière, prêt à la déchirer : et là, dans le vacarme des chiens,
Il entend le cliquetis d'un chien de fusil ; le loup reconnaît ce bruit,
Il observe et aperçoit, derrière les chiens,

Un chasseur à demi baissé, un genou en terre,
Vers lui tournant le canon de son fusil et effleurant déjà la détente.
Le loup baisse les oreilles et, la queue entre les pattes, se sauve ;
La meute avec des hurlements triomphaux sur lui se jette,   760
Lui arrache des touffes de poil ; la bête de temps en temps se retourne,
Regarde, donne un coup de mâchoire, grogne à travers ses crocs blancs,
Esquisse une menace ; la meute aussitôt en glapissant s'enfuit :
C'est ainsi que Gerwazy battait en retraite avec une posture menaçante,
Freinant ses assaillants au moyen des yeux et du banc,
Jusqu'à s'engouffrer avec le Comte dans un sombre renfoncement.

  « A l'attaque ! » cria-t-on à nouveau. Triomphe de courte durée :
Car au-dessus des têtes de la foule le Porte-clés soudain
Apparut dans la tribune, près du vieil orgue,
Et avec fracas il entreprit d'en arracher les tuyaux de plomb.   770
Un grand désastre il aurait infligé, en les jetant de là-haut :
Mais déjà les invités en foule sortaient du vestibule ;
Les domestiques terrorisés n'osaient l'affronter
Et emportant la vaisselle s'enfuirent derrière leurs maîtres,
Abandonnant même les couverts avec une partie du matériel.

  Qui en dernier, nonobstant les menaces et les coups,
Quitta le champ de bataille ? Protazy Brzechalski.
Se tenant debout, impassible, derrière le fauteuil du Juge,
Il poursuivait sa déclaration de sa voix d'huissier,
Puis, l'ayant terminée, il quitta ce champ de bataille déserté,   780
Sur lequel il ne restait que cadavres, blessés et ruines.

  Il n'y avait pas de pertes humaines. Mais tous les bancs
Avaient les pieds déboîtés, la table également boitait,
Dénudée de sa nappe, tombée sur des assiettes
Dégoulinantes de vin, telle un chevalier sur des boucliers sanglants,
Au milieu des corps de nombreux poulets et dindons,
Dont les thorax étaient entés de fourchettes fraîchement plantées.

  Peu après, dans la bâtisse solitaire des Horeszko
Tout rentrait dans son état de repos habituel.
L'obscurité s'épaissit ; les reliefs du splendide festin seigneurial   790

Jonchent le sol, comme dans le festin nocturne où, le jour des Morts,
Doivent se rassembler les défunts qu'on a évoqués.
Déjà dans les combles par trois fois les chouettes ont hululé
Telles des sorcières : elles semblent saluer le lever de la lune,
Dont la forme tremblante par la fenêtre sur la table est tombée,
A l'instar d'une âme du purgatoire ; du sous-sol, par des trous,
Bondissaient des rats, ayant la forme de damnés :
Ils rongent, boivent ; parfois, oubliée dans un coin,
Une bouteille de champagne saute à la santé des esprits.

     Mais au deuxième niveau, dans la pièce qu'on appelait   800
La salle des glaces, bien qu'elle n'eût plus de glaces,
Se tenait le Comte, sur le balcon tourné vers le portail ;
Il profitait de l'air frais, un bras passé dans une manche de sa redingote,
Dont la deuxième manche et les pans il avait rabattus sur son cou,
De cette redingote comme d'une cape se drapant la poitrine.
Gerwazy arpentait la salle à grands pas ;
Pensifs tous les deux, ils tenaient un conciliabule :
« Les pistolets – dit le Comte – ou, s'ils préfèrent, les sabres ».
« Le château – dit le Porte-clés – et le village, les deux sont à nous ».
« L'oncle, le neveu – criait le Comte – toute la clique,   810
Défie-les ! » « Le château – criait le Porte-clés – le village et la terre,
Prenez-les ». Ce disant, il se tourna vers le Comte :
« Si vous voulez avoir la paix, emparez-vous du tout.
Pourquoi un procès, Petit Monsieur ! l'affaire est claire comme le jour :
Le château a été aux mains des Horeszko pendant quatre cents ans ;
On lui a arraché une partie de ses terres du temps de Targowica[158],
Et, comme vous le savez, on les a confiées aux Soplica.
Non seulement cette partie, mais tout l'ensemble il faut leur prendre,

------

[158] *Petite ville, actuellement située en Ukraine, éponyme de la Confédération formée en 1792 par une fraction de la noblesse polonaise inféodée à la Russie et hostile aux réformes de la Diète de quatre ans (1788-1792), qui lui faisaient perdre une partie de ses privilèges, et à la Constitution de 1791 rédigée à l'initiative du dernier roi de Pologne et grand-duc de Lituanie, Stanislas-Auguste Poniatowski. Cela déclencha l'invasion de la République des Deux-Nations par la Russie et aboutit au deuxième partage de la Pologne en 1793.*

En dédommagement des frais de procédure, en punition de leur vol.
Je vous ai toujours dit : ne pas compter sur les procès ;   820
Je vous ai toujours dit : envahir, enlever !
C'était ainsi dans le temps : celui qui une fois s'approprie la terre,
La possède ; gagnez sur le terrain, vous gagnerez aussi en justice.
Concernant les litiges anciens avec les Soplica,
Le Petit canif est plus efficace qu'un procès pour les régler ;
Et si Matthieu de sa Vergette m'apporte l'aide,
Alors à nous deux ces Soplica nous les hacherons menu ».

« Bravo ! – dit le Comte – votre plan gothico-sarmate[159]
Davantage me plaît qu'une bataille d'avocats.
Vous savez ? Dans toute la Lituanie nous ferons grand bruit   830
Du fait de notre expédition, inouïe depuis bien longtemps.
Et nous-mêmes nous nous amuserons. Je croupis ici depuis deux ans,
Et quelle bataille ai-je vue ? Avec des paysans à propos d'un bornage !
Notre expédition promet, elle, de faire couler le sang.
J'en ai fait une de ce genre du temps où je voyageais.
Lorsqu'en Sicile je séjournais chez un certain prince,
Des brigands enlevèrent son gendre dans la montagne,
Et ces impudents à sa famille réclamaient une rançon ;
Nous, rassemblant au plus vite domestiques et vassaux,
Nous fîmes une razzia ; moi j'ai tué deux bandits de ma main,   840
Le premier j'ai pénétré dans leur camp, délivrant le prisonnier.
Ah, mon cher Gerwazy ! quel triomphal,
Magnifique retour nous eûmes, à la mode féodalo-chevaleresque !
Les gens venaient avec des fleurs à notre rencontre ; la fille du prince,
A son sauveur reconnaissante, avec des larmes tomba dans mes bras.
Quand j'arrivai à Palerme, on était au courant par la gazette,
Toutes les femmes me montraient du doigt ;
On fit même un livre de toute cette aventure,
Un roman, où je suis mentionné nommément.

———————————————

[159] *Au 16ème siècle fut forgé le mythe d'une aristocratie polonaise descendant des Sarmates, peuple nomade de l'Antiquité, qui vivait dans les steppes d'Europe orientale. Le sarmatisme devint une espèce d'idéologie élitiste et nationaliste.*

Le roman s'intitule : *Le Comte, ou les secrets*   850
Du château de Birbante-Rocca. Y a-t-il des cachots ici
Dans ce château ? » « Oui – dit le Porte-clés – d'énormes caves,
Mais vides ! Car les Soplica en ont bu tout le vin ».
« Au manoir – ajouta le Comte – qu'on arme mes jockeys,
De mes terres mandez les vassaux ! » « Des laquais ? à Dieu ne plaise !
– l'interrompit Gerwazy. Un raid serait-il affaire de manants ?
Qui a vu opérer un raid avec des paysans et des laquais ?
Monseigneur, vous n'y connaissez rien en matière de raid !
Des moustachus[160], c'est autre chose : des moustachus feront l'affaire ;
Ils ne sont pas à chercher sur vos terres, mais dans les « zaścianki »[161],
[860
A Dobrzyn, Rzezikowo, Ciętycze, Rąbanki,
Noblesse séculaire, chez laquelle coule un sang de chevalier,
Tous bien disposés à l'égard de la famille des seigneurs Horeszko,
Tous ennemis jurés des Soplica !
Là-bas je rassemblerai quelque trois cents gentilhommes moustachus ;
J'en fais mon affaire. Rentrez au palais
Et dormez tout votre soûl, car demain ce sera le grand jour ;
Vous aimez bien dormir, il est tard, déjà chante le deuxième coq.
Moi ici je resterai pour surveiller le château jusqu'au point du jour,
Et avec le soleil j'arriverai au village de Dobrzyn ».   870

Sur ces paroles, monsieur le Comte se retira du balcon ;
Mais avant de partir, il regarda par l'ouverture d'une meurtrière,
Et voyant quantité de lumières dans l'habitation de Soplica :
« Illuminez, mes amis ! – s'écria-t-il – demain à cette heure
Il fera clair dans ce château, et sombre dans votre manoir ! »

Gerwazy s'assit par terre, appuyé contre un mur,
Et sur sa poitrine inclina son front pensif.
L'éclat de la lune tomba sur le sommet de son crâne chauve,
Gerwazy y dessinait du doigt toutes sortes de traits ;
On voyait que de ses prochaines expéditions il élaborait la tactique. 880

---

[160] *Jeu de mots entre « wasale » (vassaux) et « wąsale » (moustachus).*
[161] *Voir la note 164 infra.*

Ses paupières alourdies lui pèsent de plus en plus,
Son cou inerte s'affaissa, il se sentait pris par le sommeil,
Il commença, comme d'habitude, à réciter ses prières du soir.
Mais entre le Notre Père et l'Ave Maria
D'étranges spectres se profilent, se déroulant et s'enroulant :
Le Porte-clés voit les Horeszko, ses anciens maîtres ;
Les uns portent la karabela[162], d'autres le bâton de commandement,
Tous ont le regard menaçant et tortillent leur moustache,
De leur karabela s'apprêtent à frapper, ou bien leur bâton agitent ;
Derrière eux, une ombre silencieuse, lugubre, est passée, fugace,   890
Avec une tache de sang sur la poitrine. Gerwazy tressaillit,
Le Sénéchal il avait reconnu ! il commença à se signer de partout,
Et pour dissiper d'autant plus sûrement ses rêves horribles
Il récitait la litanie des âmes du purgatoire.
Derechef ses paupières se collèrent, une sonnerie retentit à ses oreilles
-- il voit la foule des gentilhommes à cheval, les karabela étincellent :
Le raid ! le raid de ceux de Korelicze et Rymsza à leur tête !
Et il se voit lui-même, sur son cheval blanc,
Sa redoutable rapière levée au-dessus de la tête,
Il vole ; sa redingote ouverte claque au vent,   900
Sa konfederatka[163] lui a glissé derrière l'oreille gauche ;
Il vole, sur son passage cavaliers et fantassins renversant,
Et pour finir dans sa grange enflamme Soplica –
Là-dessus sa tête, de songes lourde, sur sa poitrine tombe,
Et ainsi s'endormit de Horeszkowo le dernier Porte-clés.

                              ***

_____

[162] *Voir la note 17.*
[163] *Ibid.*

LIVRE SIXIEME

LE VILLAGE DE PETITS NOBLES[164]

*

Sommaire :

Premières manœuvres du raid.
L'expédition de Protazy.
Robak délibère des affaires publiques avec monsieur le Juge.
Suite de l'infructueuse expédition de Protazy.
Digression à propos du chanvre.
Le village de petits nobles de Dobrzyn.
Description de l'habitation et du personnage
de Maciek[165] Dobrzyński.

*

---

[164] En Lituanie on appelle « okolica » ou « zaścianek » un village habité par de petits nobles, par différence avec les villages proprement dits ou hameaux ruraux.
Le « zaścianek », village de petits nobles, est habité par des hommes libres, contrairement aux villages « patrimoniaux » appartenant héréditairement à la noblesse et habités par des serfs ou paysans tributaires du seigneur propriétaire.
[165] *Diminutif de « Maciej » (Matthieu).*

I nsensiblement, de l'obscurité humide s'extirpait
Une aube incolore, annonciatrice d'une terne journée.
Le jour était levé depuis longtemps, et il faisait à peine clair :
La brume était suspendue au-dessus de la terre, telle un toit de chaume
Au-dessus de l'humble petite chaumière lituanienne ; à l'est,
D'après l'horizon un peu plus pâle, on voit
Que le soleil s'est levé, que par là il doit descendre sur terre ;
Mais il avance sans entrain et en sommeillant.

　　Des cieux suivant l'exemple, tout était en retard
Sur terre. Le bétail tardivement avait quitté l'étable　　　　　　10
Et tombait sur des lièvres encore en train de déjeuner.
Ils avaient l'habitude de regagner les bois au petit jour ;
Aujourd'hui, recouverts par la brume, les uns grignotent du mouron,
D'autres creusant de petits trous dans la terre, par couples s'assemblent,
Et à l'air libre ont l'intention de se donner du bon temps ;
Mais devant le bétail il leur faut regagner le bois.

　　Dans le bois c'est le silence. L'oisillon réveillé se tait ;
Il s'ébroue pour ôter la rosée de son plumage, se blottit contre l'arbre,
Rentre sa tête dans ses ailes, à nouveau ferme les yeux à demi
Et attend le soleil. Quelque part, au bord d'une mare,　　　　　　20
Claquette une cigogne. Sur les buttes, des corneilles mouillées,
Le bec grand ouvert, jacassent à n'en plus finir,
Odieuses aux cultivateurs, car annonciatrices de mauvais temps.
Les cultivateurs depuis longtemps sont au travail.

　　Les faucheuses ont déjà entonné leur chanson habituelle,
Triste comme la pluie, mélancolique, monotone,
D'autant plus triste que dans la brume elle s'enlise, sans écho.

Les faucilles ont sifflé dans les blés, le pré leur répond,
Un rang de faucheurs, coupant le regain, en continu accompagne
La chanson en sifflotant ; à la fin de chaque couplet   30
Ils s'arrêtent, aiguisent leurs fers et les martèlent en cadence.
On ne voit pas les gens dans la brume : seules les faucilles, les faux
Et les chansons s'entendent, comme les voix d'invisibles musiciens.

Au milieu d'eux, assis sur une gerbe d'épis, l'Econome
S'ennuie, tourne la tête dans tous les sens, ne regarde pas le travail,
Mais jette des coups d'œil sur la grand-route, aux carrefours,
Où des choses extraordinaires se passaient.

Sur la grand-route et les routes, depuis le petit matin
Règne une agitation inhabituelle. Par ici une charrette paysanne,
En grinçant vole comme le courrier ; par là un briska de gentilhomme
                                                                [40
En vrombissant galope, en croise un deuxième, puis un troisième ;
Par la route de gauche un envoyé fonce comme une estafette,
Par celle de droite une quinzaine de chevaux sont passés en trombe :
Tous se hâtent, se dirigeant dans différentes directions.
Qu'est-ce que cela doit signifier ? L'Econome se releva de sa gerbe,
Voulut voir de plus près, se renseigner ; longtemps au bord de la route,
En vain il les hélait, personne il ne pouvait arrêter
Ni reconnaître dans la brume. Les cavaliers, tels des esprits, filent ;
On n'entend que le bruit sourd et cadencé des sabots de leurs chevaux
Et, chose plus bizarre encore, le cliquetis de sabres :   50
L'Econome à la fois s'en réjouit et s'en effraie.
Car, bien que la situation en Lituanie fût calme à l'époque,
Depuis longtemps déjà des rumeurs sourdes circulaient sur la guerre,
Sur les Français, Dąbrowski, Napoléon.
De la guerre ces cavaliers, ces armes, seraient-ils les avant-coureurs ?
L'Econome courut tout raconter au Juge,
Lui-même espérant en apprendre davantage.

A Soplicowo, les gens de la maison et les invités, après la dispute
D'hier, se levèrent mécontents d'eux-mêmes et tristes.
En vain la fille du Substitut convie-t-elle les dames au tarot,   60

En vain fournit-on des cartes aux hommes pour jouer au mariage[166] :
Ni s'amuser, ni jouer ils ne veulent, restant dans leur coin, silencieux.
Les hommes fument la pipe, les femmes au crochet brodent ;
Même les mouches dorment.

Le Substitut, abandonnant sa tapette,
Fatigué du silence, va rejoindre le personnel de service ;
Il préfère, à la cuisine, de l'intendante entendre les cris,
Du cuisinier les menaces et les coups, des marmitons le vacarme ;
Dans une agréable torpeur il finit par tomber, provoquée par
La monotone rotation des broches de rôtissoires.

Depuis ce matin le Juge écrivait, dans son cabinet enfermé ;   70
Depuis ce matin l'Huissier attendait, sous la fenêtre assis sur le talus[167].
Le Juge, une fois sa citation rédigée, appelle Protazy,
Et à haute voix lui lit sa plainte contre le Comte :
Pour atteinte à son honneur, pour propos offensants,
Puis contre Gerwazy, pour coups et violences ;
Contre les deux pour insultes, pour frais et dépenses
De procédure, il les cite au pénal devant le tribunal local de la noblesse.
Aux cités en personne il faut délivrer ce jour la citation, verbalement,
Avant le coucher du soleil. L'Huissier, la mine solennelle,
Tendit l'oreille et la main, dès qu'il aperçut la citation ;   80
Son attitude était empreinte de gravité, mais il eût aimé sauter de joie.
A la seule pensée d'un procès, il se sentait rajeuni :
Il se souvint de l'ancien temps, quand il délivrait des citations
Qui certes lui valaient des bosses, mais aussi de généreux honoraires.
A l'instar d'un soldat blanchi sous le harnois,
Et qui pour ses vieux ans se retrouve invalide dans un hôpital :
Dès qu'il entend un clairon ou un tambour au loin,
Il se redresse sur son grabat, et crie en rêve : « Sus au Moscale ! »
Et sur sa jambe de bois déguerpit de l'hôpital,
Si vite, que les jeunes à peine peuvent le rattraper.   90

---

[166] *Voir la note 77.*
[167] *Nous traduisons ainsi, faute de mieux, le terme « przyzba », sorte de talus engazonné, faisant office de banc autour du soubassement des vieilles maisons.*

Protazy s'empressa de revêtir sa tenue d'huissier.
Mais il ne met pas pour autant son żupan et son kontusz ;
Ces derniers à la pompe du tribunal sont réservés ;
Pour les déplacements il dispose d'une autre tenue : une culotte ample
Et une capote, dont les pans à boutons peuvent être,
Selon les cas, retroussés ou descendus jusqu'aux genoux ;
Une casquette à rabats, au sommet de la tête par une cordelette reliés,
Que par beau temps on relève, et baisse en cas de pluie.
Ainsi accoutré, il prit son bâton et pedibus se mit en route ;
Car les huissiers avant le procès, comme les espions avant la bataille,
                                                                    [100
Sous des apparences et tenues diverses doivent se dissimuler.

     Protazy avait bien fait de se mettre en route sans tarder,
Car de sa citation à délivrer, il ne se fût pas réjoui bien longtemps :
A Soplicowo on était en train de changer son fusil d'épaule.
Car Robak, préoccupé, chez le Juge soudain déboula,
Et dit : « Mon cher Juge, nous sommes mal lotis avec cette tante,
Cette madame Télimène, coquette et coureuse !
Lorsque Zosia enfant dans une situation difficile se retrouva,
Jacek à Télimène pour son éducation la confia,
Ayant appris qu'elle avait bon cœur et connaissait le monde :   110
Mais j'observe qu'elle nous manigance quelque chose,
Qu'elle intrigue et Thaddée semble vouloir séduire ;
Je l'ai à l'œil – à moins qu'au Comte elle ne s'en prenne ;
Ou peut-être aux deux à la fois. Réfléchissons donc aux moyens
De nous débarrasser d'elle : car il peut en résulter des cancans,
Un mauvais exemple et des histoires entre les mômes,
Qui vos arrangements de juriste peuvent compliquer ».
« Mes arrangements ? – cria le Juge avec un emportement inhabituel –
Mes arrangements c'est fini, j'ai laissé tomber ».
« C'est quoi cela ? – lui coupa Robak – et la raison, et le bon sens ? 120
Que me racontez-vous-là, quelle nouvelle stupidité ? »
« Je n'y suis pour rien – dit le Juge – le procès mettra cela au clair :
Le Comte est un fanfaron, un sot, il a provoqué une embrouille,
Ainsi que cette canaille de Gerwazy. Mais c'est l'affaire du tribunal.
Dommage, mon Père, que nous n'étiez pas au château pour le souper,

Vous auriez constaté le sévère affront que le Comte m'a infligé ».
« Dans ces ruines qu'alliez-vous faire ? – cria Robak –
Vous savez à quel point ce château m'insupporte ; dorénavant le pied
Je n'y remettrai plus. Encore une dispute ! punition divine !
Que s'est-il passé ? dites-moi ; il faut régler cette affaire. 130
J'en ai assez de voir toutes ces sottises :
J'ai mieux à faire que d'arranger des chicaneurs ;
Mais une fois encore je vais le faire ». « Arranger ? Quoi encore !
Allez donc au diable avec vos arrangements ! –
L'interrompit le Juge, tapant du pied – voyez-moi donc ce moine !
Avec courtoisie je le reçois, et par le bout du nez il veut me mener !
Sachez que les Soplica n'ont pas pour habitude de s'arranger :
Quand ils citent, il leur faut gagner ; il est arrivé que, par eux engagé,
Un procès durât jusqu'à ce qu'ils gagnent à la sixième génération.
Assez de bêtises j'ai fait en suivant vos conseils, 140
Pour la troisième fois convoquant le tribunal des bornages.
A partir de ce jour il n'y aura plus d'arrangement, non, non, et non ! –
Et en criant il marchait en tapant des deux pieds par terre –
En outre, pour son action insolente d'hier
Il me doit des excuses publiques, sinon c'est le duel ! »
« Mais, cher Juge, qu'arrivera-t-il lorsque Jacek l'apprendra ?
De désespoir sans doute il mourra ! Les Soplica
N'ont-ils pas fait suffisamment de mal dans ce château ?
Mon frère ! je ne veux pas rappeler un évènement terrible…
Vous savez aussi qu'une partie des terres du château à son propriétaire
[150
A été enlevée et aux Soplica donnée par Targowica[168]…
Jacek, se repentant de son péché, avait promis
Pour son absolution de restituer ces biens :
Il a donc pris Zosia, la pauvre héritière des Horeszko,
Pour l'élever, il payait cher pour son éducation ;
A son petit Thaddée il voulait la marier
Et de la sorte réconcilier deux maisons entre elles brouillées,
Et sans honte à leur propriétaire céder les biens ravis … ».
« Mais qu'est-ce que cela ? – s'écria le Juge – que m'importe à moi ?

---

[168] *Voir les notes 68 et 158.*

Moi je n'ai pas connu, ni même vu Jacek ;   160
A peine ai-je entendu parler de sa vie de patachon,
Enseignant à l'époque la rhétorique dans une école des Jésuites,
Puis servant comme page à la cour du Voïévode.
On m'a donné ces biens, je les ai pris ; il m'a dit d'accueillir Zosia,
Je l'ai accueillie, élevée, et je me soucie de son avenir :
Toute cette histoire de bonne femme commence à me lasser !
Et puis pourquoi y mêler encore ce Comte !
Quel droit a-t-il sur le château ? Vous savez bien, mon ami,
Que pour les Horeszko c'est la dixième eau sur le « kisiel »[169] !
Et il lui faudrait m'outrager ? et moi l'inviter à s'arranger ! »   170
« Frère ! – dit le religieux – il y a d'importantes raisons à cela.
Vous vous souvenez, Jacek voulait envoyer son fils à l'armée,
Puis l'a laissé en Lituanie : et pour quelle raison ?
Parce qu'à sa patrie il sera plus utile en restant à la maison.
Vous avez certainement entendu ce dont on parle déjà partout,
Ce à propos de quoi maintes fois j'ai apporté de petites informations :
Il est temps à présent de tout dire, il en est temps !
Des choses importantes ! mon frère ! La guerre est à notre porte !
La guerre pour la Pologne ! frère ! Nous serons Polonais !
La guerre est inévitable ! Quand secrètement missionné   180
Ici je suis accouru, de l'armée les éclaireurs étaient déjà sur le Niémen ;
Napoléon déjà rassemble une armée gigantesque,
Telle que personne n'en a vu, et dont l'histoire n'a pas le souvenir ;
Aux côtés des Français il y a toute l'armée polonaise,
Notre Joseph[170], notre Dąbrowski, nos aigles blanches !
Sont déjà en chemin ; au premier signe de Napoléon
Ils traverseront le Niémen et – mon frère ! La patrie sera ressuscitée ! »

        Le Juge, en écoutant, doucement rangea ses lunettes
Et, regardant intensément le religieux, sans rien dire,
Soupira profondément, et des larmes lui perlèrent aux yeux...   190

---

[169] Le « kisiel » est un plat lituanien, espèce de gelée faite avec de l'avoine fermentée ; on la rince à l'eau jusqu'à ce que toutes les particules farineuses s'en soient détachées : d'où le proverbe.
[170] *Joseph Poniatowski, que Napoléon avait nommé généralissime des Polonais.*

A la fin, de toutes ses forces, il sauta au cou du religieux,
« Mon cher Robak ! – s'écria-t-il – est-ce seulement vrai ?
« Mon cher Robak ! – répétait-il – est-ce seulement vrai ?
Que de fois a-t-on menti à ce sujet ! vous souvenez-vous ? on disait :
Napoléon arrive ! et nous d'attendre !
On disait : il est déjà dans le Royaume[171], il a déjà battu le Prussien,
Il pénètre chez nous ! Et lui, que fit-il ? la paix de Tilsit !
Est-ce seulement vrai ? Ne vous mentez-vous pas à vous-même ? »
« C'est vrai – cria Robak – comme il y a un Dieu ! »
« Bénie soit la bouche qui   200
L'annonce ! – dit le Juge – levant les bras au ciel.
Vous ne regretterez pas votre mission, Robak,
Le monastère non plus. Deux cents moutons triés sur le volet
Je donne pour le monastère. Mon Père, hier vous brûliez d'admiration
Pour mon petit alezan, et louiez les mérites du bai :
Ce jour même, tous deux ils partiront dans cette charrette de quêteur ;
Aujourd'hui ce que vous voulez demandez-moi, ce qu'il vous plaît,
Je ne le refuserai pas !... Mais au sujet de toute cette affaire
Avec le Comte, n'insistez pas : il m'a fait tort, je l'ai déjà assigné ;
Conviendrait-il de revenir là-dessus ? »

                    Le religieux étonné se tordit les mains.   210
Les yeux rivés sur le Juge, haussant les épaules,
Il dit : « Alors que Napoléon à la Lituanie la liberté apporte,
Alors que le monde entier tremble, vous pensez à votre procès ?
Et après tout ce que je vous ai dit,
Tranquillement vous allez rester assis, les bras croisés,
Au moment où il faut agir ! » « Agir ? Comment ? » demanda le Juge.
« Dans mes yeux – dit Robak – vous ne l'avez pas encore lu ?
Le cœur ne vous dit toujours rien ? Ah, mon frère !
Si une seule petite goutte de sang des Soplica coule en vos veines,
Considérez seulement ceci : les Français attaquent de front...   220
Et si l'on suscitait un soulèvement du peuple à l'arrière ?

---

[171] *La République des Deux Nations se composait du Royaume de Pologne (encore appelé « la Couronne ») et du Grand-Duché de Lituanie.*

Qu'en pensez-vous ? Que le Pahonie hennisse[172], qu'en Samogitie
L'ours rugisse[173] ! Ah, si quelque mille personnes,
Même seulement cinq cents, attaquaient Moscou par derrière
Et, comme un incendie, à l'entour répandaient le soulèvement,
Si nous, sur Moscou récupérant force canons, étendards,
En vainqueurs allions accueillir nos compatriotes sauveurs ?...
Nous avançons ! Napoléon, voyant nos lances,
Demande : quelles sont ces troupes ; et nous de crier : « Des insurgés,
Illustrissime Empereur ! Des volontaires lituaniens ! »   230
Il demande : qui est leur chef ? « Le Juge Soplica ! »
Ah, qui après cela oserait piper mot de Targowica ?...
Mon frère, tant que les Ponary seront debout, que le Niémen coulera,
Le nom des Soplica en Lituanie sera célèbre ;
Leurs petits-enfants, arrière-petits-enfants, la capitale des Jagellon
Les montrera du doigt en disant : voilà un Soplica,
De ces Soplica qui les premiers ont fait le soulèvement ! »

A cela le Juge rétorque : « Peu m'importe le bavardage des gens ;
Je ne me suis jamais beaucoup préoccupé des louanges du monde :
Dieu m'est témoin que des péchés de mon frère je suis innocent ;   240
Je ne me suis jamais beaucoup mêlé de politique,
Remplissant ma fonction et labourant mon lopin de terre.
Mais, gentilhomme, j'aimerais effacer la tache de ma maison ;
Mais, Polonais, j'aimerais faire quelque chose pour mon pays,
Ne serait-ce que donner mon âme. Au sabre, je n'ai jamais été très fort ;
Cela dit, les gens de moi aussi ont reçu des raclées,

---

[172] *Le Pahonie (« Pogoń » en polonais) est l'emblème historique de la Lituanie
et de la Biélorussie. Il représente un chevalier brandissant une épée et chevauchant un cheval qui se cabre ; on le fait figurer parfois sur le drapeau « historique » blanc et rouge de la Biélorussie :*

[173] *Initialement duché indépendant, la Samogitie fut vassalisée par le Grand-
Duché de Lituanie à partir du 13ème siècle. Sur ses armoiries figure un ours.*

On sait que pendant les dernières diétines polonaises
J'ai défié et blessé les deux frères Buzwik,
Qui… Mais peu importe. Quelle est votre idée ?
Y a-t-il besoin de se mettre tout de suite en campagne ?   250
Rassembler des tireurs est chose facile ; j'ai de la poudre en quantité ;
Au presbytère chez le curé il y a quelques petits canons ;
Je me rappelle que Jankiel a dit que chez lui
Il avait des fers de lance, que je pouvais les prendre en cas de besoin ;
Ces fers il les a rapportés tout empaquetés de Königsberg,
En cachette ; on va les prendre, et fabriquer tout de suite les hampes ;
On ne manquera pas de sabres ; les gentilhommes monteront à cheval,
Moi et mon neveu en tête, et – cela devrait aller[174] ! »

     « O sang polonais ! – s'écria le Bernardin ému,
Se précipitant sur le Juge les bras ouverts –   260
Brave rejeton des Soplica ! Dieu vous a prescrit
De laver les péchés de votre vagabond de frère !
Je vous ai toujours estimé ; mais dorénavant
Je vous aime, comme si nous étions frères !
Nous allons tout préparer ; mais de sortir il n'est pas encore temps ;
Moi-même je vous désignerai l'endroit et fixerai le moment.
Je sais que le tsar à Napoléon a envoyé des émissaires
Pour demander la paix ; la guerre n'est pas déclarée,
Mais le prince Joseph sait par monsieur Bignon[175],
Un Français faisant partie du conseil de l'empereur,   270
Que toutes ces discussions n'aboutiront à rien,
Qu'il y aura la guerre. Le prince en éclaireur m'a envoyé
Avec l'ordre que les Lituaniens soient prêts
A démontrer à Napoléon, qui arrive,
Qu'à nouveau à leur sœur, la Couronne[176], ils veulent s'unir
Et exigent que la Pologne soit restaurée.

---

[174] *Expression devenue proverbiale en Pologne, pour stigmatiser le manque de préparation et l'inconséquence de certaines entreprises.*
[175] *Louis Bignon, envoyé en 1810 par Napoléon en Pologne comme chargé d'affaires, ce qui lui rapportera le titre de Baron de l'Empire.*
[176] *Voir la note 171.*

En attendant, mon frère, il faut arriver à un arrangement avec le Comte.
C'est un original, un peu fantasque, mais jeune,
Honnête, bon Polonais : on a besoin de gens comme lui.
Dans les révolutions les originaux sont très utiles :   280
Je le sais par expérience ; même les sots ne sont pas de trop,
Pourvu qu'ils soient honnêtes et commandés par des gens intelligents.
Monsieur le Comte jouit d'un grand prestige auprès de la noblesse,
Tout le district bougera si lui bouge ;
Connaissant son patrimoine, tout gentilhomme dira :
Ce doit être une affaire sûre, si les seigneurs sont dans le coup.
Je m'empresse de le rejoindre… » « Qu'il fasse le premier pas –
Dit le Juge – qu'il vienne ici et me demande pardon ;
Ne suis-je pas le plus âgé, titulaire d'une fonction !
Quant au procès, le jugement amiable sera… »   290
Le Bernardin claqua la porte. « Eh bien, bon vent ! »
Dit le Juge.

          Le religieux se précipita vers sa voiture arrêtée à la porte,
Il cravache les chevaux, leur bat les flancs avec les rênes ;
Le tacot part tel une flèche, disparaît dans les nuages de brume ;
Seule de temps à autre du moine la capuche brune
Emerge de la brume comme un vautour au-dessus des nuages.

          L'Huissier depuis longtemps vers la maison du Comte était parti,
Pareil au renard expérimenté, lorsqu'attiré par l'odeur du lard,
Il court dans sa direction, mais au fait des secrètes ruses des chasseurs,
Avance, s'arrête, sans cesse se tapit, lève la queue   300
Et comme d'un éventail s'en sert pour contre son nez rabattre le vent
Et l'interroger, au cas où les chasseurs le mets auraient empoisonné,
Ainsi Protazy, ayant quitté la route, longeant la bande de pré fauché,
Tourne autour de la maison ; il fait tourner son bâton,
Feignant d'avoir aperçu quelque part du bétail dans les cultures.
Ainsi, habilement louvoyant, près du jardin il se retrouve ;
Il s'est baissé, court comme s'il poursuivait un râle des genêts,
Et soudain par-dessus une clôture saute et retombe dans le chanvre.

     Cette verte, odorante et dense plantation
Entourant la maison constitue un refuge sûr pour les animaux   310

Et les hommes. Maintes fois un lièvre dans les choux surpris,
Plus sûrement que dans des buissons bondit pour s'y cacher :
En raison de la densité de son feuillage aucun lévrier ne l'y poursuivra,
Ni aucun chien ne le flairera à cause de son odeur trop prégnante.
Dans le chanvre, le serviteur du manoir, fuyant le fouet
Ou le poing, silencieux se cache attendant que le maître se calme.
Et souvent même des paysans fuyant la conscription,
Quand la police dans les bois les piste, dans le chanvre se collent.
Voilà pourquoi au moment des batailles, des raids, des saisies,
Les deux camps aucun effort ne ménagent   320
Pour occuper la plantation de chanvre,
Qui par devant jusque sous les murs du manoir se prolonge,
Et par derrière, généralement contiguë à celle du houblon,
Attaque et retraite devant l'ennemi dissimule.

 Protazy, bien que personne hardie, ressentit une certaine frayeur,
Car à l'odeur même de la plante il se rappela
De son passé d'huissier diverses aventures,
L'une après l'autre, prenant les feuilles de chanvre à témoin :
Lorsqu'une fois un gentilhomme cité de Telsze[177], Dzindolet,
Lui ordonna, en lui appuyant son pistolet sur la poitrine,   330
De ramper sous la table et rapporter sa citation en aboyant tel un chien,
Si bien que séance tenante dans le chanvre l'Huissier dut se réfugier.
Puis comment Wołodkowicz, seigneur fier et arrogant[178],
Qui dispersait les diétines, outrageait les tribunaux,
Ayant reçu une citation officielle, la déchira en morceaux,
Et à sa porte plaçant ses sbires armés de bâtons,
Lui-même au-dessus de la tête de l'Huissier tenait son épée nue
En criant : « Ou je te raccourcis, ou tu manges ton papier ! »
L'Huissier feignit de commencer à manger, comme un être raisonnable,
Jusqu'à ce que, à la fenêtre parvenu, dans la culture de chanvre il chût.
             [340

---

[177] *Capitale historique de la Samogitie, au nord-ouest de la Lituanie actuelle.*
[178] Après de nombreuses bagarres, il fut appréhendé à Minsk et fusillé par ordonnance du tribunal.

A vrai dire, à présent il n'était plus d'usage en Lituanie
De se débarrasser des citations par le sabre ou le fouet,
Et à peine parfois l'huissier prenait-il une engueulade ;
Mais Protazy de ce changement de mœurs
Ne pouvait être informé, de citation depuis longtemps n'ayant délivré.
Bien que toujours disponible, bien que lui-même sollicitant le Juge,
Celui-ci jusqu'à présent, par égard pour son grand âge,
De céder à ses prières avait refusé ; ce jour son offre il avait acceptée
Par une urgente nécessité.

        L'Huissier observe, vigilant :
Tout est silencieux ; doucement dans le chanvre il plonge les mains,
                                                    [350
Et écartant les tiges serrées, dans la végétation
Comme un pêcheur fait du sous-l'eau ;
Il a relevé la tête : silence partout ; sous les fenêtres il se glisse :
Silence partout ; à travers elles, les profondeurs du palais il inspecte,
Partout le vide ; sur le perron il pénètre, non sans crainte,
Tourne la poignée – c'est désert comme dans une bâtisse enchantée ;
Il sort sa citation, à haute voix lit l'assignation.
Alors il entendit un bruit de voiture, et sentit son cœur tressaillir,
Voulut fuir… quand du dehors quelqu'un vint à sa rencontre :
Par chance, il le connaissait ! Robak ! Les deux n'en revinrent pas. 360

    Visiblement le Comte était parti quelque part avec tous ses gens,
Et devait être très pressé, car la porte ouverte il avait laissée.
On voyait qu'il s'était armé : il y avait des fusils à deux canons
Et des carabines sur le plancher, plus loin des chiens, des écouvillons,
Et des outils d'armurier avec lesquels ces armements
On avait réparés ; de la poudre, du papier : on avait fait des cartouches.
Le Comte avec tous ses gens était-il parti à la chasse ?
Mais pourquoi ces armes blanches ? Ici un sabre sans garde,
Rouillé, là une épée sans dragonne :
Dans ce bric-à-brac on avait sûrement récupéré des armes,   370
Et même farfouillé dans les vieux dépôts.
Robak soigneusement examina les mousquets et les épées,
Puis se rendit à la ferme pour se renseigner,
Cherchant des domestiques pour s'enquérir du Comte.

Dans la ferme déserte, à peine trouva-t-il une paire de bonnes femmes,
Pour l'informer que le seigneur et son équipe
Ont fait route ensemble, armés, vers Dobrzyn.

Le village de nobles de Dobrzyn est célèbre par toute la Lituanie
Pour le courage de ses gentilshommes et la beauté de ses gentes dames.
Jadis puissant et très peuplé : car lorsque le roi Jean III[179]   380
Déclara la levée en masse au moyen des faisceaux[180],
Le porte-enseigne de la voïévodie, du seul village de Dobrzyn
Lui amena six cents gentilhommes en armes. A présent la communauté
S'est réduite, appauvrie. Jadis auprès des cours seigneuriales,
Ou à l'armée, dans les raids, les rassemblements de diétines,
Les Dobrzyniens avaient la vie facile.
A présent, pour eux-mêmes ils étaient obligés de travailler,
Comme des paysans-mercenaires ! toutefois, de sarraus
Ils ne portent point, mais des tuniques blanches à rayures noires,
Et le dimanche des kontusz. Pareillement, la tenue de leurs dames   390
Les plus modestes diffère des blouses paysannes :
D'ordinaire elles portent des robes de coutil ou de percale,
Font paître le bétail non en sandales d'écorce, mais en petits souliers,
Et fauchent le blé, et même filent, gantées.

Les Dobrzyniens se distinguaient de leurs frères lituaniens
Par leur langue, et aussi par leur taille et leur allure.
Purs-sangs polonais, ils avaient tous le cheveu noir,
Le front haut, les yeux noirs, le nez aquilin ;
Ils tiraient leurs origines ancestrales de la terre de Dobrzyń,
Et bien qu'établis depuis quatre cents ans en Lituanie,   400

-----

[179] *Jean III Sobieski, qui régna de 1674 à 1696.*
[180] Quand le roi devait procéder à une levée en masse, il ordonnait de planter dans chaque paroisse un grand mât avec, suspendu au sommet, un balai ou faisceau. Cela s'appelait : promulguer les faisceaux. Tout adulte chevalier de son état était tenu, sous peine de perdre son titre de noblesse, de se présenter immédiatement sous l'enseigne de sa voïévodie.

Ils avaient conservé leur langue et leurs coutumes de Mazurs[181].
Lorsque l'un d'entre eux son enfant baptise et lui donne un prénom,
Toujours un saint de la Couronne[182] il choisit comme patron :
Saint Barthélémy ou saint Matthieu :
C'est ainsi que le fils de Matthieu toujours s'appelait Barthélémy,
Et le fils de Barthélémy toujours Matthieu s'appelait :
Les femmes toujours Kachna ou Maryna[183] étaient baptisées.
Pour s'y reconnaître dans un tel embrouillamini,
Ils prenaient des surnoms tirés de tels ou tels qualité
Ou défaut, les hommes comme les femmes.   410
Aux hommes on donnait parfois plusieurs surnoms,
En signe de mépris ou de respect de la part de leurs compatriotes ;
Parfois le même gentilhomme autrement à Dobrzyn
Et autrement chez les voisins est appelé ;
Imitant les Dobrzyniens, d'autres gentilshommes des environs
Des surnoms ont également adopté, appelés « imioniska »[184].
A présent, pratiquement toutes les familles en font usage,
Et rares sont ceux qui savent que de Dobrzyn ils tirent leur origine,
Et qu'ils y étaient nécessaires : alors que dans le reste du pays,
Par une sotte imitation, dans les habitudes ils sont entrés.   420

   Et donc Matthieu Dobrzyński, qui était à la tête
De tout le clan, était appelé *Petit coq sur l'église* ;
Puis, à partir de l'année dix-sept cent quatre-vingt-quatorze,
Changeant son surnom, il se baptisa *Zabok*[185] ;
Les Dobrzyniens eux-mêmes le nomment également *Petit Roi*[186],
Tandis que les Lituaniens *Matthieu des Matthieu* l'ont appelé.

---

[181] *Les Mazurs vivaient non pas en Mazurie, mais en Mazovie, région de plaines autour de Varsovie ; la terre de Dobrzyń se situe aujourd'hui dans la voïévodie de Cujavie-Poméranie, au centre-nord de la Pologne actuelle.*
[182] *Par opposition aux prénoms du Grand-Duché de Lituanie : voir la note 171.*
[183] *Formes familières de Catherine et Marie.*
[184] Les « imioniska » sont en fait des sobriquets.
[185] *Littéralement « au côté » : allusion à sa propension à saisir son sabre pendant l'insurrection de Kościuszko (voir la note 5).*
[186] *Jeu de mots entre les deux sens de « Królik » : petit roi et lapin.*

Comme lui-même sur les Dobrzyniens, sa maison sur le village
Régnait, située entre l'auberge et l'église.
Visiblement peu fréquentée, elle abrite l'indigence :
Le portail sans battants reste béant, les jardins sans clôture   430
Sont en friche, les plates-bandes sont déjà envahies de petits bouleaux ;
Et pourtant cette ferme passait pour être le chef-lieu du village,
Car mieux proportionnée que les autres chaumières, plus spacieuse,
Avec son côté droit, où se trouve la pièce d'habitation, en brique.
A côté, la remise, le grenier, la grange, l'étable et l'écurie,
L'un sur l'autre, comme il en va d'habitude chez les gentilshommes ;
Le tout extraordinairement vieux, décrépit. Les toits de la maison,
Comme s'ils étaient recouverts de tôle verte luisante, étaient brillants
De mousse et d'herbe, aussi luxuriante que dans une prairie.
Sur le chaume des granges, comme dans des jardins suspendus,   440
Poussent diverses plantes, orties et carthames rouges,
Molènes jaunes, mercuriales aux plumets colorés.
Des nids d'oiseaux de toutes sortes, des pigeonniers dans les soupentes,
Des nids d'hirondelle aux embrasures de fenêtre ; à l'entrée, des lapins
Blancs batifolent et creusent des tunnels dans une pelouse vierge.
En un mot : un manoir en forme de volière ou de clapier.

Et pourtant jadis il avait eu un rôle défensif ! Partout plein de traces
Attestant que d'importantes et fréquentes attaques il avait subies.
Au portail, dans l'herbe demeuré, de la taille d'une tête d'enfant,
Il y avait un gros boulet de canon en fer   450
Du temps des Suédois[187] ; jadis un des battants du portail restait ouvert
En s'appuyant sur ce boulet comme sur une pierre.
Dans la cour, au milieu de l'armoise et du chiendent,
D'une douzaine de croix les vieux vestiges se dressent
En terre profane : signe qu'on y a enterré
Des gens morts subitement et par surprise.
Quiconque observera de près la remise, le grenier et la chaumière,
De bas en haut verra des murs criblés
Comme par un essaim d'insectes noirs ; dans chaque trou

---

[187] *Les guerres polono-suédoises eurent lieu entre 1600 et 1629.*

Au centre se loge une balle, telle un bourdon dans une crevasse.   460

Des portes de l'habitation toutes les poignées, clous, crochets
Sont soit coupés, soit de coups de sabre portent les traces :
Ici certainement était éprouvée la qualité des sabres de Sigismond[188],
Avec lesquels sans problème on pouvait décapiter des clous,
Couper un crochet en deux, sans en ébrécher le tranchant.
Au-dessus de la porte on voyait les armoiries des Dobrzyński ;
Mais les armes autour – par des fromages sur étagères étaient masquées
Et ensevelies sous une profusion de nids d'hirondelles.

A l'intérieur de la maison elle-même, dans l'écurie et dans le hangar
On trouvera plein d'armements, comme dans un vieil arsenal.   470
Sous le toit pendent quatre énormes casques,
De fronts martiaux les parures : aujourd'hui, les oiseaux de Vénus,
Les pigeons, roucoulant à l'intérieur, y nourrissent leurs oisillons.
Dans l'écurie un grand haubert, au-dessus de la mangeoire déployé,
Ainsi qu'une cotte de mailles, servent de râtelier,
Dans lequel le garçon aux poulains du trèfle déverse.
Dans la cuisine la cuisinière impie quelques rapières
A détrempées, en les mettant au feu en guise de broches ;
Avec un bâton à panache, butin de Vienne[189], elle émonde le grain :
En un mot, la fermière Cérès a expulsé Mars,   480
Et en compagnie de Pomone, Flore et Vertumne[190] règne
Sur la maison de Dobrzyński, sur sa grange et son aire de battage.
Mais aujourd'hui ces déesses à nouveau doivent céder la place :
Mars est de retour.

Au point du jour, à Dobrzyn arrive

---

[188] *Sabres de luxe fabriqués sous le règne du roi Sigismond III Vasa (1587-1632).*
[189] *Lors de la mémorable victoire de Jean III Sobieski sur les Turcs à la bataille de Vienne en 1683 un butin considérable fut constitué et ramené en Pologne, notamment des armes et des tenues de combat et d'apparat.*
[190] *Pomone est la déesse des fruits ; Vertumne, son amoureux, est le dieu des saisons et des arbres fruitiers.*

Un émissaire à cheval ; il galope de chaumière en chaumière,
Il réveille comme pour la corvée. Les frères gentilhommes se lèvent,
La multitude remplit les rues du village,
On entend crier à l'auberge, on voit des bougies à la cure.
Ça court ; l'un à l'autre demande ce que cela signifie,
Les vieux tiennent conseil, les jeunes sellent leurs chevaux,   490
Les femmes les arrêtent, les garçons se rebiffent,
Ils brûlent de partir, de se battre, mais ne savent contre qui, pourquoi ?
Bon gré, mal gré, il leur faut rester. Au presbytère,
Le conseil se prolonge, long, tumultueux, terriblement confus ;
Et pour finir, à un consensus ne pouvant aboutir, il décide
Au père Matthieu de soumettre toute l'affaire.

    Matthieu avait soixante-douze ans, vieillard fringant
De petite taille, ancien confédéré de Bar[191].
Les siens ainsi que ses ennemis se souviennent
De sa karabela courbe en acier de Damas,   500
Avec laquelle il hachait menu lances et baïonnettes,
Et que par plaisanterie modestement il nommait sa *Vergette*.
De confédéré il devint partisan du roi,
Et tenait avec Tyzenhaus[192], le ministre des finances lituanien ;
Mais lorsque le roi accepta d'adhérer à Targowica[193]
Matthieu à nouveau quitta le parti du roi.
Et du fait que par tant de partis il était passé,
On l'appelait avant *Petit coq sur l'église* :

---

[191] *Confédération formée en 1768 dans la ville de Bar, actuellement située en Ukraine, dont le but était de s'opposer au roi Stanislas II, jugé trop faible pour contrer la politique d'ingérence protectrice de Catherine II. Elle est composée majoritairement de petits nobles catholiques. Se heurtant à l'opposition d'une partie de la grande aristocratie polonaise qui a demandé le soutien de la Russie et de la Prusse, elle réclame à son tour le soutien de l'Autriche, ce qui conduira à l'intervention militaire de ces trois puissances, ... et au premier partage de la République des Deux Nations en 1772.*
[192] *Voir la note 45.*
[193] *Le roi Stanislas-Auguste Poniatowski (Stanislas II) fut contraint de signer l'accord de confédération de Targowica (voir la note 158) en 1792, ce qui lui aliéna beaucoup de partisans.*

Tel une girouette il tournait dans le sens du vent.
On eût vainement supputé la raison de changements si fréquents :   510
Peut-être Matthieu aimait-il par trop la guerre ; vaincu
D'un côté, de l'autre la bagarre à nouveau il cherchait ?
Peut-être que, fin politique, l'esprit du temps il sondait,
Et allait là où il entrevoyait le bien de la patrie ?
Qui sait ? Ce qui est sûr, c'est que jamais ne le séduisirent
Ni l'appétit de gloire personnelle, ni le vil esprit de lucre,
Et que jamais il ne tint avec le parti moscovite ;
A la seule vue d'un Moscale, il écumait et se mettait en boule.
Pour ne pas rencontrer de Moscale, après le partage du pays,
Il restait chez lui, tel un ours végétant dans sa forêt.   520

    La dernière fois qu'il prit les armes, il accompagna Ogiński
A Wilno, où tous les deux étaient sous les ordres de Jasiński[194],
Et là-bas il démontra des prodiges d'audace avec sa *Vergette*.
On sait que tout seul il sauta des remparts de Praga
Pour défendre monsieur Pociej[195] qui, abandonné
Sur le champ de bataille, reçut vingt-trois blessures.
Que tous deux avaient été tués, longtemps on le crut en Lituanie :
Les deux rentrèrent, chacun d'eux perforé comme un tamis.
Monsieur Pociej, noble personne, dès la guerre terminée, voulut
Avec générosité récompenser son défenseur Dobrzyński ;   530
Une ferme avec cinq feux en viager il lui donnait
Et mille zlotys en or par an il lui attribuait.
Mais Dobrzyński lui répondit : « Que Pociej Maciej

---

[194] *En 1794, pendant l'insurrection de Kościuszko, Jasiński, militaire et ingénieur, écrivain et poète, fut chargé de l'organisation du soulèvement de Wilno
contre l'occupant russe. Compte tenu des succès remportés, on lui confia le
commandement général des forces armées lituaniennes. Après différentes péri-
péties et disgrâces, il dut se replier sur Varsovie, où il participa à la défense de
Praga (voir les notes 9 et 10) et y trouva la mort. La chute de Praga sonnait le
glas de l'insurrection de Kościuszko.*
[195] Alexandre, comte Pociej, une fois revenu de guerre en Lituanie, épaulait ses
compatriotes émigrants et envoya d'importantes sommes d'argent à la caisse des
Légions.

Et non Maciej Pociej ait comme bienfaiteur »[196].
Il ne voulut donc pas de la ferme, et refusa la rente ;
Rentré chez lui, il vivait du travail de ses bras,
Fabriquant des ruches pour abeilles, soignant le bétail,
Envoyant au marché des perdrix qu'il attrapait au lacet,
Et chassant le gros gibier.

      A Dobrzyn il y avait assez bien
De personnes âgées et avisées, qui le latin   540
Connaissaient et le droit dans leur jeunesse avaient étudié ;
Il y en avait aussi d'assez riches : et de toute la communauté
C'est ce pauvre béotien de Matthieu qu'on respectait le plus,
Non seulement loué en tant que pourfendeur à la *Vergette*,
Mais aussi en tant qu'homme sage et au jugement sûr,
Du pays connaissant l'histoire, du clan connaissant les mythes.
Au courant aussi bien de la loi que des pratiques agricoles.
Il connaissait également le secret des chasseurs et les remèdes ;
On lui prêtait même (contestée par le curé)
La connaissance de choses surnaturelles et surhumaines. 550
Ce qui est sûr c'est qu'il connaît précisément les changements de temps
Et les devine plus souvent que l'almanach des travaux ruraux.
Pas étonnant dans ces conditions, qu'il s'agisse de commencer à semer,
D'expédier des « wiciny »[197], de moissonner les céréales,
Ou d'engager un procès, ou faire des arrangements,
Que rien à Dobrzyn ne se passait sans que Maciek fût consulté.
Mais le vieillard, loin de rechercher une telle influence,
Au contraire souhaitait s'en débarrasser, rudoyait ses clients,
Et le plus souvent en silence à la porte les mettait.
Avare de ses conseils, il ne les prodiguait pas au premier venu ; 560
A peine, lorsque dans les litiges et les arrangements les plus importants
On l'interrogeait, prononçait-il une phrase, et encore de peu de mots.
Dans l'affaire d'aujourd'hui on pensait qu'il s'engagerait
Et personnellement prendrait la tête de l'expédition ;
Car il adorait la bagarre étant jeune

---

[196] *Jeu de mots entre « Pociej » et « Maciej » (Matthieu).*
[197] *Voir la note 74.*

Et était ennemi de la gent moscovite.

Le vieillard justement dans sa cour déserte se promenait,
Fredonnant la chanson : *Quand l'aurore commence à poindre*[198],
Heureux que le temps se rétablît. La brume ne montait pas,
Comme il en va d'habitude quand les nuages s'accumulent,   570
Mais tombait de plus en plus. Le vent ouvrit ses mains,
Et caressant la brume, l'aplanissant, l'étendait sur la prairie ;
Pendant ce temps le soleil là-haut, de ses milliers de rayons,
Broche ce fond avec des fils d'argent, d'or et de pourpre ;
Comme ce couple de maîtres à Słuck fabriquant une ceinture dorée[199] :
La jeune fille assise en bas du métier assemble les fils de soie
Et de la main aplanit le fond, tandis que du haut le lissier
Lui fait descendre les fils d'argent, d'or et de pourpre,
Créant les couleurs et les fleurs : ainsi aujourd'hui la terre entière
Par le vent est enveloppée de brumes, que le soleil broche.   580

Matthieu au soleil s'est réchauffé, a fini ses prières,
Et s'apprête déjà à se mettre au travail.
Il amena de l'herbe, des feuilles ; s'assit devant la maison et siffla :
A ce sifflement une multitude de lapins jaillit de dessous terre.
Comme des narcisses soudainement éclos au-dessus de l'herbe,
Leurs longues oreilles brillent, toutes blanches ; en dessous, étincelants,
Scintillent leurs petits yeux, tels des rubis de sang
Cousus en abondance dans le velours du vert gazon.
Déjà les lapins sur leurs petites pattes se dressent ; chacun d'eux écoute,
Regarde ; à la fin toute la troupe de blanches peluches   590
Court vers le vieillard, par les feuilles de chou appâtée,
Lui saute aux jambes, sur les genoux, les bras.
Lui, blanc comme ces lapins, les rassemble avec amour
Autour de soi et d'une main caresse leur chaud pelage ;
De l'autre dans l'herbe il balance le millet contenu dans sa casquette
Pour les moineaux : des toits il en tombe une bruyante gueusaille.

---

[198] *« Kiedy ranne wstają zorze » : chant religieux populaire, faisant office de prière matinale.*
[199] *Voir la note 45.*

Alors qu'à la vue de ce festin le vieillard s'amusait,
Soudain les lapins sous terre disparurent, tandis que les bandes
De moineaux sur le toit se réfugièrent, face aux nouveaux arrivants
Qui d'un pas décidé se dirigeaient vers la ferme.   600
C'étaient, du presbytère par l'assemblée des gentilhommes
Envoyés, des délégués venant chercher conseil auprès de Maciek.
De loin, bien bas saluant le vieillard,
Ils dirent : « Gloire à Jésus Christ »
« Pour les siècles des siècles, amen »[200] leur répondit le vieillard,
Lorsqu'il eut appris l'importance de la délégation,
Il les invite à l'intérieur. Ils entrent, prennent place sur un banc ;
Le premier des envoyés au centre se leva et se mit à exposer l'affaire.

Cependant les gentilshommes arrivaient de plus en plus nombreux :
Pratiquement tous les Dobrzyniens, pas mal de voisins   610
Des villages environnants, avec ou sans armes,
En carrioles et briskas, mais aussi à pied et à cheval.
Ils rangent leurs voitures, attachent leurs petits chevaux aux bouleaux,
Tournent autour de la maison, curieux du résultat des discussions ;
Déjà ils ont rempli la grande pièce, dans le vestibule ils s'agglutinent,
Et d'autres, la tête enfoncée dans l'embrasure des fenêtres, écoutent.

***

---

[200] *Formule consacrée par laquelle on se saluait.*

LIVRE SEPTIEME

LE CONSEIL

*

Sommaire :

Les conseils salutaires de Bartek[201] appelé le Prussard.
Le point de vue militaire de Maciek le Baptiste.
Le point de vue politique de monsieur Buchman.
Jankiel préconise le consensus, que le Canif déchire.
Le discours de Gerwazy, qui démontre les grands effets
de l'éloquence parlementaire.
Les protestations du vieux Maciek.
L'arrivée soudaine de renforts militaires interrompt les délibérations.
Sus à Soplica !

*

---

[201] *Diminutif de Barthélémy.*

C'était au tour du délégué Bartek de faire son exposé.
Ce dernier, qui souvent en barge se rendait à Königsberg,
Etait appelé Prussard par ses compatriotes ;
Par plaisanterie, car des Prussards il avait horreur,
Bien qu'aimant parler d'eux. Personne assez âgée,
Il avait vu beaucoup de pays dans ses lointains voyages ;
Lecteur assidu de gazettes, au fait de la politique,
Il pouvait donc passablement éclairer les débats.
Il achevait son propos de cette manière :

« Ce n'est pas, messire Matthieu,
Mon frère et de nous tous le Père Bienfaiteur,   10
Ce n'est pas rien comme aide. Moi aux Français
Je ferais confiance en temps de guerre comme si j'avais les quatre as.
C'est un peuple aguerri, et depuis le temps de messire Thaddée
Kościuszko, le monde n'a pas connu de génie
Militaire pareil au grand empereur Bonaparte.
Je me souviens, lorsque les Français ont franchi la Warta[202] ;
J'étais à l'étranger à l'époque, en l'an du Seigneur
Mille huit cent six ; avec Gdańsk justement
Je commerçais, et j'ai beaucoup de parents dans la région de Poznań.
J'allais leur rendre visite ; et donc avec monsieur Joseph   20
Grabowski[203], aujourd'hui commandant de régiment,

---

[202] *Rivière affluent de rive droite de l'Oder, passant à Częstochowa et à Poznań,
au centre-ouest de la Pologne actuelle, en Grande-Pologne.*
[203] *Allusion au châtelain habitant la région de Poznań chez qui Adam Mickiewicz séjourna en 1831. Il fut officier dans les armées napoléoniennes de 1812 à*

Qui à l'époque vivait à la campagne à proximité de Obiezierz,
Nous chassions le petit gibier.
La paix régnait en Grande-Pologne, comme actuellement en Lituanie ;
Et voilà que soudain la nouvelle se répandit d'une terrible bataille.
Un envoyé de monsieur Tödwen[204] nous arriva en catastrophe :
Grabowski lut le courrier, et s'écria « Iéna ! Iéna !
On a ratiboisé les Prussards, complètement, on a gagné ! »
Moi, sautant de cheval, aussitôt tombai à genoux,
Rendant grâce à Dieu… Nous nous rendons en ville,   30
Comme pour affaires, comme si de rien n'était :
Et là nous voyons tous les *Landrat*, les *Hofrat*[205],
Les commissaires, et tous les autres rats du même acabit
Qui nous saluent bien bas ; tous tremblent, pâlissent,
Comme de la vermine prussarde qu'on ébouillante.
Et nous, riant, nous frottant les mains, demandons humblement
Des nouvelles ; nous les questionnons à propos de Iéna.
Là, la peur s'empare d'eux ; ils s'étonnent que de cette catastrophe nous
Soyons déjà informés ; les Allemands crient « *Herr Gott* ! *O Weh* ! »[206]
Le nez baissé, ils filent chez eux, puis de chez eux se carapatent –   40
Quel remue-ménage ! Toutes les routes de Grande-Pologne
Pleines de fuyards. Les Teutons comme des fourmis
Grouillent, tirent des voitures que les gens là-bas appellent
Des *Wagen* et des *Fahrzeug* ; des hommes, des femmes,
Avec des pipes, des bouilloires, traînent des caisses, des édredons ;
Ils se débinent comme ils peuvent. Et nous en silence on se concerte :
A cheval, pour empêcher la retraite des Allemands !
Aux *Landrat* leur taper sur l'échine, des *Hofrat* faire des côtelettes,

----

1814 et joua un rôle actif dans la vie économique et politique du Grand-Duché
de Poznań constitué en 1815 sous administration prussienne.
[204] *Famille aristocratique d'origine estonienne.*
[205] *De l'allemand Landrat et Hofrat, respectivement commandant de district en
Prusse, et haut-fonctionnaire de la Cour dans les provinces allemandes et au-
trichiennes.*
[206] *« Mon Dieu ! Quel malheur ! ».*

Et les *Herr* Officiers les tirer par leurs « harcaby[207] » !
Et le général Dąbrowski rentre dans Poznań   50
En apportant l'ordre impérial : se soulever !
En une seule semaine, les Prussards par nos gens ont si bien été rossés
Et expédiés, que les Allemands étaient devenus introuvables !
Et si comme eux on se remuait et si, vite fait bien fait,
Chez nous aussi en Lituanie on administrait à Moscou pareille raclée ?
Qu'en pensez-vous donc Matthieu ? Si à Bonaparte
Moscou cherche des noises, lui ne fera pas la guerre pour rire :
C'est le premier conquérant du monde, et des armées il en a à la pelle !
Qu'en pensez-vous donc Matthieu, notre petit père Lapin[208] ? »

Il en avait terminé. Tous attendent le verdict de Matthieu.   60
Ce dernier n'avait ni opiné du chef, ni levé les yeux,
Mais à plusieurs reprises s'était contenté de porter la main au côté,
Comme s'il cherchait son sabre (depuis l'occupation du pays
Il ne portait plus le sabre ; cependant, selon son ancienne habitude,
A l'évocation des Moscales il portait toujours la main
Au côté gauche : à la recherche de sa *Vergette* il tâtonnait sûrement ;
D'où son surnom universellement connu de *Zabok[209]*).
Mais déjà il avait relevé la tête ; ils écoutent dans un profond silence.
Matthieu déçut l'attente générale,
Fronçant les sourcils et à nouveau inclinant la tête sur sa poitrine.   70
Il finit par s'exprimer, lentement chaque mot
Détachant avec force, et l'accompagnant d'un hochement de la tête.

« Du calme ! d'où sort donc toute cette nouveauté ?
A quelle distance sont les Français ? qui les commande ?
Ont-ils déjà commencé la guerre avec Moscou ? où et dans quel but ?
Par où doivent-ils passer ? de quelle puissance disposent-ils ?
Combien d'infanterie, de cavalerie ? Que celui qui sait parle ! »

----

[207] *Tiré de l'allemand « Haarzopf » : natte que les hommes portaient jusqu'à la fin du 18ème siècle.*
[208] *Voir la note 186.*
[209] *Voir la note 185.*

L'assistance se taisait, les gens successivement se regardant.
« Je serais d'avis – dit le Prussard – d'attendre le Bernardin
Robak, car l'information vient de lui ;   80
D'ici là, envoyer quelques espions à la frontière,
Et discrètement armer toute la contrée,
Tout en faisant les choses prudemment,
Afin de ne pas éveiller l'attention des Moscales ».

« Patienter ? aboyer ? reporter ? » l'interrompit le second Matthieu,
Baptisé le Cogneur[210], à cause de sa grosse massue,
Qu'il appelait son petit goupillon. Aujourd'hui il l'avait avec lui ;
Il se plaça derrière elle, posa les deux mains sur son extrémité ronde,
Et y appuya le menton, criant : « Patienter ! reporter !
Délibérer ! Hem, trem, brem, et ensuite se sauver !   90
Moi je ne suis pas allé en Prusse ; la raison de Królewiec[211],
C'est bon pour les Prussiens, mais chez moi, c'est la raison des nobles.
Je sais une chose : que celui qui veut se battre, prenne son goupillon ;
Que celui qui veut mourir appelle le curé, et basta !
Moi je veux vivre, cogner ! un Bernardin ? sommes-nous des clercs ?
Qu'ai-je à faire de Robak : c'est nous qui serons des vermisseaux[212],
Et finirons par ronger Moscou ! Trem, brem, espions, éclaireurs,
Savez-vous ce que cela signifie ? Que vous êtes des gueux,
Des incapables ! Mes frères, c'est l'affaire des braques de pister,
Celle des bernardins de quêter, et la mienne, c'est de cogner ;   100
Cogner, encore cogner et basta ! » Alors il caressa sa massue,
Et avec lui la foule des nobles en chœur brailla « Cogner, cogner ! »

---

[210] *C'est ainsi que nous traduisons le surnom du second Matthieu, « kropiciel »,
du verbe « kropić » signifiant « asperger », mais aussi familièrement « cogner,
tabasser... » ; d'où le surnom de « kropidło », « goupillon », donné à sa massue,
... et aussi son deuxième surnom « chrzciciel », « baptiste ».*
[211] *Königsberg en polonais, aujourd'hui Kaliningrad : ancienne capitale de la
Prusse orientale, la ville où est né et décédé le philosophe Kant, prince de la
raison.*
[212] *Voir la note 32.*

Le parti du Baptiste[213] fut soutenu par Bartek, dit le Petit rasoir
Du fait de son sabre au fin tranchant, et aussi Matthieu dit l'Arrosoir
Du fait de son escopette, au goulot si évasé
Qu'il en faisait gicler une douzaine de balles comme d'un arrosoir.
Les deux criaient : « Vive le Baptiste et son petit goupillon ! »
Le Prussard voulut parler, mais sa voix fut couverte par le tumulte
Et les rires ; « Dehors – criait-on – dehors ces froussards de Prussards !
Les froussards n'ont qu'à se cacher sous un froc de bernardin ! »   110

Là-dessus, Matthieu le vieux à nouveau lentement releva la tête,
Et le brouhaha commença à s'apaiser quelque peu :
« Ne raillez pas Robak – dit-il – je le connais, c'est un curé malin,
Un vermisseau qui en a vu d'autres que vous.
Je ne l'ai vu qu'une seule fois : en un coup d'œil, tout de suite
J'ai reconnu l'oiseau ; le curé a détourné les yeux,
Craignant que je ne commence à le confesser ;
Mais ce n'est pas mon affaire de développer ce sujet !
Il ne viendra pas ici, pas la peine de convoquer le bernardin.
Si c'est de lui que viennent toutes ces nouvelles,   120
Qui sait ce qu'il a derrière la tête : ce brave curé est un démon !
Si vous n'en savez pas plus que cela,
Pourquoi donc êtes-vous venus ici ? et que voulez-vous ? »

« La guerre ! » crient-ils. – Il demande : « Laquelle ? » – Ils crient :
« La guerre avec le Moscale ! Se battre ! Sus aux Moscales ! »

Le Prussard continuait à crier, sur un ton de plus en plus aigu ;
Et finit par se faire entendre, pour partie grâce à ses prières insistantes,
Pour partie grâce à sa voix criarde et grêle.

« Moi aussi je veux me battre – criait-il en se frappant la poitrine –
Bien que n'ayant pas de goupillon, avec une perche de wicina[214]   130
Un fameux baptême j'ai donné un jour à quatre Prussards,

---

[213] *Alias le Cogneur : voir la note 210 supra.*
[214] *« Wicina » : singulier de « wiciny » (voir la note 74).*

Qui, en état d'ivresse, dans le Pregel[215] voulaient me noyer ».
« Bien joué, Bartek – dit le Baptiste – c'est bien ! cogner, cogner ! »
« Mais, doux Jésus ! d'abord il faut savoir
Avec qui on se bat ? pour quoi faire ? il faut le faire savoir –
S'époumonait le Prussard – sinon, comment le peuple nous suivra-t-il ?
Où ira-t-il, si nous-mêmes ne le savons pas ?
Frères gentilhommes ! Messieurs ! il faut du bon sens !
Mes très chers ! il faut de l'ordre et de la méthode !
Vous voulez la guerre, alors faisons une confédération ;			140
Réfléchissons, où la constituer et à quelle enseigne ?
C'était comme ça en Grande-Pologne : nous voyons la débâcle
Allemande : que faisons-nous ? nous nous concertons en secret,
Armons et la noblesse et un groupe de villageois ;
Une fois prêts, les ordres de Dąbrowski nous attendons ;
Et à la fin, hop à cheval ! d'un seul coup nous nous soulevons ! »

   « Je demande la parole ! » cria le sieur administrateur de Kleck[216],
Un homme jeune, bien fait, habillé à l'allemande.
Il s'appelait Buchman, mais était Polonais, né en Pologne ;
On ne savait avec certitude s'il était d'origine noble,			150
Mais l'on ne s'en enquérait pas ; et de tous Buchman
Etait respecté, étant donné qu'il servait chez un grand seigneur,
Etait bon patriote et très savant,
Dans les livres étrangers il avait appris l'art d'exploiter la terre,
Et administrait remarquablement les biens ;
De politique également il opinait sensément,
Magnifiquement écrivait et aisément s'exprimait.
C'est pourquoi tous firent silence lorsqu'il commença à pérorer :
« Je demande la parole ! » répéta-t-il, se râcla la gorge par deux fois,
Salua et de sa bouche suave laissa tomber ces paroles :			160

   « Mes préopinants dans leurs propos éloquents
Ont évoqué tous les points essentiels et décisifs,

---

[215] *Rivière passant à Königsberg.*
[216] *Petite ville en Biélorussie actuelle, autrefois sur les terres de la famille Rad-ziwiłł.*

Et porté la discussion à un niveau élevé ;
Il ne me reste qu'à réunir dans un même creuset
Des idées et raisonnements émis avec pertinence :
J'espère de cette façon concilier des avis contradictoires.
J'ai remarqué deux parties dans toute cette discussion ;
Cette partition étant faite, je vais la suivre.
D'abord : pourquoi nous faut-il entreprendre une insurrection ?
Dans quel esprit ? voilà une première question, existentielle ;   170
La deuxième concerne le pouvoir révolutionnaire :
La partition est pertinente, mais je souhaite l'inverser.
Commencer par le pouvoir : quand je l'aurai défini,
J'en déduirai l'essence, l'esprit, le but de l'insurrection.
Donc, pour ce qui est du pouvoir – lorsque je parcours du regard
L'histoire de l'humanité entière, qu'y vois-je ?
Que le genre humain à l'état sauvage, dispersé dans les forêts,
Se rassemble, se concentre, s'associe en vue d'une défense commune,
Y réfléchit ; voilà la première des délibérations.
Ensuite chacun à une parcelle de sa propre liberté renonce   180
Pour le bien commun : voilà la première des lois,
Dont découle, comme d'une source, tout le droit.
On voit alors d'un commun accord se former un gouvernement,
Ne dérivant pas, comme on le pense à tort, d'une volonté divine.
Et donc, sur un contrat social[217] ce gouvernement s'appuyant,
Le partage du pouvoir n'en est plus qu'une nécessaire conséquence ».

Des contrats ! Ceux de Kiev ou de Minsk ? –
Dit le vieux Matthieu – à moins que ce soit ceux de Babin[218] !
Monsieur Buchman, est-ce Dieu qui a voulu nous imposer le tsar,
Ou le diable, je ne vais pas me disputer avec vous à ce propos :   190
Dites-nous plutôt, monsieur Buchman, comment on pourrait le virer ».

« Voyez ce gourdin – cria le Cogneur – si je pouvais bondir

_____

[217] *Allusion transparente à Jean-Jacques Rousseau !*
[218] *Au 16ème siècle, la noblesse lettrée avait constitué ladite République de Babin,*
village de la région de Lublin ; dans cette caricature d'Etat, les fonctionnaires
étaient désignés suivant les critères les plus fantaisistes.

Jusqu'au trône et de mon Goupillon, floc, bénir le tsar une bonne fois,
Il ne reviendrait plus, ni par le contrat de Kiev,
Ni par celui de Minsk, ni par un quelconque contrat à la Buchman ;
Et ni au nom de Dieu les popes ne pourraient le ressusciter,
Ni au nom de Belzebuth – pour moi le meilleur, c'est celui qui cogne.
Monsieur Buchman, votre discours est très éloquent,
Mais c'est du vent, vlan : cogner ! voilà ce qui compte ».

Oui, oui ! » piailla, se frottant les mains, Bartek le Petit rasoir,   200
Du Baptiste à Matthieu courant comme une navette
Qu'on déplace d'un côté à l'autre du métier à tisser :
« Vous Matthieu à la Verge et vous Matthieu à la massue, il suffit
Que vous vous arrangiez : si Dieu le veut, en miettes nous réduirons
Le Moscale ; le Rasoir se met aux ordres de la Verge ».

« Les ordres – l'interrompit le Baptiste – c'est bon pour la parade ;
Chez nous, dans la brigade de Kowno[219], les ordres
Etaient brefs et laconiques : fais peur, mais toi-même n'aie pas peur ;
Cogne, ne te laisse pas faire ; va de l'avant, frappe de bon cœur :
Pif, paf ! » « Voilà – piailla le Rasoir – voilà mon règlement !   210
A quoi bon faire des écrits, à quoi bon gâcher de l'encre ?
Il faut une confédération ? c'est là l'objet de toute la discussion ?
Notre maréchal, c'est notre Matthieu, et son bâton, c'est la Vergette ».
« Vive – s'écria le Baptiste – le Petit coq sur l'église ! »
Les gentilhommes firent écho. « Vivent les Cogneurs ! »

Mais dans les coins une rumeur, bien qu'étouffée au centre, s'élève,
On voit que le conseil en deux clans se scinde.
Buchman s'écria : « Moi à un accord jamais je n'applaudis !
C'est mon principe ! » Un autre braille : « Je ne suis pas d'accord ! »
D'autres dans les coins lui font écho. Enfin une grosse voix   220
Se fait entendre, celle du gentilhomme Skołuba qui vient d'arriver :

« Qu'est-ce donc, messieurs les Dobrzyniens ! Que mijotez-vous ?
Et nous, allons-nous être mis de côté ?

_____

[219] *Voir la note 121.*

Quand de notre village on nous a invités,
Et c'est le Porte-clés Rębajło Petit Monsieur qui l'a fait,
On nous a dit qu'il allait se passer de grandes choses,
Que cela non seulement les Dobrzyniens, mais tout le district,
Tous les gentilshommes, concernait ; Robak aussi marmonnait cela,
Bien qu'il n'eût jamais conclu et toujours tourné autour du pot,
S'expliquant obscurément. Pour finir, à la fin des fins,   230
Nous nous sommes déplacés, convoquant nos voisins par des coursiers.
Vous n'êtes pas tout seuls ici, messieurs les Dobrzyniens ;
De différents autres villages nous sommes ici quelque deux cents :
Délibérons donc tous ensemble. S'il est besoin d'un maréchal,
Qu'on vote tous ; chaque voix a le même poids.
Vive l'égalité ! »

             Là-dessus les deux Terajewicz
Et les quatre Stypułkowski et les trois Mickiewicz
Crièrent : « Vive l'égalité ! », se mettant du côté de Skołuba.
Cependant, Buchman criait : « L'accord sera notre perte ! »
Le Cogneur criait : « On se passera de vous !   240
Vive notre maréchal, Matthieu des Matthieu !
Aux ordres de son bâton ! » Les Dobrzyniens crient : « D'accord ! »
Et les gentilshommes d'ailleurs crient à tue-tête : « Pas d'accord ! »
La foule se scinde en deux bandes distinctes,
Remuant la tête dans deux directions opposées,
Criant les uns : « *Vetamus !* » -- les autres : « *Rogamus !* »[220].

        Seul Matthieu le vieux restait assis, muet, au centre,
Et seule sa tête restait immobile.
Face à lui, debout, se tenait le Baptiste, les bras pendus
A sa massue, la tête, sur l'extrémité de celle-ci   250
Appuyée, tournant comme une courge fixée au bout d'un long bâton,
Oscillant alternativement soit vers l'arrière, soit vers l'avant,
Et criant sans désemparer : « Cogner, cogner ! »

---

[220] « *Nie pozwalamy* » (vetamus, nous interdisons) » et « *Prosiemy* » (rogamus, nous demandons) étaient des formules consacrées lors des votes houleux des diètes et diétines.

Tandis que le remuant Petit rasoir parcourait la pièce en long, courant
Constamment du Cogneur au banc de Matthieu.
L'Arrosoir, lui, lentement parcourait la pièce dans sa largeur, passant
Des Dobrzyniens aux gentilshommes, comme pour les accorder ;
L'un en permanence criait « Raser ! » et l'autre « Arroser ! »
Matthieu se taisait ; mais on voyait qu'il commençait à se fâcher.

Après un quart d'heure de vacarme, au-dessus de la foule criarde,
                                                                [260
Du milieu des têtes émergea une colonne brillante :
C'était une rapière d'une longueur d'une brasse[221] environ, large
D'un empan, et tranchante des deux côtés,
Visiblement un glaive teuton dans un acier de Nuremberg
Forgé : tous regardaient l'arme en silence.
Qui l'avait levée ? on ne le voyait pas ; mais tout de suite on devina :
« C'est le Canif ! vive le Canif ! – s'écria-t-on –
Vive le Canif, le joyau du village des Rębajło !
Vive Rębajło, l'Ebréché, le Demi-caprin, le Petit Monsieur ! »

Bientôt Gerwazy (c'était lui) dans la foule se fraya un chemin   270
Jusqu'au centre de la pièce, fit briller son Canif autour de lui ;
Puis inclinant sa pointe vers le bas en signe de salutation
Devant Matthieu, dit : « Le Canif salue la Vergette.
Frères gentilshommes Dobrzyniens ! Moi je ne vais pas délibérer
De quoi que ce soit ; je vais seulement dire pourquoi je vous ai réunis :
Et ce qu'il faut faire, comment le faire, décidez-le vous-mêmes.
Vous savez, le bruit en court depuis longtemps dans vos villages,
Que de grandes choses se préparent dans le monde ;
Le père Robak en a parlé : vous êtes tous au courant ? »
« Oui ! » crièrent-ils – « Bien. Donc à tête bien faite –   280
Continua l'orateur, le regard affûté – peu de mots suffisent.
Pas vrai ? » « Oui » dirent-ils. « Quand l'empereur français –
Dit le Porte-clés – d'un côté s'approche, et de l'autre le tsar russe,
Alors c'est la guerre : tsar contre empereur, rois contre rois
Vont s'étriper, comme il en va d'habitude chez les monarques.

---

[221] *La brasse polonaise valait de l'ordre de 1,80 mètres.*

Et nous, nous devrions nous tenir cois ? Quand un grand un autre grand
Va étrangler, nous, étranglons-en de plus petits, chacun le sien.
Chacun à son niveau, les grands les grands, les petits les petits,
Quand nous commencerons à sabrer, toute cette crapulerie s'anéantira,
Et alors fleuriront le bonheur et la République.   290
Pas vrai ? » « C'est vrai – dirent-ils – il parle comme un livre ».
« C'est vrai – répéta le Baptiste – cogne, cogne encore, et basta ! »
« Moi je suis toujours prêt à raser » réagit le Petit rasoir ;
« Mettez-vous cependant d'accord – demanda aimablement l'Arrosoir –
Vous le Baptiste et vous Matthieu, sous les ordres de qui marcher ? »
Mais Buchman l'interrompit : « Que les sots se mettent d'accord,
Les discussions ne feront pas de mal, concernant une question publique.
Silence, écoutons ! l'affaire y gagnera ;
Monsieur le Porte-clés sous un nouvel angle l'envisage ».

« C'est vrai – s'écria le Porte-clés – je suis de la vieille école,   300
C'est aux grands de penser aux grandes choses :
Il y a pour cela l'empereur, il y aura le roi, le sénat, les députés.
De telles choses, mon Petit Monsieur, se font à Cracovie
Ou à Varsovie, mais pas chez nous, dans un village, à Dobrzyn ;
Les actes de confédération ne s'écrivent pas au coin du feu
A la craie, ni sur une « wicina », mais sur du parchemin.
Ce n'est pas à nous d'écrire des actes ; la Pologne dispose d'écrivains
De la Couronne ou du Grand-Duché, ainsi procédaient les anciens ;
Mon affaire à moi est à découper au Canif ». « Au goupillon
A asperger » ajouta le Cogneur. « Au poinçon à graver »   310
S'écria Bartek le Petit poinçon, sortant sa dague.

« Vous tous ici – termina le Porte-clés – je vous prends à témoin,
Robak n'a-t-il pas dit qu'avant de recevoir
Napoléon dans votre maison, il faut en balayer les ordures ?
Tous vous l'avez entendu, mais le comprenez-vous ?
Qui est l'ordure de notre district ? Qui traitreusement a tué
Le meilleur des Polonais, qui l'a volé, l'a spolié,
Et souhaite encore des mains de son héritier arracher ce qui reste ?
Qui donc est-ce ? Dois-je vous le dire ? » « C'est Soplica, pardi –
L'interrompit l'Arrosoir – c'est une canaille ! » « Un tyran ! »   320
Piailla le Petit rasoir – « Il faut donc le cogner ! » ajouta le Baptiste ;

« S'il a trahi – dit Buchman – qu'au gibet on l'envoie ! »
« Sus ! – crièrent tous – sus à Soplica ! »

Mais le Prussard osa prendre la défense du Juge,
Et s'époumonait, les bras levés vers les gentilshommes :
« Messieurs, mes frères ! Aïe, aïe ! par pitié !
Qu'est-ce encore ? Monsieur le Porte-clés, êtes-vous possédé ?
A-t-on parlé de cela ? Que quelqu'un ait eu un cinglé,
Banni du pays, pour frère, pour autant faut-il le punir ?
Voilà bien la charité chrétienne ! Il y a là-dessous des machinations 330
Du Comte ; que le Juge se soit montré dur pour les gentilshommes,
C'est faux ! Grand Dieu ! C'est vous-mêmes
Qui le chicanez, tandis que lui ne cherche qu'à s'arranger,
Fait des concessions, et en sus paie l'amende.
Il a un procès avec le Comte : et alors ? les deux sont riches ;
Que les seigneurs entre eux s'écharpent : que nous importe, frères ?
Monsieur le Juge, un tyran ! Lui qui le premier a interdit
Que devant lui le paysan jusqu'à terre ne s'incline,
Déclarant que c'est un péché. Parfois chez lui un groupe
De paysans, je l'ai vu de mes yeux, partage sa table ;   340
Il a payé les impôts dus par les villageois : il n'en va pas ainsi à Kleck,
Même si, cher monsieur Buchman, à l'allemande vous l'administrez.
Le Juge un traître ! Nous nous connaissons depuis la primaire :
C'était un brave garçon, et l'est resté aujourd'hui ;
Il aime la Pologne par-dessus tout, les traditions polonaises
Maintient, et ne cède pas aux modes moscovites.
Chaque fois que je rentre de Prusse, désirant me laver du germanisme,
Je fais un saut à Soplicowo, comme au centre de la polonité ;
Là-bas à souhait on peut boire, respirer l'air de la patrie !
Je vous assure, Dobrzyniens ! je suis votre frère, mais au Juge   350
Je ne permettrai pas qu'on fasse tort, rien à faire.
Il n'en allait pas ainsi, messieurs mes frères, en Grande-Pologne[222] :
Quelle ambiance ! quelle concorde ! même le souvenir en est plaisant !
Personne là-bas par semblable fantaisie n'eût osé troubler un conseil ».
« Pendre les canailles – s'écria le Porte-clés – n'est pas une fantaisie ! »

---

[222] *A l'arrivée de Napoléon, en 1806 : voir la note 202.*

Le brouhaha s'intensifiait. Alors Jankiel demanda la parole,
Sauta sur un banc, se dressa et par-dessus les têtes fit flotter
Comme une javelle sa barbe qui lui pendait jusqu'à la ceinture.
De sa main droite, lentement il ôta son kalpak de renard ;
De la gauche, il arrangea sa kippa qui avait glissé,   360
Puis cette même main passa derrière sa ceinture, et tint ce langage,
Avec son kalpak de renard s'inclinant bien bas à la ronde :

« Messieurs les Dobrzyniens ! Moi je ne suis qu'un pauvre youpin ;
Le Juge ne m'est ni frère, ni compère ; je respecte les Soplica
Comme des seigneurs très bons et mes maîtres ;
Les Bartek et les Maciej je les respecte également chez les Dobrzyński,
En tant que bons voisins, gentilhommes et bienfaiteurs ;
Et je dis comme ça : si vous souhaitez faire violence
Au Juge, c'est très mal. Cela peut vous amener à vous battre entre vous,
Vous tuer – et alors, les assesseurs ? le commissaire ? la prison ?   370
Car dans le village des Soplica il y a des tas de soldats,
Tous des chasseurs[223] ! L'Assesseur est chez lui : à son coup de sifflet,
Les voilà sur place, comme un fait exprès.
Et qu'arrivera-t-il ? Et si vous attendez le Français,
Le Français est encore loin, la route est longue.
Moi je suis un Juif, j'ignore tout de la guerre, mais j'étais à Bielica[224],
Et là-bas j'ai vu des petits Juifs de la frontière même ;
On dit que le Français stationne sur la rivière Łososna[225],
Et la guerre, si elle a lieu, ce ne sera pas avant le printemps.
Moi je dis comme ça : attendez ! le manoir de Soplicowo,   380
Ce n'est pas un étal de marché que l'on démonte, met sur une charrette,
Et emmène : le manoir tel qu'il est restera jusqu'au printemps ;
Et monsieur le Juge, ce n'est pas un petit Juif gérant d'auberge :
Il ne se sauvera pas, on pourra le retrouver au printemps.

---

[223] *Soldats d'élite de l'infanterie.*
[224] *Petite ville du district de Nowogródek située sur la rive droite du Niémen ; y vivait une importante communauté juive, comme d'ailleurs dans toute la région.*
[225] *Rivière affluent de rive gauche du Niémen, coulant en Pologne et Biélorussie actuelles et rejoignant le Niémen à Grodno.*

Et maintenant séparez-vous, et ne parlez pas tout haut
De ce qui s'est passé ; car ça ne sert à rien d'en parler !
Et qui de vous, messieurs les Nobles, le veut bien, me suive.
Ma Sarah a donné naissance à un petit Jankiel :
Aujourd'hui, je régale tout le monde, et en musique !
Je commanderai une cornemuse, une contrebasse, deux violons   390
Et le bon sieur Maciek aime le vieil hydromel de juillet[226]
Et la nouvelle mazurka : j'ai de nouvelles mazurkas,
Et à mes marmots j'ai appris à *fein*[227] chanter ».

Le discours de l'homme aimé de tous qu'était Jankiel
Toucha les cœurs. Un cri s'éleva, des applaudissements de joie,
Une rumeur d'acquiescement se répandaient, même à l'extérieur,
Quand soudain Gerwazy son Canif pointa sur Jankiel.
Le Juif sauta, dans la foule tomba ; le Porte-clés criait : « Dehors, Juif !
Dans la fente de la porte ne mets pas tes doigts, ce n'est pas ton affaire !
Sire Prussard ! parce qu'au Juge pour commercer vous affrétez   400
Une misérable paire de « wiciny », déjà vous déblatérez en sa faveur ?
Vous avez oublié, Petit Monsieur, que votre père
En Prusse envoyait vingt « wiciny » appartenant aux Horeszko ?
Ce qui fit sa fortune, à lui et à sa famille,
Bah, et même à vous tous, autant que vous êtes, Dobrzyniens.
Car les anciens se souviennent, et les jeunes ont entendu dire
Que le Sénéchal était votre père et bienfaiteur à tous :
Qui envoyait-il comme administrateur de ses biens à Pińsk[228] ?
Un Dobrzynien ! Qui avait-il comme comptables ? Des Dobrzyniens !
La supervision de sa cour, le service de sa table, il ne les confiait à nul
                                                                      [410
Autre qu'aux Dobrzyniens : il avait plein de Dobrzyniens chez lui !
A vos intérêts au tribunal il veillait,
Il préparait chez le roi le pain de votre grâce,
Quantité de vos enfants il plaçait au pensionnat

---

[226] *Voir la note 120.*
[227] *« Bien » en yiddish.*
[228] *Ville actuellement située en Polésie biélorusse (voir la note 141).*

Des Piaristes[229], habillés et nourris à ses frais ;
Aux adultes également il apportait protection par ses contributions :
Et pourquoi faisait-il cela ? parce que votre voisin il était !
Aujourd'hui que Soplica par ses bornes touche les vôtres,
Vous a-t-il un jour fait quelque chose de bien ?

                            « Rien de rien ! –
L'interrompit l'Arrosoir – car de noblaillons ça s'est extrait,   420
Et quand ça se gonfle, pff, pff, pff, comme ça fait le fier !
Vous vous souvenez, je l'ai invité au mariage de ma fille ;
Je mangerai un peu, mais ne boirai pas, qu'il dit : « Je ne bois pas tant
Que vous, les gentilshommes ; vous autres buvez comme des trous ».
Le magnat ! un petit délicat pétri avec de la fine fleur de farine !
Il n'a pas bu ; on lui versait dans le gosier, il criait : « Au viol ! »
Attends un peu que je lui en verse, moi, avec mon Arrosoir ».

     « Un malin – s'écria le Baptiste – ah, moi aussi je vais te le cogner
Pour sa peine. Mon fils, garçon naguère raisonnable,
A présent est devenu tellement sot qu'on l'appelle le Benêt ;   430
Et cela par la faute du Juge.
Je lui disais : pourquoi faut-il que tu te traînes à Soplicowo ?
Si je t'y attrape, que Dieu te garde !
Et lui de nouveau il filait vers Zosia, guettant dans le chanvre :
Je l'attrape, le prends par les oreilles, et cogne ;
Et lui chiale et chiale, comme un petit garçon :
« Père, tuez-moi, mais il faut que j'aille là-bas », et toujours pleure –
« Qu'as-tu donc ? » et lui dit qu'il aime cette Zosia !
Il voudrait la zieuter ! Le pauvre me fait pitié,
Je dis au Juge : « Juge, donnez la main de Zosia au Benêt ! »   440
Lui répond : « Elle est encore petite, attendez encore trois ans,
Si elle-même le veut ». Canaille ! il ment, déjà à quelqu'un il la destine,
Je l'ai entendu. Je réussirai bien à m'inviter à leur mariage ;
Avec mon goupillon je bénirai leur lit de noces ».

_____

[229] *Ordre des Frères des écoles pies, fondé en 1597 par le prêtre aragonais Joseph Calasanz.*

« Et pareille canaille – s'écria le Porte-clés – doit faire la loi ?
Et, meilleurs que lui, détruire mes anciens maîtres ?
Et le souvenir et le nom des Horeszko disparaître !
Où est la gratitude en ce monde ? Pas à Dobrzyn !
Frères ! l'empereur russe vous voulez combattre,
Et craignez la guerre avec la maison des Soplica ?   450
Vous craignez la prison ! Est-ce que j'incite au brigandage ?
Dieu m'en garde ! Frères gentilshommes ! je suis du côté de la loi.
Le Comte n'a-t-il pas eu gain de cause, obtenu maintes ordonnances :
Il ne s'agit que de les exécuter ! C'était comme ça dans l'ancien temps :
Le tribunal rendait son ordonnance ; la noblesse la mettait à exécution,
Et notamment les Dobrzyniens, et de là votre réputation
En Lituanie a grandi ! Ne sont-ce pas les Dobrzyniens eux-mêmes
Qui se sont battus lors du raid de Mysza[230] contre les Moscales,
Amenés par le général russe Wojniłowicz,
Et ce scélérat, son ami, le sieur Wołk de Ługomowicze[231].   460
Vous vous souvenez que nous avons fait prisonnier Wołk,
Que nous voulions le pendre à une poutre de la grange,
Car c'était un tyran pour les paysans et un sbire des Moscales ;
Mais ces sots de paysans ont eu pitié de lui !
(Il faudra bien qu'un jour je le fasse rôtir sur ce Canif).
Je n'évoquerai pas d'autres grands raids, innombrables,
Dont nous sommes toujours sortis, comme il sied aux gentilhommes,
Et avec profit et louange générale, et avec gloire !
A quoi bon le rappeler ? Aujourd'hui en vain monsieur le Comte,
Votre voisin, poursuit la procédure, produit des ordonnances ;   470
Plus personne d'entre vous ne veut aider ce pauvre orphelin !
L'héritier de ce Sénéchal qui jadis en nourrissait des milliers,
Aujourd'hui n'a d'autre ami que moi, le Porte-clés,
Et celui-là, mon fidèle Canif ! »

« Et le Cogneur – dit le Baptiste – Là où vous êtes, petit Gerwazy,
Là aussi je suis ; tant que j'ai un bras, flic-flac je peux faire.
Mais deux c'est mieux ! Pardi, mon Gerwazy ! à vous le glaive,

---

[230] *Village des environs de Nowogródek.*
[231] *Autre village de la région.*

A moi le goupillon ; pardi ! moi je cogne et vous, vous taillez :
Et ainsi pif-paf, flic-flac ; et qu'eux à bavarder continuent ! »

« Bartek non plus – dit le Rasoir – ses frères ne le refouleront pas ;
                                                              [480
Tout ce que vous aurez savonné, moi je le raserai ».
« Et moi aussi – ajouta l'Arrosoir – je préfère avec vous marcher,
Puisque pour choisir un maréchal on ne peut les mettre d'accord ;
Que m'importent les voix, les jetons ! Moi j'ai d'autres jetons.
-- Là il sortit de sa poche une poignée de balles, les fit sonner –
En voilà des jetons ! – s'écria-t-il – pour le Juge, tous les jetons ! »
« A vous – criait Skołuba – à vous, nous nous joignons ! »
« Où vous êtes – cria la noblesse – où vous êtes, là aussi nous sommes !
Vivent les Horeszko ! vivent les Demi-caprins !
Vive le Porte-clés Rębajło ! Sus à Soplica ! »   490

      C'est ainsi que l'éloquent Gerwazy tous les entraîna :
Car tous avaient leurs griefs à l'encontre du Juge,
Comme d'habitude entre voisins : soit pour une culture endommagée,
Soit pour un abattage d'arbres, soit pour des litiges de bornage.
Certains par la colère étaient animés, d'autres seulement par la jalousie
Envers la fortune du Juge – la haine les mit tous d'accord.
Ils se pressent vers le Porte-clés, lèvent en l'air
Sabres et gourdins –

            Jusqu'à ce que Maciek, resté jusqu'alors triste,
Immobile, de son banc se levât et à pas lents
Se dirigeât vers le centre de la pièce, mît les poings sur les hanches, 500
Et regardant devant lui, hochant la tête,
Prît la parole, lentement prononçant chaque mot,
Distinctement et avec insistance : « Insensés ! Insensés !
Insensés que vous êtes ! Vous paierez ce que d'autres ont gagné !
Tant qu'on délibérait de la résurrection de la Pologne,
Du bien public, vous vous querelliez, insensés ?
On ne pouvait, insensés, ni discuter entre nous,
Insensés, ni mettre de l'ordre, ni décider
D'un chef pour vous commander, insensés ! Mais qu'on évoque
Des griefs personnels, insensés, vous vous accordez !   510

Dehors ! Car moi, foi de Maciek, je vous, par les millions
De milliers de milliers de charrettes, tonneaux, fourgons,
Diables !!!... »[232]

Tous se turent, comme foudroyés ;
Mais en même temps un cri terrifiant s'éleva à l'extérieur :
« Vive le Comte ! » Il faisait son entrée dans la ferme des Matthieu,
Lui-même armé, avec à sa suite une dizaine de jockeys armés.
Le Comte, habillé de noir, chevauchait un cheval fougueux ;
Par-dessus son habit, une cape marron de coupe italienne,
Large, sans manches, comme une grande pélerine,
Fermée au cou par une agrafe, lui tombait sur les bras ;   520
Il portait un chapeau rond avec une plume, une épée à la main.
Il se tourna de tous les côtés et avec son épée salua la compagnie.

« Vive le Comte ! – crièrent-ils – avec lui à la vie et à la mort ! »
Les nobles commencèrent à regarder par les fenêtres de la chaumière,
Et derrière le Porte-clés se presser de plus en plus à la porte.
Le Porte-clés sortit, et derrière lui la foule par la porte se rua,
Maciek chassa les autres, ferma la porte, la verrouilla,
Et jetant un œil par une fenêtre, encore une fois répéta : « Insensés ! »

Cependant les gentilshommes autour du Comte se regroupent
Et se rendent à l'auberge. Gerwazy se rappela les anciens temps :   530
Il se fit remettre trois ceintures de kontusz,
A l'aide desquelles de la cave de l'auberge il remonte de tonneaux
Un trio : l'un d'hydromel, le deuxième de vodka, le troisième de bière.
Il enleva les bondes et bientôt avec bruit jaillirent trois jets,
L'un blanc comme l'argent, le deuxième couleur de cornaline,
Le troisième doré ; ils forment un arc-en-ciel tricolore dans les airs,
Et retombent dans cent chopes, tintent dans cent verres.
Les nobles exultent. Les uns boivent, les autres au Comte souhaitent
De vivre cent ans, tous crient : « Sus à Soplica ! »

---

[232] *Tout ce passage est encore fréquemment cité dans les joutes politiques en
Pologne !*

Jankiel discrètement s'était esquivé, à cru. Le Prussard, lui aussi,
                                                                    [540
Ignoré bien que continuant à argumenter avec éloquence,
Voulut dégager, avec les nobles à ses trousses criant qu'il avait trahi.
Mickiewicz se tenait à distance ; il ne criait ni ne délibérait,
Mais à sa mine on reconnut qu'il préparait quelque mauvais coup :
Donc aux armes et sus à lui ! Lui bat en retraite,
Riposte, déjà blessé, acculé à la clôture :
Alors à son secours bondissent Zan et les trois Czeczot[233].
Là-dessus, on sépara les gentilshommes. Mais dans la bagarre
Deux étaient touchés au bras ; quelqu'un avait était blessé à l'oreille ;
Les autres déjà enfourchaient leurs chevaux. –

                    Le Comte et Gerwazy   550
Dirigent les opérations, distribuent les armes, les ordres.
Pour finir, tous dans la longue rue du village
Au galop se lancent, criant : « Sus à Soplica ! »

                              ***

---

[233] *Clin d'œil du poète à des amis patriotes qu'il connut lors de ses études.*

LIVRE HUITIEME

LE RAID EXECUTIF

*

Sommaire :

L'astronomie du Substitut.
Remarque du Chambellan sur les comètes.
Mystérieuse scène dans le cabinet du Juge.
Thaddée, voulant se tirer d'affaire habilement,
tombe dans de grands embarras.
La nouvelle Didon.
Le raid exécutif.
La dernière protestation de l'Huissier.
Le Comte prend possession de Soplicowo.
L'assaut et le carnage.
Gerwazy sommelier.
Les ripailles des auteurs du raid.

*

A vant la tempête il y a un moment de calme et de mélancolie ;
   Quand, passant au-dessus de la tête des gens, le nuage
S'immobilise et, la face menaçante, arrête le souffle des vents,
Silencieux, de ses yeux pleins d'éclairs parcourt la terre,
Repérant les endroits où bientôt il assénera ses coups de tonnerre :
La maison des Soplica vivait un tel moment de calme.
On eût dit que le pressentiment d'évènements extraordinaires
Avait fermé les bouches et emporté les esprits au pays des songes.

   Après le souper, le Juge avec ses invités, du manoir
Sortent dans la cour pour profiter de la soirée ;   10
Ils s'installent sur les talus[234] tapissés de gazon ;
Mélancoliquement et silencieusement, tout leur groupe
Observe le ciel, qui semblait s'abaisser,
Se ramasser et se rapprocher de plus en plus près de la terre,
Jusqu'à ce que tous les deux, sous un voile sombre dissimulés,
Comme des amants, engagent un dialogue secret,
Exprimant leurs sentiments par des soupirs étouffés,
Des murmures, des bruissements, et des demi-mots,
Dont se compose l'étrange musique du soir.

   La première fut la chouette, faisant entendre sa plainte sous le toit ;
                                                                     [20
Les chauves-souris dans un léger froissement d'ailes volent
Vers la maison, où brillent les vitres des fenêtres, les visages des gens ;
Et plus près, petites sœurs des chauves-souris, les phalènes, en essaim
Tournoient, attirées par les blanches tenues des femmes.

_____

[234] *Voir la note 167.*

Elles incommodent particulièrement Zosia, heurtant son visage
Et ses claires mirettes, qu'elles prennent pour deux bougies.
Une grande ronde d'insectes se forme dans l'espace,
Et tourne en jouant une espèce d'harmonie des sphères ;
L'oreille de Zosia distingue parmi le millier de sons
L'accord des moucherons et des moustiques le faux demi-ton.   30

    Dans les champs le concert du soir à peine commence ;
Les musiciens viennent de finir d'accorder leurs instruments,
Déjà par trois fois a crié le râle des genêts, premier violon de la prairie,
Déjà de loin dans les marais les butors de leur basse lui font écho,
Déjà les bécasses, dans les airs s'élançant, tournoient
Et, hoquetant à intervalles réguliers, du tambourin semblent jouer.

    Au bruit des moucherons et au chahut des oiseaux, pour finir
Répondirent en un double chœur deux étangs,
Pareils à des lacs enchantés des montagnes du Caucase,
Silencieux pendant toute la journée, musicaux à partir du soir.   40
L'un des étangs, aux profondeurs limpides et aux bords sablonneux,
De sa poitrine bleu sombre fit sortir une plainte silencieuse, solennelle ;
L'autre, au fond boueux et à la gorge vaseuse,
Lui répondit par un cri de douloureuse passion ;
Dans les deux étangs coassaient d'innombrables hordes de grenouilles,
Leurs deux chœurs s'harmonisant sur deux grands accords.
L'un retentit *fortissimo*, l'autre *pianissimo* fredonne,
L'un semble récriminer, l'autre ne fait que soupirer ;
Ainsi à travers champs dialoguaient les deux étangs,
Comme deux harpes d'Eole à tour de rôle jouant.   50

    L'obscurité s'épaississait ; seuls, dans le bois et autour du ruisseau
Dans les roseaux, des yeux de loup comme des bougies scintillaient,
Et plus loin, aux bords resserrés de l'horizon,
Çà et là brillaient les feux de campements de bergers.
Enfin la lune son flambeau d'argent alluma,
Sortit de la forêt, et éclaira ciel et terre.
A présent ces deux-là, du crépuscule à moitié dégagés,
Sommeillaient côte à côte, tels des époux
Heureux : le ciel de ses bras purs enlaçait

La poitrine de la terre, que l'éclat de la lune argentait.   60

Déjà face à la lune une étoile, une deuxième
Se met à briller ; déjà elles sont mille, déjà un million à scintiller.
Les premiers à briller sont Castor et son frère Pollux,
Que jadis chez les Slaves Lel et Polel on appelait ;
A présent dans le zodiaque populaire on les a de nouveau rebaptisés,
L'un s'appelle *Lituanie*, et l'autre *Couronne*[235].

Plus loin scintillent de la Balance céleste les deux plateaux ;
Sur eux, Dieu, le jour de la création (racontent les anciens)
L'une après l'autre toutes les planètes et la terre a pesées,
Avant d'implanter leurs masses dans les abîmes aériens ;   70
Puis dans le ciel il suspendit ces balances dorées,
Dont les hommes pour leurs balances et plateaux ont repris le modèle.

Au nord brille le cercle d'étoiles du Tamis[236],
A travers lequel Dieu (dit-on) a tamisé les petits grains de seigle
Lorsque du ciel il les a jetés à notre père Adam,
A cause de ses péchés chassé de la félicité du paradis.

Un peu plus haut, le char de David[237], prêt au départ,
Dirige son long timon dans le sens opposé[238] à l'étoile polaire.
Les vieux Lituaniens connaissent ce chariot,
Et savent qu'improprement les gens l'appellent le char de David,   80
Car c'est le char des Anges. Sur lui jadis

─────────────────────

[235] *Voir la note 171.*
[236] *Le « Retis » lituanien, astérisme identifié avec l'amas des Pléiades, dans la constellation du Taureau.*
[237] Le Char de David est la constellation appelée *Ursa major* par les astronomes.
[238] *Beaucoup d'éditions de « Pan Tadeusz » comportent le texte « do polarnej gwiazdy », « vers l'étoile polaire », alors que celle de 1880 mentionne « od polarnej gwiazdy », « dans le sens opposé à l'étoile polaire ». Nous adoptons cette dernière version qui correspond à la vérité astronomique. A moins que le poète n'ait purement et simplement confondu la Grande Ourse avec la Petite, qui, elle, a bien son timon orienté vers l'étoile polaire !*

Circulait Lucifer, lorsqu'il défia Dieu à la lutte,
Sur la voie lactée galopant vers les confins célestes,
Jusqu'à ce que Michel le mît à bas du char, qu'il détourna de sa route.
A présent, endommagé, parmi les étoiles il brinquebale,
Et l'archange Michel ne permet pas qu'on le répare.

    Les vieux Lituaniens savent aussi
(Il semble qu'ils tiennent cette information des rabbins),
Que ce Dragon zodiacal gros et long,
Qui dans le ciel contorsionne son corps étoilé,   90
Que les astronomes baptisent à tort le Serpent,
N'est pas un serpent, mais un poisson s'appelant Léviathan.
Il vivait autrefois dans les mers, mais après le déluge
Il creva par manque d'eau ; et donc à la voûte céleste,
A la fois en tant que curiosité et en tant que souvenir,
Les anges ont suspendu ses lambeaux sans vie.
Il paraît que le curé de Mir[239] a suspendu dans l'église
Des côtes et tibias exhumés provenant de ces géants[240].

    Telles étaient les histoires d'étoiles, dans les livres apprises
Ou par la tradition transmises, que le Substitut racontait :   100
Bien que le vieillard, le soir, eût une vue défaillante,
Et ne pût rien distinguer dans le ciel en regardant avec des lunettes,
De chaque étoile il connaissait par cœur le nom et la forme ;
Et en désignait du doigt l'emplacement et la trajectoire.

    Aujourd'hui, on l'écoutait peu, et ne prêtait aucune attention
Ni au Tamis ni au Dragon, ni à la Balance ;
Aujourd'hui, les yeux et la pensée de tous sont monopolisés
Par une nouvelle arrivante, aperçue depuis peu dans le ciel :
C'était une comète de première grandeur et magnitude[241],
Apparue à l'ouest, et volant vers le nord ;   110

----

[239] *Village à proximité de Nowogródek (voir la note 68).*
[240] On avait l'habitude de suspendre aux abords des églises les trouvailles d'os
fossiles, que les gens du peuple considèrent comme des os de géants.
[241] Mémorable comète de 1811.

D'un œil sanglant, de travers elle guigne le chariot,
Comme si elle souhaitait rejoindre la place par Lucifer abandonnée,
Vers l'arrière elle a rejeté sa longue chevelure, dont un tiers du ciel
Elle enveloppe ; comme avec un filet, quantité d'étoiles elle a ratissé
Et les traîne derrière elle, tandis qu'elle-même avec sa tête plus haut
Se propulse, vers le nord, droit sur l'étoile polaire.

    Avec un indicible pressentiment, tout le peuple lituanien
Chaque nuit observait ce miracle céleste,
Y voyant, parmi d'autres, un signe de présage funeste :
Car fréquemment on entendait le cri d'oiseaux de mauvais augure,   120
Qui se rassemblaient en nuées dans les champs déserts,
S'aiguisant le bec, comme s'ils attendaient après des cadavres.
Fréquemment on remarquait que les chiens fouissaient la terre
Et, comme s'ils reniflaient la mort, atrocement hurlaient :
Ce qui annonce la famine ou la guerre ; et les gardes forestiers
Avaient vu la vierge de la peste traverser le cimetière,
Dominant d'une tête les arbres les plus élevés,
Agitant dans sa main gauche un mouchoir ensanglanté.

    Debout près de la clôture, diverses conclusions en tiraient
L'intendant, venu rendre compte des travaux,   130
Ainsi que le comptable, chuchotant avec l'économe.

    Mais le Chambellan sur le talus était assis devant la maison.
Il interrompit la conversation des visiteurs, signe qu'il voulait parler ;
Sous la lune brilla sa grande tabatière
(Toute en or pur, encadrée de diamants,
Avec au milieu, sous verre, le portrait du roi Stanislas),
Il la fit sonner de ses doigts, prisa et dit : « Monsieur
Thaddée[242], sur les étoiles votre discours
N'est que l'écho de ce qu'à l'école vous avez entendu.
Moi sur un miracle je préfère consulter les gens simples.   140
Moi aussi j'ai fait de l'astronomie pendant deux ans,

---

[242] *Le Chambellan s'adresse vraisemblablement au Substitut, qui ainsi se pré-nommerait Thaddée, comme le héros du poème.*

A Wilno, où Puzynina[243], une savante et riche
Dame, consacra le revenu d'un village de deux cents paysans
A l'achat de toutes sortes de lunettes et télescopes.
Le religieux Poczobut[244], homme célèbre, était astronome,
Et en son temps recteur de toute l'Académie,
Et pourtant à la fin il quitta sa chaire et son télescope,
Pour rentrer au monastère, et retrouver sa tranquille cellule
Où il mourut de façon exemplaire. Je connais aussi Śniadecki[245],
Homme d'un très grand savoir, bien que laïc.   150
Les astronomes, donc, une planète, une comète
Considèrent de la même façon que des bourgeois un carrosse.
Ils savent s'il arrive devant la capitale royale,
S'il quitte les barrières d'octroi de la ville pour l'étranger :
Mais qui y roulait ? pour quoi faire ? qu'a-t-il discuté avec le roi ?
Est-ce que le roi a envoyé un émissaire pour la paix ou la guerre ?
Ils ne se le demandent même pas. Je me souviens que, de mon temps,
Branecki partit avec son carrosse pour Jassy[246]
Et derrière ce perfide carrosse, il entraîna
Une queue de suppôts de Targowica, comme derrière cette comète ;
                                                               [160
Les gens simples, bien que ne se mêlant pas aux débats publics,
Avaient tout de suite deviné que cette queue était présage de trahison.

---

[243] *Elisabeth Puzynina : fondatrice de l'observatoire astronomique de Wilno.*
[244] Le religieux Poczobut, ex-jésuite, célèbre astronome, a publié un livre sur le zodiaque de Dendérah et par ses observations a aidé Lalande à calculer les trajectoires de la lune. Cf. *Biographie* par Jan Śniadecki.
[245] *Jan Śniadecki (1756-1830), mathématicien, philosophe et astronome polono-lituanien, fut également recteur de l'Université de Wilno. Adepte de l'empirisme, pourfendeur de la métaphysique et du romantisme, il s'opposa à Kant... et à Mickiewicz : cf. les vers qui suivent !*
[246] *François Xavier Branecki ou Branicki (1730-1819), célèbre aristocrate, hetman polonais, aventurier proche de Catherine II, s'est acquis une image de traître à la patrie pendant la période des partages de la République des Deux Nations. Il fut condamné à mort pour haute trahison en 1794 lors de l'insurrection de Kościuszko. Jassy est une ville de Moldavie où se rencontrèrent en 1791 plusieurs magnats polonais, dont Branicki, dans le cadre d'une conspiration russophile préludant à la Confédération de Targowica (voir la note 158).*

Le bruit court que le peuple le nom de balai a donné à cette comète
Et dit qu'elle en balaiera un million ».

A cela le Substitut répondit en s'inclinant : « C'est vrai, Votre
Excellence Chambellan ; il me revient justement en mémoire
Ce qu'on m'a dit jadis lorsque j'étais petit enfant,
Je m'en souviens, bien que n'ayant pas dix ans à l'époque.
C'était quand j'ai vu chez nous feu
Sapieha[247], qui fut lieutenant chez les cuirassiers,   170
Devint plus tard maréchal de la Cour du roi,
Et mourut grand chancelier de Lituanie
A l'âge de cent dix ans. Ce Sapieha, du temps du roi Jean
Le troisième[248], était à Vienne sous les ordres de l'hetman
Jabłonowski ; et en effet ce chancelier racontait
Que juste au moment où le roi Jean III sur son cheval montait,
Et que le nonce papal le bénissait pour la route,
Et que l'ambassadeur autrichien lui baisait la jambe
En lui tenant l'étrier (l'ambassadeur s'appelait comte Wilczek),
Le roi s'écria : « Regardez, ce qui se passe dans le ciel ! »   180
Ils regardent et voilà qu'au-dessus des têtes se déplace une comète,
Suivant une trajectoire qui était celle des armées mahométanes,
Du levant au couchant ; plus tard le père Bartochowski également,
Composant son panégyrique pour le triomphe de Cracovie,
Sous l'allégorie *Orientis Fulmen*[249] beaucoup de choses raconta
Sur cette comète ; je lis également des choses à son sujet dans le livre

---

[247] *Puissante famille de magnats polono-lituaniens qui a donné quantité de di-*
gnitaires civils, militaires et religieux à la République des Deux Nations. Ka-
zimierz Jan Sapieha (1637-1720) participa au siège de Vienne en 1683 en tant
que commandant du contingent lituanien, mais il meurt en 1720 à l'âge de 83
ans et le Substitut ne peut l'avoir rencontré. Il le confond donc avec un autre
Sapieha, par exemple Jan Fryderyk Sapieha (1680-1751), nommé maréchal du
Tribunal de Lituanie en 1729 et grand chancelier de Lituanie en 1735, ... en
accordant à ce dernier une extraordinaire longévité de 110 ans. Le poète
s'amuse du caractère quelque peu « marseillais » de son Substitut !
[248] *Jean III Sobieski : voir les notes 179 et 189.*
[249] *La Foudre de l'orient.*

Intitulé *Janina*[250], où est décrite
Toute l'expédition de feu le roi Jean
Et sont gravés le grand étendard de Mahomet,
Ainsi que cette comète, pareille à celle qu'aujourd'hui nous voyons ».
                                                                    [190

   « Amen, répondit à cela le Juge ; moi votre prédiction
Je l'accepte, pourvu qu'avec l'étoile un Jean III se manifeste !
Il y a aujourd'hui en occident un grand héros ; peut-être
Que la comète nous l'amènera, Dieu vous entende ! »

   A cela le Substitut répondit, baissant tristement la tête :
« La comète tantôt présage la guerre, tantôt la dispute !
C'est mauvais signe qu'elle soit apparue juste au-dessus de Soplicowo,
Peut-être nous menace-t-elle de quelque malheur domestique.
Nous avons eu hier notre compte de discorde et de querelle,
Que ce soit pendant la chasse ou au cours du banquet.   200
Le Notaire dès le matin avec monsieur l'Assesseur s'est disputé,
Et en soirée messire Thaddée a provoqué le Comte en duel.
Ce différend est sans doute venu de la peau de l'ours ;
Et si, monseigneur Juge, vous ne m'en aviez pas empêché,
J'aurais pu autour de la table les deux adversaires accorder.
Je voulais en effet raconter un évènement curieux,
Pareil à celui survenu pendant l'expédition d'hier,
Et qui est arrivé aux tout premiers tireurs de mon temps,
Au député Rejtan[251] et au prince Denassów.
Voilà ce qui arriva :

              « Le Général de Podolie[252]   210

---

[250] *Ouvrage de Rubinkowski paru en 1739 à la gloire du roi Jan III Sobieski et de sa victoire sur les Ottomans-Tatares.*
[251] *Voir la note 6.*
[252] *Podolie et Volhynie sont des principautés historiques qui ont fait partie de l'Union polono-lituanienne et de la République des Deux Nations après avoir été conquises par la Lituanie et la Pologne. Elles sont actuellement intégrées principalement à l'Ukraine. Les magnats polonais y possédaient de vastes*

Allait de Volhynie jusqu'à ses terres de Pologne,
Ou bien, si mes souvenirs sont exacts, à une diète à Varsovie, --
En route il rendait visite à la noblesse, soit pour se distraire,
Soit pour soigner sa popularité ; il se rendit donc chez monsieur
Thaddée Rejtan, paix à son âme,
Qui devint plus tard notre député de Nowogródek,
Et dans la maison duquel j'ai grandi.
Et donc Rejtan à l'occasion de l'arrivée du prince Général
Invita du monde – une nombreuse noblesse se rassembla,
Il y eut du théâtre (le Prince adorait le théâtre) ;   220
Un feu d'artifice fut donné par Kaszyc, qui habite Jatra,
Des danseurs furent envoyés par Monsieur Tyzenhaus, et un orchestre
Par Ogiński et monsieur Sołtan, qui habite Zdzięcioł[253].
En un mot, on donna des fêtes incroyablement fastueuses
En intérieur, et dans les bois on organisa de grandes chasses.
Mais vous savez bien, messeigneurs, que pratiquement tous
Les Czartoryski, aussi loin qu'on remonte,
Bien que descendant des Jagellon, à la chasse
Ne se précipitent pas, certainement pas par paresse,
Mais du fait de leurs goûts étrangers ; et le prince Général   230
Plus souvent dans les livres mettait le nez que dans un chenil,
Et dans les petites alcôves des dames[254] que dans les bois.

    Dans la suite du Prince il y avait le prince allemand Denassów[255],
Dont on disait qu'en terre libyenne
Invité, il avait jadis chassé avec les rois nègres,

_____

*domaines. Il est question ici du prince Adam Kazimierz Czartoryski, représen-
tant d'une illustre lignée de magnats originaires de Lituanie.*
[253] *Jatra et Zdzięcioł sont des localités proches de Nowogródek.*
[254] *Allusion à Adam Jerzy Czartoryski, fils de Adam Kazimierz, qui fut amant de
la femme du tsar Alexandre 1ᵉʳ ?*
[255] Plus exactement le prince de Nassau-Siegen, célèbre guerrier et aventurier de
l'époque. C'était un amiral moscovite, vainqueur des Turcs sur le Léman, puis
lui-même battu à plate couture par les Suédois. Il a séjourné un certain temps en
Pologne, dont il obtint la citoyenneté honoraire. Le combat du prince de Nassau
avec un tigre faisait en son temps la une de toutes les gazettes européennes.

Et en combat rapproché y abattit un tigre avec une pique,
Ce dont ce prince Denassów se glorifiait beaucoup.
Chez nous à cette époque on chassait le sanglier ;
Rejtan avec son escopette tua une énorme laie,
En prenant beaucoup de risques, car il fit feu de près.   240
Chacun de nous s'émerveillait de la précision du tir et le complimentait.
Seul l'Allemand Denassów écoutait avec indifférence
Ces louanges, et avec une moue de mépris disait
Qu'un coup de feu au but ne prouvait qu'un œil audacieux,
Mais une arme blanche un bras audacieux ; et se mit abondamment
A parler derechef de sa Lybie et de sa pique,
De ses rois nègres et de son tigre.
Cela commença à énerver monsieur Rejtan,
C'était un homme vif, il frappa sur son sabre et dit :
« Cher Prince ! qui avec audace regarde, avec audace combat,   250
Les sangliers valent les tigres, et un sabre une pique » --
Et avec l'Allemand s'engagea une discussion passablement animée.
Heureusement le prince Général interrompit cette controverse,
Les mettant d'accord en français : je ne sais pas bien ce qu'il leur dit,
Mais cet accord c'était de la braise qui couvait sous la cendre,
Car Rejtan avait pris à cœur, et attendait l'occasion
De jouer, il se l'était promis, un bon tour à l'Allemand ;
Ce tour, c'est tout juste si de sa vie il ne le paya,
Il le joua le lendemain, comme je m'en vais vous le raconter ».

Là le Substitut, s'arrêtant de parler, la main droite leva   260
Et pria le Chambellan de lui tendre sa tabatière ;
Longtemps il prise, peu désireux de terminer son histoire,
Comme si la curiosité de ses auditeurs il voulait aiguiser.
Il commençait enfin, quand derechef on lui interrompit
Son histoire si intéressante, écoutée avec tant d'attention !
Car soudain quelqu'un avait envoyé quérir le Juge,
Et lui faire savoir qu'il l'attendait toutes affaires cessantes.
Le Juge, souhaitant la bonne nuit, de toute la compagnie prit congé :
Immédiatement on s'égailla dans différentes directions,
Les uns pour dormir à l'intérieur, les autres dans la grange sur le foin ;
                                                                        [270
Le Juge s'en fut pour entendre ce que le visiteur avait à lui dire.

VIII – LE RAID EXECUTIF   229

Les autres dorment déjà. Thaddée fait les cent pas dans les couloirs,
Tournant tel une sentinelle autour de la porte de son oncle,
Car il lui faut solliciter ses conseils pour des affaires importantes,
Aujourd'hui même, avant de se coucher : il n'ose pas frapper à la porte,
Le Juge l'a fermée à clé, avec quelqu'un il est en secrète discussion ;
Thaddée attend qu'elle se termine, mais prête l'oreille.

Il entend sangloter à l'intérieur ; sans remuer la poignée
Prudemment par le trou de serrure il regarde.
Il voit une chose étrange ! Le Juge et Robak par terre   280
Sont agenouillés, s'embrassent et des larmes de tendresse
Versent, Robak baise les mains du Juge,
Le Juge en pleurant passe les bras autour du cou du religieux,
Enfin, après un silence d'un quart d'heure,
Robak à voix basse ces paroles prononce :

« Frère ! Dieu sait que jusqu'à présent j'ai gardé les secrets
Qu'en confession j'ai jurés en repentir de mes péchés ;
Que voué entièrement à Dieu et à ma patrie,
Affranchi de l'orgueil, ne recherchant pas de gloire terrestre,
Jusqu'à présent en bernardin j'ai vécu et voulu mourir,   290
Sans révéler mon nom, non seulement au commun,
Mais même à vous et à mon propre fils !
Cependant le Père supérieur m'a autorisé
In articulo mortis[256] à les révéler.
Qui sait si je reviendrai vivant ! qui sait ce qui va se passer :
A Dobrzyn, frère, il règne une grande, grande confusion !
Le Français est encore loin, le passage de l'hiver
Il faut attendre, et la noblesse semble-t-il ne le supportera pas.
Peut-être ai-je fait du zèle dans la préparation du soulèvement !
Peut-être ont-ils mal compris ! Le Porte-clés a tout embrouillé !   300
Et ce cinglé de Comte, j'ai entendu qu'il s'est précipité à Dobrzyn !
Je n'ai pu le devancer, pour une bonne raison :
Le vieux Maciek m'a reconnu, et s'il le révèle,

---

[256] *« Au moment de mourir », en cas de danger de mort.*

Au Canif il me faudra tendre le cou.
Rien n'arrêtera le Porte-clés ! Peu importe ma tête,
Mais, par cette révélation, de la conspiration je romprais la trame.
Aujourd'hui pourtant, il me faut y être ! voir ce qui s'y passe,
Quitte à périr ; sans moi la noblesse va devenir folle !
Portez-vous bien, très cher frère, portez-vous bien, le temps me presse.
Si je disparais, vous seul lamenterez mon âme ;   310
En cas de guerre, de tout ce secret vous voilà
Informé, achevez ce que j'ai engagé, n'êtes-vous pas un Soplica ? »

    Là le religieux essuya ses larmes, agrafa sa robe, mit sa capuche
Et discrètement ouvrit le volet de derrière,
On vit que par la fenêtre il sauta dans le jardin ;
Le Juge, resté seul, s'assit dans un fauteuil et pleurait.

    Thaddée attendit un moment avant de faire cliqueter la poignée ;
On lui ouvrit, il entra en silence et s'inclina profondément :
« Mon petit Oncle bien aimé, dit-il, à peine quelques jours
Ai-je passés ici, et ils se sont écoulés comme un bref instant ;   320
Le temps m'a manqué pour profiter de votre maison
Et de vous-même, mais il me faut partir, sans tarder,
Aujourd'hui même, mon oncle, au plus tard demain.
Vous vous souvenez que nous avons provoqué le Comte en duel.
Me battre avec lui, c'est mon affaire, j'ai envoyé la convocation.
En Lituanie il est interdit de se battre en duel,
Je me rends donc à la frontière du Duché de Varsovie ;
Le Comte, c'est vrai, est un fanfaron, mais il ne manque pas de courage
Et certainement au rendez-vous se présentera,
Nous réglerons nos comptes ; et si dieu m'est propice,   330
Je le punirai, et ensuite de l'autre côté de la Łososna[257]
Je passerai, où m'attendent des troupes fraternelles.
J'ai entendu dire que mon père par testament m'a ordonné
De servir dans l'armée, mais ignore qui ce testament a effacé ».

    « Mon petit Thaddée – dit l'oncle – vous êtes-vous baigné

_____

[257] *Voir la note 225.*

Dans de l'eau brûlante, ou bien tournicotez-vous tel un rusé renard
Qui la queue agite dans un sens et lui-même court dans un autre ?
En duel nous l'avons provoqué, certes, et il convient de se battre.
Mais de partir aujourd'hui, quelle mouche vous a piqué ?
Avant un duel il est d'usage qu'on envoie des amis témoins,   340
Pour s'arranger. Le Comte peut encore nous demander pardon,
Présenter des excuses ; attendez donc, rien ne presse.
Sans doute quelqu'autre taon d'ici vous chasse,
Alors parlez franchement, à quoi bon ces détours ?
Je suis votre oncle ; bien qu'âgé, je sais ce qu'est un cœur jeune ;
Je vous ai servi de père (ce disant il lui caressa le menton),
Mon petit doigt m'a déjà dit
Qu'avec les dames d'ici vous avez eu quelque cabale.
Ma parole, avec les dames ils s'y prennent tôt maintenant, les jeunes !
Allons, petit Thaddée, avouez, mais franchement ».   350

    « C'est vrai – marmonna Thaddée – il est des raisons
Autres, cher Oncle ! peut-être de ma faute !
Une erreur ! Que dire ? un malheur ! maintenant difficile à réparer !
Non, cher Oncle, plus longtemps ici je ne puis m'attarder.
Une erreur de jeunesse ! Petit Oncle, ne demandez pas davantage,
De Soplicowo au plus vite il me faut partir ».

    « Oh ! – dit l'oncle, sûrement quelque querelle amoureuse !
J'ai remarqué hier que vous vous mordiez les lèvres
En regardant par en dessous une certaine jeune fille,
J'ai vu qu'elle aussi faisait triste mine.   360
Je connais toutes ces bêtises ; quand un couple d'enfants
S'aiment, ces peines chez eux atteignent des proportions démesurées !
Tantôt ils sont heureux, tantôt ils se tourmentent et s'attristent ;
Ou encore, Dieu sait pourquoi, ils se disputent à mort,
Ou bien restent dans leur coin comme des grincheux, aucune parole
Ne s'adressent, parfois même prennent la poudre d'escampette.
Si telle folie vous assaille,
Il suffit d'être patient, à cela il y a un remède ;
Je prends sur moi de vous réconcilier rapidement.
Je connais bien toutes ces bêtises, j'ai été jeune moi aussi.   370
Dites-moi tout ; et moi peut-être en retour

Je vous révèlerai quelque chose et ainsi chacun de nous fera son aveu ».

« Mon petit Oncle – dit Thaddée (lui baisant la main
Et rougissant), je vais dire la vérité ; de cette demoiselle,
De Zosia, votre pupille, je suis tombé amoureux,
Fortement, bien qu'une paire de fois seulement je l'aie vue ;
Et l'on dit que pour épouse vous me destinez
La fille du Chambellan, belle et riche héritière.
Avec mademoiselle Róża[258] maintenant je ne pourrais me marier,
Puisque j'aime cette Zosia ; difficile de changer son cœur !   380
Ce n'est pas honnête d'en épouser une et d'en aimer une autre,
Le temps peut-être me guérira, je vais partir – pour longtemps ».

« Mon petit Thaddée ! – l'interrompit son oncle – drôle de façon
D'aimer – que de fuir l'être aimé !
C'est bien d'être sincère ; vous voyez, vous auriez fait une sottise
En partant : et que diriez-vous, mon cher, si votre mariage j'arrangeais
Moi-même avec Zosia ? Eh bien ? vous ne sautez pas de joie ? »

Après un moment, Thaddée répondit : « Votre bonté, monsieur,
M'est admirable ! Mais à quoi bon ? votre grâce bienveillante
N'y pourra plus rien ! Hélas ! vaine espérance !   390
Car madame Télimène ne me donnera pas Zosia ! »
« Nous allons la solliciter » dit le Juge.

                    « Personne ne parviendra à la convaincre,
Le coupa rapidement Thaddée, -- non, je ne puis attendre,
Mon petit Oncle, il me faut rapidement, demain, prendre la route,
Donnez-moi seulement votre bénédiction, mon petit Oncle,
J'ai tout préparé, au Duché[259] je me rends sans délai ».

---

[258] « Rose », qui apparaît au vers 333 du Livre I. Il semble d'ailleurs y avoir une
incohérence avec le vers 372 du Livre III, où le Juge annonce à Télimène que
c'est Anna, la fille aînée du Chambellan, qui est à marier. Sans doute sont-elles
interchangeables pour les besoins de la rime !
[259] Au Duché de Varsovie, constitué par Napoléon en 1807.

Le Juge, tortillant sa moustache, regardait le garçon avec colère :
« C'est çà votre sincérité ? c'est ainsi que vous m'ouvrez votre cœur ?
D'abord ce duel ! ensuite voilà l'amour,
Et ce départ, oh ! là-dessous il y a quelqu'embrouille.   400
On me l'avait déjà dit, j'avais déjà observé vos façons !
Monsieur est un bonimenteur et un dandy, Monsieur a menti !
Et où donc Monsieur est-il allé l'autre soir ?
Que pistait Monsieur, tel un braque, aux abords du manoir[260] ?
O petit Thaddée ! et si Monsieur d'aventure Zosia
Avait séduite et maintenant s'enfuyait ? blanc-bec,
Cela ne vous réussira pas ! que vous l'aimiez ou non,
Je vous préviens, Monsieur, que vous épouserez Zosia,
Sinon, c'est le fouet – demain vous comparaîtrez devant l'autel !
Et il me parle de sentiments ! de cœur constant !   410
Menteur ! pff ! moi, vous concernant, messire Thaddée,
Je vais faire une enquête, vous ne perdez rien pour attendre !
Pour aujourd'hui j'ai eu mon compte d'ennuis ! J'en ai mal à la tête !
Et celui-là va encore m'empêcher de m'endormir tranquillement !
Allez dormir ! » Ce disant, il ouvrit grand la porte
Et pour se faire déshabiller appela l'Huissier.

Thaddée sortit silencieusement, la tête baissée,
Epluchant en pensée la pénible discussion avec son oncle ;
C'était la première fois qu'on le grondait si rudement !... il estima
Que les reproches étaient justifiés, et rougissait devant lui-même.   420
Que faire ? si Zosia apprend tout cela ?
Demander sa main ? et que dira Télimène ?
Non, -- il sentait qu'il ne pouvait plus longtemps rester à Soplicowo.

[261]Ainsi plongé dans ses pensées, à peine avait-il fait quelques pas
Que quelque chose lui barra la route ; il regarde, et voit une apparition

---

[260] *Réminiscence du passage censuré à la fin du Livre III (voir la note 99) !*
[261] *Ici débute le parallèle humoristique de Télimène (la « nouvelle Didon ») avec la Didon de l'Enéide, qui préféra se donner la mort après qu'Enée l'eut abandonnée à Carthage pour s'en aller fonder Rome. Lorsqu'Enée arrive aux enfers, il retrouve le fantôme de Didon qui refuse de lui pardonner son départ.*

En tenue légère, longue, élancée et fine.
Elle glissait vers lui, la main tendue,
Sur laquelle se reflétait l'éclat tremblant de la lune,
Et, arrivée à sa hauteur, poussa une silencieuse plainte : « Ingrat !
Tu cherchais mon regard, à présent tu l'évites,   430
Tu cherchais ma conversation, aujourd'hui tu te bouches les oreilles,
Comme si dans mes paroles, dans mon regard, il y avait du venin !
Bien fait pour moi, je savais qui tu es ! – un homme !
Ignorant la coquetterie, je ne voulais pas te tourmenter,
Je t'ai rendu heureux ; et voilà comment tu as su me remercier !
Triompher d'un cœur tendre a endurci le tien ;
Pour l'avoir conquis trop aisément, trop rapidement tu l'as méprisé !
Bien fait pour moi ! mais par cette terrible épreuve instruite,
Crois-moi, davantage que toi, moi-même je me méprise ! »

« Télimène, dit Thaddée, ma parole que sans dureté   440
J'ai le cœur, et que je ne t'évite pas par mépris,
Mais, vois toi-même, ils nous regardent, nous épient,
Peut-on agir aussi ouvertement ? que diront les gens ?
Ce n'est pas convenable ! c'est péché, vraiment ».
« Péché ! lui répondit-elle avec un sourire amer,
Petit innocent ! Agnelet ! Moi, femme,
Si par amour je n'ai cure que l'on me découvre,
Que l'on me vilipende ; alors toi ! toi un homme ?
Quel est l'inconvénient pour l'un d'entre vous, même s'il le reconnaît,
D'avoir une aventure avec une dizaine d'amantes en même temps ? 450
Dis la vérité : tu veux me jeter ». – Elle fondit en larmes.
« Télimène, que dirait-on d'un homme,
Dit Thaddée, qui en ce moment, ayant mon âge,
En bonne santé, resterait au village, amoureux – quand tant de jeunes
Et tant d'hommes mariés quittent leurs femmes et leurs enfants
Pour l'étranger, pour se ranger sous les enseignes de la nation ?
Même si je voulais rester, cela dépend-il de moi ?
Mon père par testament m'a ordonné de servir
Dans l'armée polonaise, maintenant mon oncle a réitéré cet ordre :
Je pars demain, ma décision est déjà prise,   460
Et, je le jure, Télimène, je m'y tiendrai ».
« Moi, dit Télimène, je ne veux pas te barrer

La route de la gloire, être une gêne pour ton bonheur !
Tu es un homme, tu trouveras une amante plus digne
De ton cœur, plus riche, plus belle !
Mais pour ma consolation, qu'avant notre séparation je sache
Que ton inclination était amour véritable,
Que ce n'était pas seulement passade, vile débauche,
Mais amour ; que je sache que mon Thaddée m'aime !
Qu'encore une fois de ta bouche j'entende la parole « j'aime »,   470
Que je la grave en mon cœur et l'inscrive dans ma pensée ;
Je pardonnerai plus facilement, même si de m'aimer tu cesses,
Me souvenant combien tu m'as aimée ! » -- Et elle se mit à sangloter, --

       Thaddée, la voyant ainsi pleurer et implorer
Avec tendresse, et voyant qu'elle n'exige que pareille bagatelle,
S'émut, saisi d'une peine et d'une pitié sincères,
Et s'il avait sondé de son cœur les secrètes profondeurs,
Peut-être n'eût pu lui-même savoir en ce moment
S'il l'aimait ou non. – Il répondit donc vivement :
« Télimène, que la foudre m'abatte sur le champ   480
S'il n'est pas vrai que, je te le jure, je t'ai beaucoup aimée,
Adorée ; nous avons passé de brefs moments ensemble,
Mais ils m'ont été si doux, si agréables,
Que longtemps encore ils me resteront toujours présents à l'esprit,
Et que, je te le jure, jamais je ne t'oublierai ».

       Télimène bondit et lui sauta au cou :
« Je m'y attendais, tu m'aimes, et donc je vis !
Car aujourd'hui de ma propre main je devais abréger mes jours ;
Si tu m'aimes, mon cher, est-il possible que tu me jettes ?
A toi j'ai remis mon cœur, à toi je remettrai mes biens,   490
Partout je te suivrai ; tout recoin du monde
Me sera doux avec toi ! du désert le plus sauvage
L'amour, crois-moi, fera un paradis ».

       Thaddée, s'arrachant de force à son étreinte :
« Comment cela ? dit-il, as-tu perdu l'esprit ? où ? pour quoi faire ?
Me suivre ? Moi, simple soldat,
Te traîner comme une vivandière ? » -- « Alors nous nous marierons »

Lui dit Télimène. « Non, jamais ! s'écrie
Thaddée, moi me marier maintenant je n'ai nulle
Intention, ni aimer – bagatelles ! laissons tomber !   500
Je t'en prie, ma chère, réfléchis ! calme-toi !
Je te suis reconnaissant, mais il est hors de question
De se marier. Aimons-nous, mais – chacun de son côté.
Je ne peux rester plus longtemps ; non, non, je dois partir,
Porte-toi bien, ma Télimène, demain je pars ».

    Ayant dit cela, il s'enfonça le chapeau sur la tête, fit un écart,
Voulant s'en aller ; mais Télimène le retint des yeux
Et du visage, comme une tête de Méduse ; il dut rester
Malgré lui ; il jetait des regards effrayés sur sa personne,
Elle se tenait pâle, immobile, sans souffle et sans vie !   510
Jusqu'à ce que, allongeant le bras comme une épée prête à transpercer,
Le doigt pointé droit sur les yeux de Thaddée :
« Nous y sommes ! cria-t-elle, langue de dragon !
Cœur de lézard ! Peu importe que, occupée de toi,
J'aie méprisé l'Assesseur, le Comte et le Notaire,
Que tu m'aies séduite et maintenant abandonnée orpheline,
Peu importe ! tu es un homme, je connais votre scélératesse,
Je sais que, comme les autres, toi aussi tu es capable de parjure,
Mais je ne savais pas que tu es capable de mentir aussi bassement !
Derrière la porte j'ai entendu ton oncle ! et donc cette enfant,   520
Zosia, t'a tapé dans l'œil ? et à elle traitreusement
Tu t'intéresses ! A peine avais-tu trompé une malheureuse,
Que déjà sous ses yeux de nouvelles victimes tu cherchais !
Fuis, mais mes malédictions te rattraperont –
Ou reste, et devant le monde tes turpitudes je dénoncerai ;
Tes artifices n'en séduiront plus d'autres, comme ils m'ont séduite !
Ouste ! je te méprise ! tu es un menteur, un lâche ! »

    A cette injure mortelle pour l'oreille d'un gentilhomme,
Et qu'aucun Soplica jamais n'avait entendue,
Thaddée frémit, son visage devint d'une pâleur cadavérique,   530
Et tapant du pied, se pinçant les lèvres, il dit : « Insensée ! »

    Il s'en fut ; mais le mot « lâche » fit écho

Dans son cœur. Le jeune homme tressaillit, sentant qu'il le méritait,
Sentant qu'il avait causé un grand tort à Télimène,
Sa conscience lui disait qu'à juste titre elle l'accusait ;
Mais il sentit que ces accusations la lui rendaient d'autant plus abjecte ;
A Zosia, hélas ! il n'osait penser, il avait honte.
Cette Zosia si belle, si douce !
Son oncle lui avait trouvé un mari ! elle aurait pu être sa femme,
S'il n'y avait le diable, qui le baladait de péché en péché,   540
De mensonge en mensonge, finit-il par concéder avec le sourire.
Blâmé, par tous méprisé ! en quelques jours
Son avenir il a gâché ! Il éprouva de son crime le juste châtiment.

    Dans cette tempête de sentiments, comme un havre de paix,
La pensée du duel telle un éclair illumina son esprit :
« Tuer le Comte ! ce scélérat ! s'écria-t-il dans sa colère,
Périr ou se venger ! » Mais pour quelle raison ? il ne le sait lui-même !
Et cette grande colère, en un clin d'œil apparue,
Disparut de même ; de nouveau une tristesse profonde l'envahit.
Il pensait : « Si mon impression était vraie,   550
Que le Comte avec Zosia avait des atomes crochus,
Alors, qu'y faire ? peut-être le Comte aime-t-il Zosia sincèrement,
Peut-être l'aime-t-elle ? et le choisira pour mari !
De quel droit voudrais-je empêcher ce mariage,
Et, infortuné moi-même, de tous devrais-je troubler le bonheur ? »

    Il tomba dans le désespoir et ne voyait d'autre issue
Que de fuir promptement ; où ? sans doute dans la tombe !

    Et donc, s'appuyant le poing contre son front baissé,
Il courait vers les prairies en bas desquelles brillaient les étangs
Et s'arrêta au bord du boueux ; dans ses profondeurs verdâtres   560
Il noya un regard gourmand et ses relents fangeux
Il aspira avec délice, et ouvrit la bouche
Dans leur direction : car le suicide, comme tout désordre,
Est capricieux ; lui, dans son furieux vertige,
Ressentait une ineffable attirance pour la noyade dans la boue.

    Mais Télimène, à la farouche attitude du jeune homme

Devinant son désespoir, voyant qu'au bord des étangs il courait,
Bien que brûlant d'une si juste colère à son encontre,
Fut prise de frayeur ; en fait elle avait bon cœur.
Elle avait de la peine que Thaddée eût osé en aimer une autre,   570
Elle voulait le punir, mais de le faire périr n'avait pas l'intention ;
Donc à sa poursuite elle se lança, levant les deux bras au ciel,
Et criant : « Arrête-toi ! ce sont des bêtises ! aime ou non ! marie-toi
Ou pars ! mais arrête-toi ! » -- Mais lui dans sa course rapide
L'avait de beaucoup devancée ; ça y est – sur le bord il se tenait !

    Par un bizarre caprice du destin, sur ce même bord
Chevauchait le Comte, à la tête de sa troupe de jockeys,
Et séduit par la beauté d'une nuit si clémente
Et la merveilleuse harmonie de l'orchestre aquatique,
De ces chœurs qui résonnaient tels des harpes d'Eole   580
(Aucune grenouille ne joue aussi bien que la polonaise),
Mit son cheval au pas et en oublia son expédition,
Tendit l'oreille en direction de l'étang et, curieux, écoutait.
Il promenait son regard sur les champs, sur l'étendue des cieux :
En pensée, il composait certainement des paysages nocturnes.
En effet, les environs étaient pittoresques !
Les deux étangs avaient rapproché leurs visages
Comme un couple d'amants : celui de droite avait des eaux
Lisses et limpides comme des joues de jeune fille ;
Le gauche, un peu plus sombre, comme le visage d'un jeune homme,
                                                              [590
Un peu hâlé et déjà piqueté d'un duvet viril.
Celui de droite s'auréolait d'un sable doré
Comme d'une lumineuse chevelure, et le front de celui de gauche
Se hérissait de saules cendrés dentelés ;
Les deux revêtus d'un habit de verdure.

    En sortent deux ruisseaux qui, tels des bras entrelacés,
Se serrent ; le ruisseau continue à descendre ;
A descendre, mais ne disparaît pas, car dans l'obscurité de la fosse
Sur ses ondes il emporte l'éclat doré de la lune ;
L'eau tombe par vagues, et sur chaque vague   600
Brillent des poignées de cet éclat de lune,

La lumière dans la fosse se disperse en menues brisures,
Que le flot en fuyant rattrape et engloutit,
Et d'en haut à nouveau par poignées tombe l'éclat de la lune.
On dirait que près de l'étang est assise une nymphe de Świteź[262],
D'un vase sans fond elle déverse d'une main le flot,
Et de l'autre pour s'amuser lance dans l'eau
Des poignées d'or enchanté qu'elle prend dans son tablier.

    Plus loin, sortant de la fosse, le ruisseau dans la plaine
Se déroule, s'apaise, mais on voit qu'il s'écoule,   610
Car à sa surface mouvante et frémissante
Tout le long clignote la lueur tremblante de la lune.
Pareil au beau serpent samogète[263], qu'on appelle « giwojtos »,
Bien que semblant sommeiller, étendu au milieu des bruyères,
Il bouge, car tour à tour d'argent et d'or il se colore,
Jusqu'à soudain disparaître à la vue dans la mousse ou les fougères :
C'est ainsi que le ruisseau serpentant se cachait parmi les aulnes
Qui noircissaient aux confins de l'horizon,
Dressant leurs silhouettes aériennes, indistinctes à l'œil,
Tels des esprits à moitié visibles, à moitié dans les nuages.   620

    Entre les étangs dans la fosse se niche un moulin.
Vieux gardien surveillant les amants,
Il a surpris leur conversation, se fâche, trépide,
S'agite de la tête et des mains, et marmonne des menaces :
Et ce moulin, donc, soudain secoua sa tête moussue
Et faisant alentour tourner son poing à aubes,
A peine eut-il cliqueté et remué ses mâchoires à engrenages,
Qu'aussitôt il couvrit des étangs l'amoureux conciliabule,
Et réveilla le Comte.

               Le Comte, voyant que si près
De sa position de combat Thaddée s'était avancé,   630
Crie : « Aux armes ! Sus à l'ennemi ! » Les jockeys bondirent ;

---

[262] *Świteź est une légendaire cité engloutie : voir la note 100.*
[263] *De la Samogitie (voir la note 173).*

Avant que Thaddée n'eût pu se rendre compte de ce qui lui arrivait,
Ils s'étaient déjà emparés de lui ; ils galopent au manoir, dans la cour
Déboulent ; le manoir se réveille, vacarme des chiens, cris des gardiens.
Le Juge à moitié vêtu surgit ; il voit une bande
En armes, pense que ce sont des bandits, quand il reconnaît le Comte.
« Qu'est-ce ? » demande-t-il. Le Comte au-dessus de lui son épée agite,
Mais, le voyant désarmé, dans son enthousiasme est refroidi.
« Soplica ! dit-il, de ma famille ennemi séculaire,
Ce jour je vais vous châtier pour vos fautes passées et présentes,   640
Ce jour vous me rendrez compte de l'annexion de mes biens,
Avant que je ne me venge de l'insulte à mon honneur ! »

     Mais le Juge, se signant, s'écria : « Au Nom du Père
Et du Fils ! Fi donc ! Seigneur Comte, un bandit êtes-vous ?
Par Dieu ! cela sied-il à votre naissance,
Votre éducation et votre importance dans le monde ?
Je ne permettrai pas qu'on me lèse ! » -- Alors les domestiques du Juge
Accoururent, les uns avec des bâtons, les autres avec des fusils ;
Le Substitut, à l'écart se tenant, bizarrement regardait
Monsieur le Comte dans les yeux, le couteau placé dans sa manche. 650

     La bataille déjà ils allaient engager, mais le Juge les en empêcha :
Il ne servait à rien de se défendre, un nouvel ennemi approchait ;
On aperçut dans l'aulnaie un éclair, un coup de mousquet !
Le pont sur la rivière résonna du bruit des sabots d'une cavalerie
Et mille voix braillèrent « Sus à Soplica ! » :
Le Juge tressaillit, de Gerwazy il avait reconnu le cri de guerre ;
« Inutile, s'écria le Comte, nous allons être plus nombreux,
Rendez-vous, Juge, ce sont mes alliés ».

     Là-dessus l'Assesseur accourut en criant : « Je vous arrête
Au nom de sa Majesté l'Empereur ; déposez votre épée,   660
Monsieur le Comte, sinon je fais appel au renfort de l'armée !
Sachez que celui qui à une attaque armée de nuit ose se livrer,
Contrevenant ainsi à l'oukase mille deux cents,
Comme un vo… » Là le Comte le frappa au visage du plat de son épée.
L'Assesseur tomba, étourdi, et dans les orties se cacha ;
Tous crurent qu'il était blessé ou mort.

« Je vois, dit le Juge, qu'il se prépare une forfaiture ».
Tous poussèrent des gémissements, couverts par les clameurs de Zosia,
Qui criait en entourant le Juge de ses bras,
Telle une enfant perforée de petites aiguilles par des Juifs[264].   670

Entretemps Télimène fit irruption au milieu des chevaux,
Vers le Comte tendit des mains suppliantes :
« Par votre honneur ! » cria-t-elle d'une voix stridente,
La tête renversée et les cheveux défaits,
« Par tout ce qui est saint, à genoux nous vous implorons !
Comte, oserez-vous refuser ? les dames vous en supplient ;
Barbare, vous devrez nous tuer en premier ! »
Elle tomba évanouie, -- le Comte sauta de cheval pour la secourir,
Etonné et quelque peu ébranlé par cette scène.
« Mademoiselle Sophie, dit-il, madame Télimène !   680
Jamais du sang de personnes désarmées cette épée ne sera tachée ;
Vous les Soplica, vous êtes mes prisonniers.
Ainsi ai-je procédé en Italie, lorsque sous les murailles
Que les Siciliens appellent *Birbante-Rocca*,
J'ai pris un camp de bandits ; j'ai occis ceux qui étaient armés,
Et emmené les autres, ordonnant de les ligoter :
Ils suivaient les chevaux et de mon triomphe ils rehaussaient l'éclat,
Puis on les a pendus au pied de l'Etna ».

Ce fut une chance insigne pour les Soplica
Que le Comte, ayant de meilleurs chevaux que les gentilshommes,   690
Et voulant en découdre le premier, les distançât,
Et d'au moins une lieue le reste de la cavalerie précédât
Avec ses jockeys, qui obéissants et disciplinés,
Constituaient ni plus ni moins qu'une armée régulière ;
Quand les autres nobles étaient, comme il en va des insurrections,
Turbulents et immodérément enclins à pratiquer la pendaison.

---

[264] *Les Juifs étaient réputés récupérer le sang d'enfants chrétiens pour leurs besoins rituels.*

Le Comte eut le temps de refroidir son enthousiasme et sa colère,
Et réfléchit à la façon de terminer la bataille sans effusion de sang ;
Il ordonne donc d'enfermer la famille des Soplica dans la maison
Comme prisonniers de guerre ; à la porte il poste une sentinelle.   700

Sur ce, « Sus aux Soplica ! » La noblesse déboule en force,
Encercle le manoir et l'emporte d'assaut,
D'autant plus aisément que le chef est pris et le personnel a déguerpi ;
Mais les conquérants veulent se battre et se cherchent un ennemi.
Empêchés d'entrer dans la maison, ils courent à la ferme,
A la cuisine. – Lorsqu'ils y entrent, la vue des marmites,
Le feu à peine éteint, des mets l'odeur toute fraîche,
Le bruit des chiens croquant ce qu'il restait du souper,
Les prennent tous aux tripes, à tous changent les idées,
Tempèrent les colères, enflamment leur besoin de manger.   710
Fatigués par la route et par une diétine ayant duré toute la journée,
« A manger ! à manger ! » par trois fois exigent les uns à l'unisson ;
On leur répond : « A boire ! à boire ! » Au sein de la bande de nobles
Se dressent deux chœurs, les uns à boire, les autres à manger réclamant.
Le bruit des voix, où qu'il arrive, est répercuté par l'écho,
Faisant saliver les bouches et naître la faim dans les estomacs.
Et c'est ainsi que par un mot d'ordre lancé en cuisine, ô surprise,
L'armée se disperse, à la recherche de subsistances.

Gerwazy, refoulé des appartements du Juge,
Dut céder par égard pour la garde comtale.   720
Et donc ne pouvant sur l'ennemi se venger,
Il pensait au second grand objectif de cette expédition.
En personne expérimentée et compétente en droit,
Il veut instituer le Comte comme nouveau propriétaire
De façon légale et formelle ; et donc court chercher l'Huissier,
Et, après de longues recherches, finit par l'apercevoir derrière le poêle,
Vite par le col il le prend, le traîne dans la cour
Et pointant son Canif sur sa poitrine, parle ainsi :
« Monsieur l'Huissier, monsieur le Comte ose prier Votre honneur
De daigner devant les frères gentilhommes annoncer sans tarder   730
Son entrée en possession du château, du manoir
Des Soplica, du village, des terres cultivées, des jachères,

En un mot, *cum gais, boris et graniciebus,*
Kmetonibus, scultetis et omnibus rebus
Et quibusdam aliis[265]. Aboyez comme vous savez le faire,
Et n'omettez rien ! » -- « Monsieur le Porte-clés, attendez !
Dit hardiment Protazy, passant les mains derrière sa ceinture ;
Je suis prêt à exécuter tout ordre venant des parties,
Mais je vous avertis que l'acte n'aura pas de validité,
Par la violence extorqué, et de nuit proclamé ».   740
« Quelle violence ? dit le Porte-clés, il n'y a pas d'attaque ici,
Je vous le demande gentiment, non ? si vous trouvez qu'il fait sombre,
Avec mon Canif je vous allumerai un feu tel que, Monsieur,
Trente-six chandelles tout de suite vous verrez ».

« Mon petit Gerwazy, dit l'Huissier, à quoi bon ces fâcheries ?
Je suis huissier, et ce n'est pas à moi de juger de l'affaire ;
On sait bien que la partie fait venir l'huissier
Et lui dicte ses volontés, et c'est à l'huissier de les annoncer.
L'huissier est le héraut du droit, et on ne punit pas les hérauts,
Et je ne vois pas pourquoi sous surveillance vous me gardez ;   750
Je vais rédiger l'acte de suite, que quelqu'un m'amène une lanterne,
Et entretemps je fais l'annonce : mes Frères, du calme ! »

Et afin d'être mieux entendu, il monta sur un gros tas
De poutres (contre la clôture du verger des poutres séchaient) ;
Le voilà grimpé et d'un seul coup, comme si le vent l'avait soufflé,
A la vue il disparut ; on l'entendit plonger dans les choux ;
On vit parmi les feuilles sombres de chanvre sa blanche
Konfederatka passer, telle un pigeon.
L'Arrosoir tira sur la coiffe, mais rata sa cible ;
Alors grincèrent les échalas, Protazy dans le houblon était déjà,   760
« Je proteste ! » s'écria-t-il ; il était sauvé à coup sûr,
Car derrière lui il avait les saules cendrés et les marais du ruisseau.

---

[265] *Charabia juridique polono-latin : « avec les bois, les forêts et leurs confins,
les serfs, les maires de village et toutes choses et tout le reste ». Rappelons que
le polonais et le latin étaient les langues officielles de la République des Deux
Nations.*

Après cette protestation, qui retentit
Comme un ultime coup de canon sur des remparts conquis,
Toute résistance cessa dans le manoir des Soplica ;
Les gentilshommes affamés pillent, prennent ce qu'ils peuvent,
Le Cogneur, prenant position dans l'étable,
Un bœuf et deux veaux avec son gourdin trucide,
Tandis que le Petit rasoir leur noie son sabre dans la gorge.
Le Petit poinçon, tout aussi actif, de sa dague se servait   770
Pour transpercer verrats et porcelets sous les omoplates.
Le carnage déjà menace la volaille, -- le vigilant troupeau d'oies,
Qui jadis Rome sauva de la traitrise des Gaulois,
En vain cacarde à l'aide ; au lieu de Manlius[266],
C'est l'Arrosoir qui déboule dans la volière, étrangle certains volatiles
Et en suspend d'autres vivants à la ceinture de son kontusz.
En vain les oies se tordant le cou font-elles entendre leurs cris rauques,
En vain les jars en sifflant pincent leur assaillant.
Lui court ; couvert de duvet étincelant,
Soulevé comme par des roues par leur vigoureux battement d'ailes, 780
Il ressemble à un lutin, à un mauvais esprit ailé.

Mais le carnage le plus effroyable, bien que le moins bruyant,
A lieu parmi les poules. Le jeune Benêt dans le poulailler a déboulé
Et sur leurs perchoirs les attrapant avec des lacets, fait tomber
Coquelets et poules huppées et hérissées,
Les étrangle les uns après les autres et les met en tas,
Volaille magnifique, nourrie à l'orge perlé.
Imbécile de Benêt, quel zèle donc t'emporte !
Plus jamais dorénavant de Zosia en colère tu n'obtiendras le pardon.

Gerwazy se rappelle le bon vieux temps :   790
Il se fait remettre des ceintures de kontusz
Avec lesquelles de la cave des Soplica il sort

---

[266] *Marcus Manlius Capitolinus, le sauveur de Rome face à l'agression des Gaulois en 390 av. JC.*

Des tonneaux de vieille gnole, de « dębniak »[267] et de bière.
On a tôt fait de débonder les premiers, et des autres avec entrain,
Se pressant comme un essaim, la noblesse s'empare et les roule
Jusqu'au château ; là pour passer la nuit se rassemble tout le monde,
Là est installé le quartier général du Comte.

    Ils allument cent feux de camp, font cuire, frire, rôtir,
Les tables ploient sous les viandes, la boisson coule à flot ;
Les nobles veulent passer cette nuit à boire, manger et chanter. --   800
Mais peu à peu ils commencent à sommeiller et bâiller,
Les yeux se ferment les uns après les autres, et toute la bande
Dodeline de la tête, chacun tombe là où il est assis :
Celui-ci un bol ou une chope en main, celui-là face à un quart de bœuf.
Ainsi le sommeil, frère de la mort, a fini par vaincre les vainqueurs.

✳✳✳

---

[267] *Hydromel vieilli en fût de chêne.*

LIVRE NEUVIEME

LA BATAILLE

*

Sommaire :

Des dangers résultant d'un campement défectueux.
Des secours inattendus.
Triste situation des nobles.
La visite du Quêteur, présage de délivrance.
Son excessif penchant pour le flirt attire la tempête
sur le commandant Płut.
Un coup de feu tiré d'un pistolet donne le signal du combat.
Les exploits du Cogneur, les exploits et dangers courus par Maciek.
L'Arrosoir par une embuscade sauve Soplicowo.
La cavalerie en renfort, l'infanterie attaquée.
Les exploits de Thaddée.
Le combat des chefs interrompu par une traîtrise.
Le Substitut par une manœuvre résolue
fait pencher la balance du combat.
Les sanglants exploits de Gerwazy.
Le Chambellan vainqueur magnanime.

*

I ls ronflaient d'un tel sommeil qu'ils ne sont pas réveillés
Par l'éclat de lanternes et l'incursion de dizaines d'intrus,
Qui se jetèrent sur la noblesse comme des araignées à longues pattes,
Appelées faucheux, sur des mouches à moitié endormies :
A peine l'une d'elle bourdonne que déjà de ses longues pattes
L'enserre et l'étouffe l'intraitable bourreau.
Le sommeil des nobles était encore plus lourd que celui des mouches :
Aucun d'eux ne bourdonne, tous restent couchés comme inanimés,
Bien que des mains vigoureuses les saisissent
Et les tripotent comme de la paille à botteler.   10

      Seul l'Arrosoir, dans le district
A nul autre pareil pour garder la tête sur les épaules lors d'un banquet,
L'Arrosoir, capable de boire deux « antal »[268] d'hydromel de juillet
Avant d'avoir la langue pâteuse et les jambes vacillantes,
Lui donc, bien qu'ayant longtemps ripaillé, et profondément endormi,
Donnait cependant signe de vie. Il entrouvrit un œil,
Et voit… de vrais démons ! deux faces énormes
Juste au-dessus de lui, et chacune d'elles avec une paire de moustaches,
Ils halètent au-dessus de lui, de leurs moustaches effleurent sa bouche
Et virevoltent de leurs quatre bras comme avec des ailes.   20
Il prit peur, voulut se signer : en vain veut-il bouger le bras,
Son bras droit est comme cloué à son flanc ;
Il veut remuer le gauche : hélas ! il sent que ces esprits
L'ont étroitement emmaillotté, comme un bébé dans ses langes ;
Il s'effraya encore davantage, bientôt referme l'œil,
Reste allongé sans respirer, se refroidit, à peine reste-t-il vivant !

---

[268] *Contenance d'un petit tonneau, soit environ 60 litres.*

Mais le Cogneur en sursaut se réveille pour se défendre : trop tard !
Car avec sa propre ceinture il était déjà entravé.
Mais il se contorsionna et avec un tel ressort sursauta
Qu'il retomba sur la poitrine des dormeurs, roula sur leurs têtes, 30
Se démena comme un brochet qui dans le sable se débat,
Rugissant comme un ours, car il avait du souffle.
Il rugissait : « Trahison ! » Bientôt toute la compagnie réveillée
Lui répondit en chœur : « Trahison ! au secours ! trahison ! »

Les échos de leur clameur parviennent dans la salle des glaces
Où dorment le Comte, Gerwazy et les jockeys.
Gerwazy se réveille : en vain il veut s'extraire,
Attaché « en bâton »[269] à sa propre rapière ;
Il regarde et voit à la fenêtre des hommes en armes,
Coiffés de shakos noirs à courte visière, en uniformes verts. 40
L'un d'eux, ceint d'une écharpe, tenait une épée
Et de la pointe de celle-ci commandait à la bande de ses sbires,
Chuchotant : « Ligote ! Ligote ! » Autour allongés, tels des moutons
Les jockeys sont entravés ; le Comte est assis sans liens,
Mais désarmé ; à ses côtés, baïonnettes au clair, deux
Sbires se tiennent debout. – Gerwazy les reconnut, hélas !
Des Moscales !!!

Plus d'une fois le Porte-clés dans pareille alarme s'était trouvé,
Plus d'une fois aux mains et aux pieds entravé :
Mais il parvenait à se libérer ; il connaissait les moyens
De rompre ses liens, était très fort, et avait confiance en soi ; 50
Discrètement il réfléchit comment se délivrer : il ferma les yeux à demi,
Comme s'il dormait, doucement poussa sur ses bras et ses jambes,
Inspira et comprima au maximum ventre et poitrine ;
Si bien que tout à la fois il se comprime, enfle, et se raidit :
Pareil au serpent quand il cache sa tête et sa queue dans ses anneaux,

---

[269] *Consiste à passer un bâton (en l'occurrence la rapière) sous les genoux et par-dessus les coudes de l'entravé et à rattacher entre elles les ligatures des pieds et des mains.*

Gerwazy de grand se fait petit et gros ;
Ses attaches se sont détendues, ont même crissé,
Mais n'ont pas lâché ! Le Porte-clés de honte et de colère
S'est retourné et cachant contre terre sa face irritée,
Fermant les yeux, restait étendu aussi insensible qu'une souche.   60

   Là-dessus, on entend des tambours : d'abord en pointillé, puis
Leurs battements se font de plus en plus pressants et bruyants.
A cet appel l'officier des Moscales ordonna
D'enfermer et garder dans la salle les jockeys avec le Comte,
De conduire les nobles au manoir, où stationnait une deuxième unité.
En vain le Cogneur résiste et se débat.

   Au manoir était l'état-major, et avec lui beaucoup de nobles armés :
Les Podhajski, les Birbasz, les Hreczecha, les Biergel,
Tous parents ou amis du Juge ;
A son secours ils étaient accourus, ayant appris l'attaque,   70
Surtout qu'avec les Dobrzyniens depuis longtemps ils étaient fâchés.

   Qui des villages avait fait venir le bataillon de Moscales ?
Qui aussi vite avait rassemblé les voisins des villages de nobles ?
L'Assesseur ? Jankiel ? on entend des avis divers à ce propos,
Mais personne n'a jamais vraiment su, ni à l'époque, ni plus tard.

   Le soleil lui aussi déjà se lève, et se colore de sang ;
Avec des bords flous, comme si on lui avait arraché ses rayons,
A demi visible, à demi caché dans l'obscurité des nuages,
Pareil à un fer à cheval chauffé à blanc dans les charbons de la forge.
Le vent d'est se renforçait et chassait devant lui les nuages   80
Denses et déchiquetés comme des blocs de glace ;
Chaque nuage en passant déverse sa pluie froide,
Derrière lui le vent souffle et sèche la dernière pluie,
Derrière le vent à nouveau se présente un nuage humide :
Et ainsi, par alternances, froide et pluvieuse était la journée.

   Pendant ce temps le Major les poutres séchant près du manoir
Fait amener et commande de tailler à la hache dans chacune d'elle
Des ouvertures semi circulaires, dans lesquelles il introduit

Les pieds des prisonniers, et les referme par une seconde poutre.
Les deux pièces de bois, clouées entre elles à leurs extrémités,   90
Sur les pieds se resserrèrent comme des mâchoires canines ;
Puis avec les liens plus fortement on attacha leurs mains
Dans le dos des gentilshommes. Le Major, pour en rajouter,
Ordonna d'abord de leur arracher de la tête leur konfederatka,
Des épaules leur manteau, kontusz, et même leur taratatka,
Même leur żupan[270]. Ainsi donc les nobles, entravés dans le bois,
En rang d'oignon étaient assis, claquant des dents dans le froid
Et sous la pluie, car il faisait de plus en plus mauvais.
En vain le Cogneur résiste et se débat.

En vain le Juge plaide-t-il la cause des gentilshommes   100
Et Télimène ses prières joint aux larmes de Zosia,
Pour qu'envers les prisonniers on manifeste plus d'égards.
Il faut dire que l'officier du détachement, monsieur Nikita Ryków,
Un Moscale, mais brave homme, s'était laissé amadouer,
Mais que faire si au major Płut[271] il lui fallait lui-même obéir !

Ce major, Polonais originaire du bourg de Dzierowicze[272],
S'appelait (à ce qu'on dit) Płutowicz en polonais,
Mais il se débaptisa ; une grande canaille, comme il en va d'ordinaire
D'un Polonais qui au service du tsar se moscovise.
Fumant sa pipe, il était devant la maison, les mains sur les hanches, 110
Pointant son bec en l'air lorsqu'on s'inclinait devant lui,
Et en guise de réponse pour signifier sa méchante humeur,
Il lâcha des lèvres une bouffée de fumée et rentra au manoir.

Cependant le Juge apaise Ryków
Et prend l'Assesseur également à part :

----

[270] *La « taratatka » est une sorte de redingote courte ; pour les autres termes désignant des composants de la tenue traditionnelle du « szlachcic », voir la note 17.*
[271] *Au nom prédestiné, signifiant « coquin » en russe !*
[272] *Toponyme sans doute fictif, inspiré par le verbe « odzierać », signifiant écorcher, rapiner, arnaquer…*

Ils réfléchissent au moyen de terminer l'affaire sans aller au tribunal
Et, plus important encore, sans que le gouvernement ne s'en mêle.
Et donc le capitaine Ryków dit au major Płut :

« Mon Commandant ! qu'allons-nous faire de tous ces prisonniers ?
Les mettre au tribunal ? aux gentilshommes nous ferons grand tort, 120
Et personne ne vous en saura gré.
Savez-vous quoi, Major ? mieux vaut régler cela à l'amiable ;
Et il faut que monsieur le Juge vous récompense en retour ;
Nous dirons que nous sommes venus ici en inspection :
Ainsi tout le monde sera content.
Il y a un proverbe russe : on peut tout faire, mais prudemment ;
Et aussi celui-ci : fais rôtir pour toi sur la rôtissoire du tsar ;
Et encore celui-là : la concorde est préférable à la discorde,
Emberlificote bien le nœud, et mets ses extrémités dans l'eau.
Nous ne ferons pas de rapport, ainsi personne ne saura rien.   130
Dieu nous a donné des mains pour prendre, c'est un proverbe russe ».

Entendant cela, le Major se lève et explose de colère :
« Avez-vous perdu la tête, Ryków ? Nous sommes au service du tsar,
Et son service, ce n'est pas du copinage, vieil insensé de Ryków !
Avez-vous perdu la tête ? Il me faudrait libérer des séditieux !
En cette période de guerre ! Ah, messieurs les Polonais,
Je vais vous apprendre, moi, à comploter ! Ah, fripouilles de nobles,
Dobrzyniens, je vous connais bien, moi ! qu'ils se fassent tremper !
(Et il rit à gorge déployée en regardant par la fenêtre).
N'est-ce pas ce même Dobrzyński, assis là-bas en redingote   140
-- Hé, qu'on lui enlève sa redingote ! – qui l'année dernière au bal
Avec moi a engagé cette dispute… Qui a commencé ? Lui, pas moi :
C'est lui, quand je dansais, qui a crié : Dehors, à la porte, le voleur !
Parce qu'à l'époque pour avoir dévalisé la caisse du régiment
J'étais poursuivi, et avais de gros ennuis,
Qu'est-ce que cela pouvait lui faire ? Moi je danse une mazurka,
Et lui derrière crie : voleur ! et les nobles avec lui : hourrah !
Ils m'ont lésé, mais quoi ? le nobliau dans mes griffes est tombé.
Je disais : eh, Dobrzyński ! eh, dans ma main viendra
Brouter la chèvre, eh bien, Dobrzyński ? tu vois : la fessée ce sera ! »
                                                                    [150

Puis, se penchant, à l'oreille du Juge il susurra :
« Si vous voulez, Juge, que cela se passe gentiment,
Pour chaque tête mille petits roubles en liquide ;
Mille petits roubles, Juge, c'est mon dernier prix ».

Le Juge voulut marchander ; mais le Major n'écoutait pas,
Se remit à arpenter la pièce, lançant de généreuses bouffées de fumée,
Comme un pétard tournoyant, ou une fusée.
Les femmes le suivaient en pleurant et implorant.
« Major, disait le Juge, même si vous portez l'affaire en justice,
Que gagnerez-vous ? Ici nulle bataille avec effusion de sang,   160
Ni blessure il n'y a eu, et s'ils ont mangé des poules et de l'oie fumée,
En vertu du Statut[273] ils payeront des amendes.
Moi je ne porte pas plainte contre monsieur le Comte ;
Ce n'étaient que d'habituels conflits de voisinage ».

« Juge, dit le Major, avez-vous lu le Livre Jaune[274] ?
« Qu'est-ce que ce Livre Jaune ? » s'enquit monsieur le Juge.
« Un livre, dit le Major, mieux que vos Statuts,
On y trouve à chaque phrase écrit : potence, Sibérie, knout ;
Le livre des lois du temps de guerre, qui à présent dans toute la Lituanie
Sont proclamées ; exit donc vos tribunaux !   170
En vertu de ces lois, pour une telle incartade,
Vous irez pour le moins aux travaux en Sibérie.
« J'en appelle, dit le Juge, au gouverneur »,
« Appelez-en, dit Płut, même à l'empereur.
Vous savez que lorsque l'empereur confirme les oukases,
Par sa grâce souvent il double les peines.

------

[273] *Le Statut lituanien : voir la note 13.*
[274] Le Livre Jaune, ainsi appelé en raison de sa couverture, est le livre barbare du droit russe en temps de guerre. Parfois en temps de paix le gouvernement déclare des provinces entières comme étant en état de guerre et en vertu du Livre Jaune donne au commandant militaire tout pouvoir sur les biens et la vie de leurs citoyens. On sait que de 1812 jusqu'à la révolution *(l'insurrection de 1830)* toute la Lituanie a été sous le régime du Livre Jaune, dont l'exécuteur était le Grand-Duc, le Tsarévitch.

Faites appel, moi éventuellement je trouverai, si nécessaire,
Contre vous aussi, monsieur le Juge, un bon truc.
Jankiel, cet espion, que le gouvernement piste déjà depuis longtemps,
N'est-il pas votre locataire, résidant dans votre auberge ?   180
Je peux maintenant vous arrêter tous d'un seul coup ».
Le Juge dit : « M'arrêter, moi ? comment l'osez-vous sans mandat ? »
Et la controverse s'animait de plus en plus :
Quand un nouveau visiteur arriva dans la cour du manoir.

Une entrée tumultueuse, bizarre. Devant, tel un avant-coureur,
Un bélier noir, énorme, la tête hérissée
De quatre cornes, dont deux, comme des arcs,
S'enroulent autour des oreilles, décorées de clochettes ;
Et deux, en leurs extrémités s'écartant du front vers les côtés,
Agitent des grelots de bronze, ronds et tintinnabulants.   190
Des bœufs suivaient le bélier, puis un troupeau de brebis, des chèvres,
Et derrière le bétail, quatre charrettes lourdement chargées.

Tous devinèrent que c'était l'entrée du père Quêteur.
Et donc monsieur le Juge, averti des devoirs d'un maître de maison,
Sortit à la porte pour accueillir le visiteur. Le Père sur le premier briska
Se trouvait, dans sa capuche dissimulant à moitié son visage,
Mais on le reconnut rapidement, car lorsqu'il dépassa les prisonniers,
Vers eux il tourna le visage, et leur fit signe du doigt.
Et du deuxième briska le conducteur fut également reconnu :
Le vieux Maciek à la *Vergette*, en paysan déguisé.   200
Les gentilshommes se mirent à crier dès qu'il fit son apparition :
Lui dit : « Insensés ! ... » et de la main leur imposa le silence.
Sur la troisième charrette il y avait le Prussard portant un sarrau élimé,
Tandis que monsieur Zan[275] avec Mickiewicz étaient sur la quatrième.

Et pendant ce temps les Podhajski et Isajewicz,
Les Birbasz, Wilbik, Biergel, Kotwicz,
Voyant les gentilshommes de Dobrzyn dans cette pénible captivité,
Commencèrent à tempérer petit à petit leurs vieilles colères :

---

[275] *Voir la note 233.*

Car le gentilhomme polonais, bien que démesurément querelleur
Et prompt à la bagarre, n'est assurément pas rancunier.   210
Ils se précipitent donc vers Matthieu le vieux en quête d'un conseil.
Lui autour des charrettes positionne tout le monde,
Et ordonne d'attendre.

              Le Bernardin est entré dans la pièce.
A peine l'a-t-on reconnu, bien qu'il eût toujours la même tenue,
Tant il avait changé d'attitude. D'habitude lugubre,
Pensif, à présent il avait la tête haute,
Et la mine resplendissante, comme un brave rustaud de quêteur.
Il rit un bon moment avant de prendre la parole :

                        « Ha, ha, ha, ha,
Chapeau, chapeau ! Ha, ha, ha, excellent, formidable !
Messieurs les officiers, il en est qui chassent de jour,   220
Et vous c'est la nuit ! Belle prise : j'ai vu le gibier ;
Ah, plumer, plumer les nobles, ah, les écorcher !
Ah, prenez-les donc par le mors, car les nobles ça caracole !
Je vous félicite, Major, d'avoir attrapé le petit Comte :
C'est un gras perdreau, un richard, petit aristo de vieille souche,
Ne le libérez pas de sa cage sans trois cents ducats.
Et quand vous les aurez pris, pour le monastère donnez trois sous
Et pour moi aussi, car moi toujours pour votre âme je prie.
Foi de bernardin, je pense beaucoup à votre âme !
La mort par les oreilles emporte aussi les officiers d'état-major !   230
Baka[276] a eu raison d'écrire que la mort, ma parole, pique
Dans la pourpre, et dans l'habit chic plus d'une fois frappe avec force,
Et dans la toile taille aussi bien que dans la capuche,
Dans la perruque comme dans l'uniforme.
Petite Maman la Mort, dit Baka, est comme un oignon,
Des larmes elle fait verser lorsqu'elle étreint, et câline aussi bien
L'enfant que l'on berce que le gaillard qui bamboche !

---

[276] *Le père jésuite Joseph Baka, poète lituanien du 18ème siècle, a écrit des « Considérations sur la fatalité de la mort » dont le père Robak s'inspire ici dans sa péroraison.*

Las ! Las ! Major, aujourd'hui nous vivons, demain nous pourrissons !
Seul est à nous ce qu'aujourd'hui nous mangerons et boirons !
Monsieur le Juge, à propos, n'est-ce pas le moment de déjeuner ?   240
Je me mets à table, et vous invite tous à en faire autant ;
Major, des paupiettes ? Mon Capitaine,
Qu'en pensez-vous ? Un pot de bon petit punch ? »

    « C'est vrai, mon Père, dirent les deux officiers,
Il serait temps de manger et boire à la santé de monsieur le Juge ! »

    Les gens de la maison, regardant Robak, s'interrogeaient sur
Les raisons de ses manières et de son allégresse.
Le Juge sans tarder au cuisinier répéta les instructions :
On apporta le pot, le sucre, les bouteilles et les paupiettes.
Płut et Ryków se mirent au travail avec un tel entrain,   250
A avaler avec une telle gourmandise et boire avec une telle descente,
Qu'en une demi-heure ils eurent mangé vingt-trois paupiettes
Et vidé une énorme moitié du pot de punch.

    Et donc le Major, repu et joyeux, dans un fauteuil s'affala,
Sortit sa pipe, avec un billet de banque l'alluma,
Et, d'un coin de sa serviette nettoyant sa bouche des restes du déjeuner,
Tourna des yeux rieurs vers les femmes
Et dit : « Moi, belles dames, je vous aime comme dessert !
Par mes épaulettes de major, lorsqu'on a pris son déjeuner,
Le meilleur amuse-bouche après les paupiettes est une causette   260
Avec de jolies dames comme vous, mes jolies dames !
Et si nous jouions aux cartes ? au *welb-cwelb*[277] ? au whist ?
Ou dansions une mazurka ? Hé ! par les trois cents diables !
Ne suis-je pas premier danseur de mazurka du régiment de chasseurs ?
Sur quoi il se penchait vers les dames en se contorsionnant
Et tour à tour leur envoyait bouffées de fumée et compliments.

    « Dansons ! – s'écria Robak – quand j'ai un coup dans le nez,

---

[277] *Vient de l'allemand « halb zwölf » (demi-douzaine) : jeu de cartes et de hasard, pratiqué à l'époque dans les milieux populaires.*

Moi aussi, bien que curé, ma robe parfois je retrousse,
Et danse un peu la mazurka ! Mais, savez-vous, Major,
Que nous ici on boit, alors que les chasseurs dehors se gèlent ?   270
Si on s'amuse, on s'amuse ! Juge, apportez un tonneau de gnole :
Permettez, Major, que ces gaillards de chasseurs boivent un coup ! »
« Je vous en prie, dit le Major, mais ce n'est pas une obligation ».
« Donnez-leur, Juge, susurra Robak, un tonneau de « spirytus »[278].
Et ainsi, tandis que dedans les chefs joyeusement picolent,
Dehors parmi la troupe la beuverie caracole.

Le capitaine Ryków en silence vidait ses verres,
Mais le Major à la fois buvait et faisait le joli cœur auprès des dames,
Et de plus en plus brûlait de l'envie de danser.
Il laissa sa pipe et saisit la main de Télimène :   280
Il voulait danser, mais elle s'enfuit ; il s'approcha donc de Zosia,
S'inclinant, titubant, il l'invite pour la mazurka :
« Hé, toi Ryków, arrête-donc de tirer sur ta bouffarde ;
Au diable ta pipe, tu joues bien de la balalaïka, n'est-ce pas ?
Tu vois la guitare là-bas, vas-y, prends-la,
Et en avant la mazurka ! Moi Major je vais ouvrir le bal ».
Le Capitaine prit la guitare et se mit à l'accorder,
Et Płut à nouveau exhortait Télimène à danser.

« Parole de major, Mademoiselle : Russe
Je ne suis pas, si je mens, que je sois fils de pute   290
Si je mens ; renseigne-toi, et les officiers
Tous l'attesteront, toute l'armée le dira :
Que dans cette deuxième armée, dans le neuvième corps,
Dans la deuxième division d'infanterie, dans le cinquantième régiment
De chasseurs, le major Płut est le premier danseur de mazurka.
Viens-donc, petite mademoiselle ! ne sois pas si coincée !
Sinon je vais te punir à la manière des officiers... »

Ce disant, il bondit, s'empara du bras de Télimène
Et sur sa blanche épaule déposa un baiser gras et sonore,

---

[278] *Alcool très fort servant à la préparation des eaux- de- vie.*

Au même moment, Thaddée, surgissant d'à côté, le gifla au visage, 300
Si bien que le baiser et la gifle ensemble retentirent,
S'enchaînant comme la réponse du berger à la bergère.

Le Major abasourdi se frotta les yeux, et pâle de colère
S'écria : « Sédition ! un factieux ! » et sortant son épée,
Courut pour l'embrocher. Alors le moine de sa manche tira un pistolet :
« Tire mon petit Thaddée ! cria-t-il, tire sans sourciller ! »
Thaddée vite se saisit de l'arme, visa, fit feu,
Manqua, mais étourdit le Major et le couvrit de suie.
Ryków bondit avec sa guitare : « Sédition ! sédition ! » crie-t-il,
Se jette sur Thaddée : mais le Substitut de derrière la table   310
Avec force balança son bras ; le couteau dans les airs siffla
Entre les têtes et frappa avant qu'on ait pu voir son éclair ;
Il percute le fond de caisse de la guitare, la transperce de part en part,
Ryków sur le côté s'abaisse et échappe ainsi à la mort,
Mais il est terrifié ; au cri de « Chasseurs ! sédition ! oh mon Dieu ! »
Il a sorti son épée et, se couvrant, retraite vers la porte d'entrée.

Alors, de l'autre côté de la pièce, de nombreux nobles déboulent
Par les fenêtres, avec leurs rapières, la *Vergette* en tête.
Płut dans le vestibule, Ryków derrière lui, appellent les soldats.
Déjà, de la maison les trois les plus proches, à leur secours accourent ;
[320
Déjà par la porte pénètrent trois baïonnettes au clair,
Et derrière elles trois shakos noirs à la visière baissée.
Maciek se tenait à la porte, sa verge[279] en l'air dressée,
Le dos au mur, guettant comme un chat des souris,
Et soudain se mit à sabrer affreusement : il eût pu abattre les trois têtes ;
Mais à cause de son âge ou de sa vue, ou d'un enthousiasme excessif,
Avant qu'elles n'allongeassent leurs cous, il cogna sur leurs shakos,
Les déchiqueta ; la verge en retombant, contre les baïonnettes tinta.
Les Moscales reculent, Maciek les refoule
Dans la cour.

---

[279] *Il s'agit bien sûr du sabre de Matthieu, que ce dernier « par plaisanterie nommait modestement Vergette ».*

Là règne une confusion encore plus grande.   330
Là les partisans des Soplica s'activent à qui mieux mieux
Pour désentraver les Dobrzyński, déclouant les poutres.
Voyant cela, les chasseurs se saisissent de leurs armes, accourent.
Un sergent déboule et de sa baïonnette transperce un Podhajski,
Blesse deux autres gentilshommes, et tire sur le troisième :
Ils fuient. Cela se passait près de la poutre du Baptiste.
Ce dernier avait déjà les mains libres, prêtes pour le combat ;
Il se dressa, leva sa main et refermant son poing sur ses longs doigts
Asséna d'en haut un tel coup sur l'échine d'un Russe,
Qu'il lui fit rentrer la face et le crâne dans la platine de sa carabine. 340
La platine claqua : mais la poudre déjà inondée de sang fit long feu ;
Le sergent sur son arme s'effondra aux pieds du Baptiste.
Ce dernier se baisse, saisit la carabine par le canon,
Et la maniant comme son goupillon, la lève en l'air,
La fait tournoyer, d'un seul coup à deux hommes du rang massacre
Les épaules et à la tête blesse un caporal.
Les autres, pris de peur, des poutres se reculent pleins d'effroi.
C'est ainsi que le Cogneur sous un toit mobile les nobles abrita.

Là-dessus, on démolit les entraves, on coupa les liens,
Les nobles, libres à présent, se ruent sur les charrettes du quêteur ;   350
Ils en sortent rapières, sabres, tranchoirs,
Faux, fusils de chasse ; l'Arrosoir trouve deux escopettes
Et un sac de balles ; il les introduisit dans la sienne :
La seconde, qu'il chargea également, il la céda au Benêt.

Les chasseurs arrivent plus nombreux. Ils se mélangent, se gênent ;
Les nobles dans cette presse ne peuvent sabrer de droite et de gauche,
Les chasseurs ne peuvent tirer ; déjà au corps à corps ils luttent,
Déjà les aciers, qui se rendent coup pour coup, des étincelles font jaillir,
La baïonnette contre le sabre, la faux contre le « gifes »[280] se brisent,
Les poings aux poings se cognent, les épaules aux épaules.   360

[280] *Vient de l'allemand « (Degen)gefäß » : garde d'une arme blanche.*

Mais Ryków avec une partie des chasseurs parvient là où la grange
Touche la clôture ; il s'y arrête, à ses soldats enjoignant
De cesser une bataille aussi désordonnée,
Dans laquelle, ne pouvant tirer, ils tomberont sous les poings.
Fâché de ne pouvoir lui-même faire feu, car dans la masse
Les Moscales des Polonais il ne sait distinguer,
Il crie : « En position ! » (ce qui signifie mettez-vous en formation),
Mais on n'entend pas ses ordres au milieu du vacarme.

Le vieux Maciek, au combat corps à corps inapte,
Se retirait, faisant le vide devant soi   370
A droite et à gauche. Ici de l'extrémité de son sabre
Un canon il mouche de sa baïonnette, comme une bougie de sa mèche,
Là, sabrant vigoureusement, il taille ou estoque :
C'est ainsi que le prudent Maciek prend le large.

Mais avec la plus grande détermination à lui s'oppose
Un vieux caporal, instructeur du régiment,
Expert en maniement de la baïonnette. Il se ramassa sur lui-même,
Se contracta, saisit à deux mains sa carabine,
La droite près de la platine, la gauche à la moitié du canon,
Se tortille, sautille, par moment s'accroupit,   380
Baissant la main gauche et son arme de la main droite
Poussant vers l'avant, comme un dard hors de la gueule d'un serpent,
Et de nouveau la recule, prenant appui sur son genou :
Et ainsi se tortillant, sautillant, il charge Maciek.

Le vieux Maciek a bien évalué l'habileté de son adversaire
Et de sa main gauche a chaussé ses lunettes,
De la droite il tient la poignée de sa verge tout contre sa poitrine,
Recule, suivant du regard les mouvements du caporal,
Lui-même titubant, comme s'il était ivre.
Le caporal accélère et, sûr de sa victoire,   390
Afin plus aisément d'atteindre le retraitant,
Se relève et le bras droit tout entier allonge,
Poussant sa carabine avec une telle vigueur
Que sous la poussée et le poids de l'arme il se déséquilibre :
Maciek sous l'endroit où la baïonnette au canon est fixée

Glisse la poignée de son sabre, repousse l'arme vers le haut
Et, aussitôt abaissant sa verge, du Moscale taillade le bras
D'abord, puis d'un revers lui sectionne la mâchoire.
Ainsi tomba le Caporal, éminent maître d'armes des Moscales,
Chevalier aux trois croix et quatre médailles.   400

    Entretemps, à proximité des entraves, l'aile gauche des nobles
Est déjà proche de la victoire. Là combattait le Cogneur,
Visible de loin, là le Rasoir au milieu des Moscales se démenait ;
L'un les charcute par le milieu du corps, l'autre leur cogne sur la tête.
Pareils à la machine que les maîtres allemands
Inventèrent et qu'on appelle moissonneuse-batteuse,
Et qui en même temps hache, a des fléaux et des couteaux,
Et en même temps déchiquète la paille et bat le blé :
Ainsi de concert travaillent le Cogneur et le Rasoir,
Trucidant les ennemis, l'un par le haut, l'autre par le bas.   410

    Mais le Cogneur déjà une victoire certaine abandonne ;
Il court vers l'aile droite, où un danger
Nouveau menace Maciek. De la mort du Caporal
Se vengeant, un Aspirant avec un long « szponton »[281] l'attaque,
(Un « szponton » fait office à la fois de pique et de hache ;
Il est à présent devenu obsolète et dans la marine seulement
Est utilisé ; à l'époque il servait aussi dans l'infanterie).
L'Aspirant, homme jeune, habilement s'escrimait,
Chaque fois que son adversaire lui rejetait son arme sur le côté,
Il se reculait : Maciek ne pouvait rejoindre le jeune homme   420
Et ne pouvant le blesser, il devait donc se contenter de parer ses coups.
Déjà de sa pique l'Aspirant lui avait infligé une légère blessure,
Déjà, levant son esponton, il s'apprêtait à porter l'estafilade :
Le Baptiste[282] ne pourra arriver à temps, il s'arrête à mi-chemin,
Fait tournoyer son arme et la lance dans les pieds de l'ennemi.

---

[281] *Tiré de l'italien « spontone » : esponton (« Demi-pique que portaient autrefois les officiers d'infanterie, et dont on se sert sur les vaisseaux pour l'abordage », Le Littré-1880).*
[282] *Rappelons que « le Cogneur » et « le Baptiste » désignent la même personne.*

Il lui a fracassé la jambe ; déjà l'Aspirant son « szponton » laisse choir,
Vacille ; le Baptiste déboule, et tout le paquet de nobles derrière lui,
Et derrière les nobles, les Moscales de l'aile gauche
Accourent dans la confusion. Le combat s'engage autour du Cogneur.

Le Baptiste, qui a perdu son arme en défendant Maciek,   430
De sa vie a failli payer ce service :
Car deux solides Moscales lui sont tombés dessus par derrière
Et quatre mains en même temps ont empoigné sa crinière :
S'arc-boutant sur leurs jambes, ils tirent comme sur des cordages
Elastiques attachés au mât d'une « wicina »[283].
En vain le Cogneur en aveugle distribue-t-il des coups par derrière,
Il titube : il aperçoit alors Gerwazy près de lui
En train de se battre ; il crie : « Canif ! ô Jésus-Marie ! »

Le Porte-clés ayant reconnu à son cri la détresse du Baptiste,
Se retourne et abat le tranchant d'acier effilé de sa lame   440
Entre la tête du Baptiste et les mains des Moscales ;
Ils reculèrent, lançant des cris effroyables ;
Mais une main, plus fortement agrippée aux cheveux,
Y resta suspendue, bouillonnante de sang.
Il en va de même de l'aiglon ayant planté une serre dans un lièvre,
Et enfoncé l'autre dans un arbre afin de maintenir sa proie,
Le lièvre en se débattant en deux déchire l'aigle
La serre droite reste sur l'arbre dans la forêt,
Et la gauche, ensanglantée, par la proie dans les champs est emportée.

Le Baptiste libéré regarde autour de lui,   450
Tend les bras, cherche, appelle son arme ;
Entretemps il menace des poings, suivant pas à pas
Et se gardant aux côtés immédiats de Gerwazy,
Jusqu'à ce que dans la presse il aperçoive le Benêt, son fils.
Celui-ci, de sa main droite ajuste son escopette, et de la gauche
Traîne derrière lui un long bois mesurant une brasse,

---

[283] *Bateau navigant sur le Niémen : voir la note 74.*

Armé de silex, de nodules et de nœuds[284].
(Personne n'eût été capable de le soulever en dehors du Baptiste).
Le Baptiste, dès qu'il vit son arme chérie, son goupillon,
Le saisit, l'embrassa, de joie sursauta,   460
Le fit tourner au-dessus de sa tête, et s'empressa de le maculer.
La panique qu'après il sema, quelles calamités il infligea,
Il serait vain de les chanter : personne ne croirait la Muse,
De même qu'on ne croyait pas à Wilno une humble femme
Qui, se trouvant tout en haut de la sainte Porte de l'Aurore[285]
Vit Dejow, un général moscovite,
Entrant avec un régiment de cosaques, déjà ouvrir la porte,
Et un bourgeois, appelé Czarnobacki,
Tuer Dejow et défaire le régiment entier de cosaques[286].

Il suffit de dire qu'il se passa ce que Ryków avait prévu :   470
Les chasseurs dans ce tohu-bohu plièrent devant leurs adversaires ;
Vingt-trois d'entre eux gisent à terre, tués,
Trente et quelques gémissent sous leurs blessures,
Beaucoup filèrent, dans le verger, le houblon, à la rivière se cachèrent,
Quelques-uns à l'intérieur sous la garde des femmes se retrouvèrent.

---

[284] La massue lituanienne se fabrique de la façon suivante : on repère un jeune chêne et on l'entaille à la hache de bas en haut de manière à en ouvrir l'écorce et l'aubier en ne blessant que légèrement l'arbre. Dans ces encoches on introduit des silex pointus qui avec le temps s'incarnent dans l'arbre et forment des nodules coriaces. Dans les temps païens, les massues constituaient l'arme principale de l'infanterie lituanienne ; elles sont encore parfois utilisées de nos jours et sont appelées « nasieki ».
[285] *Voir la note 4.*
[286] Après l'insurrection de Jasiński *(voir la note 194)*, quand les armées lituaniennes retraitaient vers Varsovie, les Moscales s'approchèrent de Wilno abandonnée. Le général Dejow entrait par la Porte de l'Aurore à la tête de son état-major. Les rues étaient désertes et les habitants s'étaient enfermés chez eux. Un bourgeois, apercevant un canon abandonné dans une ruelle, chargé de mitraille, le dirigea vers la porte et fit feu. Ce seul coup à l'époque épargna Wilno : le général Dejow et quelques officiers périrent, les autres craignant une embuscade quittèrent la ville. Je ne connais pas avec certitude le nom de ce bourgeois.

Les nobles victorieux, répandant un cri d'allégresse, courent
Qui aux tonneaux, qui au butin sur l'adversaire ;
Seul Robak ne prend pas part à leurs triomphes.
Lui-même jusque-là n'avait pas combattu (le droit canon interdit
Au religieux de se battre) ; mais en homme expérimenté   480
Prodiguait ses conseils, faisait le tour du champ de bataille en tous sens,
Du regard, du geste, encourageait les combattants, les guidait.
Et à présent il les appelle à se regrouper vers lui,
Pour attaquer Ryków et parachever la victoire.
Cependant, par messager il fit savoir à Ryków
Que s'il déposait les armes il aurait la vie sauve ;
Si en revanche la remise des armes tardait,
Robak ordonnerait d'encercler le reste des troupes et de les exterminer.

Le Capitaine Ryków nullement ne demanda grâce ;
Rassemblant autour de soi la moitié du bataillon,   490
Il s'écria : « Epauler ! » Sans tarder les soldats saisissent leurs fusils.
Les armes cliquettent, depuis longtemps chargées ;
Il cria : « En joue ! » -- les canons brillèrent sur une longue rangée ;
Il cria : « Feu à tour de rôle ! » -- ils tonnent les uns après les autres.
L'un tire, l'autre charge, l'autre attrape,
On entend siffler les balles, cliqueter les platines, crisser les baguettes,
La rangée entière ressemble à un batracien en mouvement
Qui ses mille pattes brillantes remue simultanément.

Il est vrai que les chasseurs s'étaient enivrés d'un alcool fort,
Ils visent mal et ratent leur cible, rarement blessent,   500
A peine l'un d'eux tue : pourtant deux Matthieu
Sont déjà blessés et l'un des Barthélémy est tombé.
Les nobles rarement de quelques mousquets font un contre-feu ;
Ils veulent attaquer l'adversaire au sabre,
Mais les anciens les retiennent ; les balles sifflent dru,
Frappent, dans la cour font le vide, et bientôt l'auront nettoyée,
On les entend déjà grêler jusque sur les carreaux du manoir.

Thaddée, qui était resté dans la maison pour défendre les femmes
Sur l'ordre de son oncle, entendant que la bataille de mal en pis
Se goupille, sortit en courant ; derrière lui le Chambellan,   510

A qui Thomas avait fini par apporter sa karabela ;
Il se hâte, se joint aux gentilshommes et se met à leur tête.
Il court, sabre au clair ; la noblesse se rue sur ses talons ;
Les chasseurs, les laissant venir, d'une grêle de balles les arrosent :
Tombent Isajewicz, Wilbik, le Petit rasoir est blessé.
Alors on retient les gentilshommes : Robak d'un côté,
Matthieu de l'autre. Les nobles sont refroidis dans leur ardeur,
Regardent autour d'eux, reculent ; les Moscales s'en aperçoivent :
Le Capitaine Ryków pense donner le coup de grâce,
Débarrasser la cour des gentilshommes, et du manoir se rendre maître.
                                                                        [520
    « Formation de combat ! cria-t-il, baïonnette au clair !
En avant !» Bientôt les soldats, fusils pointés tels des épieux,
Baissent la tête, se mettent en branle et accélèrent le pas.
En vain les gentilshommes les freinent de devant, tirent sur les côtés :
Les soldats déjà la moitié de la cour ont franchi sans être arrêtés ;
Le Capitaine, désignant de son épée la porte du manoir,
Crie : « Juge ! rendez-vous, sinon j'ordonne de brûler le manoir !»
« Brûlez, crie le Juge, moi dans ce feu je vous ferai frire ».

    O manoir des Soplica ! si jusqu'à présent entiers
Tes murs blancs sous les tilleuls brillent,   530
Si jusqu'à présent les gentilshommes du voisinage s'y
Installent à la table hospitalière du Juge,
Certainement là-bas souvent à la santé de l'Arrosoir ils boivent,
Car sans lui c'en serait fini aujourd'hui de Soplicowo !

    L'Arrosoir jusqu'alors avait fait montre d'un courage modeste ;
Bien que des nobles il fût le premier à être délivré des entraves,
Bien que tout de suite il eût trouvé dans la charrette son arrosoir chéri,
Son escopette bien aimée, et avec, un petit sac de balles,
Il ne voulait pas se battre ; il disait ne pas avoir confiance en soi
A jeun. Il se rendit donc là où se trouvait le tonneau de « spirytus » ;
                                                                        [540
De la main, comme avec une cuiller, il dévia le filet jusqu'à sa bouche ;
Ce n'est qu'après s'être bien réchauffé et réconforté,
Qu'il arrangea sa coiffe, prit en main son arrosoir posé sur ses genoux,
De sa baguette en vérifia le chargement, compléta le magasin à poudre

Et jeta un regard sur le champ de bataille. Il voit la brillante
Vague de baïonnettes frapper et bousculer les gentilshommes :
Il vogue à l'encontre de cette vague ; s'aplatissant jusqu'au sol
Il fait le plongeur au sein des herbes touffues,
Au milieu de la cour, jusqu'à l'endroit où poussent des orties,
Se met en embuscade, et du geste fait signe au Benêt de venir.   550

    Le Benêt défendait le manoir, avec son escopette debout à l'entrée :
Car dans ce manoir habitait sa chère Zosia,
Dont, bien que prétendant éconduit,
Il était toujours amoureux, et prêt à périr pour la défendre.

    Dans sa marche déjà la troupe des chasseurs dans les orties pénètre,
Quand l'Arrosoir appuie sur la gâchette et de la gueule de son tromblon
Lâche une grenaille d'une douzaine de balles au milieu des Moscales ;
Le Benêt en lâche une seconde douzaine. Confusion chez les chasseurs.
Effrayée par l'embuscade, la troupe se ramasse sur elle-même,
Recule, abandonne ses blessés ; le Baptiste les achève.   560

    La grange est maintenant loin ; craignant une retraite
Trop longue, Ryków bondit contre la clôture du jardin ;
Là il arrête dans sa course la troupe en débandade,
La met en ordre de combat, mais en change la disposition : d'un rang
Il fait un triangle, dont il oriente l'angle aigu vers l'avant,
Et adosse ses deux côtés à la clôture du jardin.
Il a bien fait, car la cavalerie venant du château lui tombe dessus.

    Le Comte, qui se trouvait au château sous la garde des Moscales,
Quand celle-ci, effrayée, déguerpit, mit son personnel en selle,
Et, entendant des coups de feu, conduisit sa cavalerie au feu,   570
Lui-même en tête, au-dessus de sa tête son fer levant bien haut.
Alors Ryków cria : « Feu par demi-bataillon ! »
Un cordon enflammé courut tout le long des platines
Et trois centaines de balles des canons noircis sortirent en sifflant.
Trois cavaliers tombèrent, blessés, un autre est tué,
Le Comte est à terre, son cheval est tombé ; le Porte-clés en criant court
A son secours, car il voit que les chasseurs pour cible ont pris
Des Horeszko le dernier descendant, bien que par les femmes.

Robak se trouvait plus près, il couvre le Comte de son corps,
Il a été touché à sa place, il l'extrait de dessous son cheval,   580
L'emmène à l'écart, et aux gentilshommes commande de se disperser,
De mieux viser, et d'économiser les coups de feu inutiles,
De se cacher derrière les clôtures, les puits, les murs de l'étable ;
Le Comte et sa cavalerie doivent attendre des moments plus propices.

   Les plans de Robak ont été compris et exécutés à merveille
Par Thaddée. Il restait caché derrière un puits en bois ;
Et comme il était à jeun et savait bien tirer d'un fusil à double canon,
(Il était capable de toucher en vol une pièce d'un zloty)
Il fait énormément de mal à Moscou. Il choisit les gradés ;
A son tout premier coup il abattit un adjudant,   590
Puis de ses deux canons coup sur coup il dégage deux sergents,
Il vise tantôt d'après les galons, tantôt au centre du triangle,
Où se tiennent les officiers. Ryków s'en agace et se met en colère,
Tape des pieds, et de son épée mordille la poignée :
« Mon Commandant, crie-t-il, qu'est-ce que cela va donner ?
Bientôt plus personne d'entre nous ne restera ici pour commander ! »

   Alors Płut s'écria très en colère à l'adresse de Thaddée :
« Monsieur le Polonais, honte à vous de vous cacher derrière du bois,
Ne soyez pas lâche, sortez en plein jour, battez-vous avec honneur,
Comme un soldat ». A cela Thaddée répond :   600
« Major ! si vous êtes si audacieux chevalier,
Pourquoi vous cachez-vous derrière le col de vos chasseurs ?
Je n'ai pas peur de vous : sortez-donc de derrière cette haie ;
Je vous ai giflé, je suis bien évidemment prêt à me battre avec vous !
Pourquoi faire couler le sang ? nous nous sommes disputés :
Que le pistolet ou l'épée tranchent ce différend.
Je vous donne le choix des armes, du canon jusqu'à l'aiguille ;
Sinon, je vous abattrai tous comme des loups dans leur tanière ».
Ce disant, il tira en visant si bien
Qu'il toucha un lieutenant à côté de Ryków.   610

   « Mon Commandant, dit Ryków tout bas, relevez ce défi
Et vengez-vous de ce qu'il vient de faire.
Si quelqu'un d'autre tue ce gentilhomme,

Vous voyez bien que vous ne laverez pas votre affront,
Il faut attirer ce gentilhomme à découvert,
Si on ne le peut au fusil, du moins à l'épée le tuer.
Tuer de loin n'est pas prouesse, embrocher a ma préférence :
Ainsi parlait le vieux Souvorov[287] ; sortez, Major, à découvert,
Sinon il va tous nous tuer ; voyez, il est en train de viser ».
A cela le Major répondit : « Ryków ! mon cher ami !   620
Vous êtes un as à l'épée : vous, mon frère, sortez.
Ou bien, vous savez quoi ? on va envoyer un de nos lieutenants.
Moi je suis Commandant, je ne peux pas abandonner mes soldats,
Il m'appartient de commander le bataillon ».
Entendant cela, Ryków leva son épée, sortit hardiment,
Ordonna de cesser le feu, agita un mouchoir blanc ;
Il demande à Thaddée quelle arme il préfère.
Après arrangement, les deux s'accordèrent pour l'épée.
Thaddée n'avait pas d'arme : alors qu'on cherchait une épée,
Le Comte surgit armé et rompit ces arrangements.   630

     « Monsieur Soplica ! cria-t-il, veuillez bien m'excuser,
Mais vous avez défié le Major ! moi du Capitaine
Un affront plus ancien j'ai reçu : lui, à mon château… »
(Dites, Seigneur – l'interrompit Protazy – à notre château),
« a déboulé, dit le Comte pour terminer, à la tête de voleurs,
C'est lui, je l'ai reconnu, qui a ligoté mes jockeys.
Je vais le châtier, comme j'ai châtié les bandits sous les murailles
Que les Siciliens appellent *Birbante-Rocco* ».

     Tous firent silence, le feu cessa,
Les militaires avec attention regardent des chefs l'affrontement :   640
Le Comte et Ryków s'avancent, tournés de côté,
De la main droite et de l'œil droit se menaçant ;
Et en même temps de la main gauche se découvrant
Et poliment se saluant. (C'est une coutume par l'honneur dictée
Qu'avant d'en arriver à l'assassinat il convienne de se saluer).
Déjà les épées se sont entrechoquées et se sont mises à grincer ;

---

[287] *Voir la note 34.*

Les chevaliers, élançant la jambe, du genou droit
S'agenouillent, sautillant alternativement vers l'avant et l'arrière.

    Mais Płut, voyant Thaddée face à lui,
S'entretenait tout bas avec le caporal Gont,   650
Qui dans l'unité passait pour un tireur d'élite.
« Gont, dit le Major, tu vois ce pendard ?
Si tu lui colles une balle là sous la cinquième côte,
De moi tu recevras quatre roubles en argent ».
Gont arme le chien de sa carabine, se penche sur la platine,
Ses fidèles compagnons l'ont masqué de leurs capotes ;
Il vise non pas la côte, mais la tête de Thaddée :
Il tire et touche – presque, en plein milieu du chapeau.
Thaddée fait un tour sur lui-même, jusqu'à ce que le Cogneur se rue
Sur Ryków, et les gentilhommes à sa suite, criant : « Trahison ! ». 660
Thaddée le protège. A peine Ryków parvient-il
A se retirer et trouver refuge au milieu des siens.

    A nouveau les Dobrzyniens[288] avec la Lituanie font assaut de zèle
Et malgré les anciens désaccords entre les deux clans,
Combattent comme des frères, s'encourageant mutuellement.
Les Dobrzyniens voyant un Podhajski se démener
Juste devant un rang de chasseurs et les découper à la faux,
Crient avec joie : « Vive les Podhaje[289] !
En avant frères Lituaniens, vive la Lituanie, vive la Lituanie ! »
Quant aux Skołuba, voyant le valeureux Rasoir,   670
Bien que blessé, courir sabre au clair,
Ils s'écrient : « Vive les Maciek, vive les Mazurs[290] ! »
Se stimulant les uns les autres, ils courent sus aux Moscales ;
En vain Robak et Maciek les retenaient-ils.

---

[288] *Rappelons que les Dobrzyniens sont des Polonais « pur sucre » et non des Lituaniens : voir les vers 395-401 du Livre VI.*
[289] *Sans doute originaires de Podhajce, petite ville historique de Podolie, située actuellement en Ukraine.*
[290] *Voir la note 181.*

Tandis qu'on attaquait de la sorte l'unité de chasseurs par devant,
Le Substitut quitte le champ de bataille et s'en va au jardin.
A ses côtés trottait le prudent Protazy,
Et le Substitut à voix basse lui donnait ses ordres.

Dans le jardin il y avait, pratiquement contre la clôture
Sur laquelle Ryków appuyait son triangle,   680
Un grand et vieux séchoir à fromages, construit en treillage
De lattes assemblées en croix, ressemblant à une cage.
On y voyait briller de nombreuses piles de blancs fromages ;
Et tout autour il y avait de ci de là, en train de sécher, des bouquets
De sauge, de chardon béni[291], de thym :
Toute la pharmacopée de simples de la fille du Substitut.
Le séchoir au sommet mesurait trois brasses et demie [292] de largeur
Et à sa base sur un seul gros pilier prenait appui,
A l'instar d'un nid de cigogne. Le vieux pilier en chêne
Penchait, car il était déjà pourri sur une moitié,   690
Et menaçait de tomber. Plus d'une fois on avait conseillé au Juge
D'abattre la construction, que l'âge avait fragilisée ;
Mais le Juge disait qu'il préférait réparer
Que démolir ou encore déplacer.
Il remettait la construction à des temps meilleurs,
Et en attendant avait commandé de renforcer le pilier avec deux étais.
Ainsi consolidée, mais précaire, la construction,
Avait vue, de derrière la clôture, sur le triangle de Ryków.

Vers ce séchoir le Substitut et l'Huissier discrètement s'acheminent,
Chacun d'eux armé d'une énorme gaffe semblable à une pique ;   700
Derrière eux l'intendante passe par la plantation de chanvre
Ainsi que le marmiton, un gars petit mais très costaud.
Une fois arrivés, ils plantèrent les gaffes dans la tête pourrie du pilier
Et eux-mêmes, pendus aux extrémités, poussent de toutes leurs forces :
Comme les gabariers une « wicina » échouée sur un seuil
De leurs longues gaffes à partir du rivage repoussent vers le large.

---

[291] *Plante utilisée pour ses propriétés médicinales.*
[292] *Soit environ 6 mètres et demi.*

Le pilier céda avec fracas : déjà le séchoir vacille et s'effondre
Avec son poids de bois et de fromages sur le triangle des Moscales,
Les écrase, les blesse, les tue ; à la place des soldats
Gisent des bois, des cadavres, des fromages blancs comme neige,   710
Maculés de sang et de cervelle. Le triangle éclate en morceaux,
Et déjà en son centre tonne le Cogneur, fulgure le Rasoir,
Hache la Verge, côté manoir déboule un paquet de gentilshommes,
Et côté portail le Comte lance sa cavalerie sur les fuyards.

    Il ne reste plus que huit chasseurs avec un sergent à leur tête
A se défendre. Le Porte-clés accourt ; eux font face hardiment,
Avec leurs neufs canons visent droit dans la tête du Porte-clés ;
Lui court comme une balle, faisant tournoyer la lame de son Canif.
Le religieux voyant cela, lui barre la route ;
Lui-même se jette à terre et à Gerwazy fait un croc en jambe ;   720
Ils sont tombés juste au moment où le peloton a fait feu.
A peine le plomb en sifflant est-il passé, que déjà Gerwazy se relevait,
Déjà il sautait dans la fumée, deux chasseurs sur le champ il décapite.
Ils fuient terrorisés. Le Porte-clés les poursuit, leur taille des croupières,
Eux traversent la cour en courant, Gerwazy à leurs trousses ;
Ils se précipitent dans la grange, dont la porte est ouverte,
Et Gerwazy à leurs chausses y déboule,
Disparaît dans l'obscurité, mais à la bagarre n'a pas renoncé :
Car par la porte on entend gémir, hurler et pleuvoir les coups.
Bientôt tout redevient silencieux. Gerwazy sort seul,   730
Le glaive ensanglanté.

    Déjà les gentilshommes sont maîtres du champ de bataille,
Poursuivent les chasseurs qui se sont débandés, taillent, estoquent ;
Ryków seul est resté ; il crie qu'il ne se rendra pas,
Il se bat ; lorsque de lui le Chambellan s'approche
Et, levant sa karabela, lui dit d'un ton grave :
« Capitaine ! vous n'entacherez pas votre honneur en demandant grâce.
Vous avez prouvé, chevalier malchanceux mais courageux,
Votre bravoure : cessez une résistance sans espoir,
Rendez-vous, avant qu'avec nos sabres nous vous désarmions :
Vous aurez la vie sauve et l'honneur, vous êtes mon prisonnier ! »   740

Ryków, vaincu par la gravité des propos du Chambellan,
S'inclina et lui remit son épée nue,
Ensanglantée jusqu'à la garde, et dit : « Frères Polonais[293] !
Ah, dommage pour moi ne pas avoir au moins un canon !
Souvorov avait raison dire : « souviens-toi camarade Ryków,
Ne marche jamais sur Polonais sans canons ! »
Que faire ? chasseurs étaient ivres, Major les a autorisés à boire !
Ah, Commandant Płut, il en a fait de belles aujourd'hui !
Il en répondra devant le tsar, car c'est lui qui commandait.
Moi, monsieur Chambellan, je serai votre ami.   750
Proverbe russe dit : ceux qui beaucoup s'aiment,
Ceux-là aussi, monsieur Chambellan, beaucoup se chamaillent.
Bons pour pinter, bons pour esquinter, vous autres,
Mais arrêtez faire zèle sur dos de mes chasseurs ».

Le Chambellan, entendant cela, lève sa karabela
Et par l'intermédiaire de l'Huissier, annonce une amnistie générale ;
Il ordonne de panser les blessés, de nettoyer les extérieurs des cadavres,
Et de conduire les chasseurs désarmés en captivité.
Longtemps on rechercha Płut ; dans un buisson d'orties
S'étant profondément enfoui, il faisait le mort ;   760
Il finit par sortir, voyant que la bataille était terminée.
Ainsi prit fin le dernier raid exécutif en Lituanie[294].

✳✳✳

---

[293] *Ryków emploie le terme « Lachy », « Léchites », pour désigner les Polonais, comme c'était l'usage en Lituanie et en Ukraine. Dans la mythologie slave, les Polonais sont considérés comme les descendants de Lech, les Tchèques de son frère Cech, et les Slaves orientaux de Rus, le troisième frère.*
[294] Il y en eut encore après, bien que moins fameux, mais cependant assez reten-tissants et sanglants. Vers 1817 le citoyen U… dans la voïévodie de Nowo-gródek lors d'un raid défit toute la garnison locale et emmena ses chefs en cap-tivité.

LIVRE DIXIEME

L'EMIGRATION - JACEK

*

Sommaire :

Pourparlers concernant la sécurité de la vie des vainqueurs.
Arrangements avec Ryków.
Les adieux.
Importantes révélations.
Espoir.

*

C es nuées du matin, initialement éparses
    Comme des oiseaux noirs, volant vers les hauteurs du ciel,
Se regroupaient ; à peine le soleil eut-il quitté
Le midi, déjà leur vol avait investi la moitié des cieux,
Formant un énorme nuage. Le vent le poussait toujours plus vite :
Le nuage devenait de plus en plus gros, gagnait les régions inférieures,
Et, sur une moitié s'étant arraché au ciel,
Penché vers la terre et largement déployé,
Pareil à une grand-voile captant tous les vents,
Du midi au couchant il poursuivait son vol.   10

      Et le silence se faisait – et l'air devenait
Sourd, occlus, comme muet de terreur.
Les blés, qui auparavant se couchaient
Et se relevaient en frémissant de leurs épis dorés
Comme des vagues écumeuses, maintenant s'immobilisent
Et regardent le ciel en hérissant leurs tiges.
Et au bord des routes les saules et peupliers verts,
Qui auparavant, tels des pleureuses sur une tombe,
Se frappaient le front et tordaient leurs longs bras,
Au vent dénouant leurs tresses de cheveux argentés,   20
Maintenant, comme inertes, avec une muette expression de douleur,
Se dressent pareils aux statues de Niobé la sipylienne[295].
Seul le tremble frémissant agite ses feuilles gris blanc.

      Le bétail, d'habitude si paresseux pour rentrer au bercail,

---

[295] *Niobé la présomptueuse fut châtiée par les dieux et, après avoir été changée en rocher par Zeus, placée sur le mont Sipyle.*

A présent se rassemble en masse, sans attendre les bergers,
Et, abandonnant sa pâture, se sauve à la maison.
Le taureau de ses sabots fouit la terre, la laboure de ses cornes
Et de son sinistre beuglement terrorise tout le troupeau ;
La vache régulièrement vers les cieux dirige ses grands yeux,
D'étonnement ouvre son mufle et profondément soupire ;   30
Tandis que derrière, le cochon grogne, fait la tête et couine,
Maraude et happe des épis à qui mieux mieux.

    Les oiseaux dans le bois, sous les toits, dans l'herbe se camouflent ;
Seules les corneilles, en essaims répandues autour des étangs,
Gravement se promènent,
Sur les noires nuées dirigeant leurs yeux noirs,
Tirant la langue hors de leur large gosier asséché
Et, déployant leurs ailes, attendent l'ondée.
Mais même elles, prévoyant une tempête par trop violente,
Déjà vers la forêt se dirigent, pareilles à un nuage qui s'élève.   40
Le dernier des oiseaux, s'enivrant de la vélocité de son vol,
L'hirondelle telle une flèche troue la noire nuée,
Et telle un plomb finit elle aussi par tomber.

                    Justement, c'est le moment
Où les nobles en ont fini avec la terrible bataille contre Moscou
Et, se rassemblant, à l'abri se mettent dans les maisons et granges,
Quittant le champ de bataille, où bientôt les éléments
La leur livreront.

              A l'ouest, par le soleil encore nimbée d'or,
La terre brille lugubrement d'un rouge jaunâtre ;
Déjà le nuage, étendant son ombre réticulée,
Dans ses mailles récupère les restes de lumière, et poursuit le soleil   50
Comme s'il voulait le rattraper avant qu'il ne se couche.
L'une après l'autre quelques rafales ont soufflé par en dessous ;
L'une après l'autre elles se courent après, chargées de gouttes de pluie,
Grosses, brillantes, rondes, pareilles à des grêlons.

    Les brutales rafales se sont rejointes, se sont entremêlées,
Font le diable à quatre, tournoient, en tourbillons sifflants

Circulent par les étangs, en troublent l'eau jusqu'au fond.
Elles ont déboulé dans les prés, sifflent dans les saules et les herbes :
Les branches des saules volent, les restes de fenaison s'envolent
Au vent, tels des cheveux par poignées arrachés, 60
Mélangés à des frisons de paille. Les vents hurlent,
Tombent sur les champs, se vautrent par terre, creusent,
Fouissent le sol, ménageant une ouverture à une tierce rafale,
Qui, telle une colonne de terre noire, des champs s'est extraite :
Elle s'élève, tournoie telle une mouvante pyramide,
De son museau fore le sol, avec ses pieds ensable des étoiles les yeux
Et à chaque instant se gonfle, vers le haut s'évase,
De son énorme trompe trompette dans les trombes.
Jusqu'à ce qu'avec tout ce chaos d'eau et de poussière,
De paille, de feuilles, de branches et de gazon arrachés, 70
Les rafales à la forêt s'attaquent et dans ses vierges profondeurs
Comme des ours rugissent.

      Déjà des trombes de pluie tombent sans arrêt
Comme d'un arrosoir, en gouttes serrées. Là-dessus le tonnerre éclata,
Les gouttes se sont coagulées, et tantôt comme des cordages rectilignes
En une longue tresse relient les cieux à la terre,
Tantôt à seaux se déversent par nappes entières.
Déjà les cieux et la terre se sont complètement dissimulés :
La nuit et la tempête, par la nuit rendue plus noire, les occultent.
Parfois l'horizon se fend d'une extrémité à l'autre
Et l'ange de la tempête, semblable à un immense soleil, 80
Fait paraître sa face illuminée et, de nouveau recouvert d'un voile noir,
S'enfuit au ciel et d'un coup de tonnerre reclaque la porte des nuages.
A nouveau redoublent la tempête, le déluge déchaîné,
Et l'obscurité épaisse, dense, presque palpable.
A nouveau la pluie se calme, pour un instant le tonnerre s'assoupit,
A nouveau se réveille, rugit et à nouveau en trombes d'eau se déverse.
Jusqu'à ce que tout redevînt calme. Seuls les arbres
Autour de la maison bruissent et l'averse murmure.

  Une telle journée requérait le temps le plus tempétueux :
Car la tourmente, dans l'obscurité ayant plongé le champ de bataille, 90
Avait inondé les routes, rompu les ponts sur la rivière,

Et transformé la ferme en une forteresse inaccessible.
Et donc de ce qui s'était passé chez les Soplica
La nouvelle n'avait pu se répandre ce jour dans les environs :
Et ce secret justement du sort des gentilshommes décida.

Dans le cabinet du Juge ont lieu d'importants pourparlers.
Le Bernardin était alité, exténué, pâle
Et couvert de sang, mais parfaitement lucide.
Il donne des ordres, le Juge à la lettre les exécute.
Il demande le Chambellan, fait venir le Porte-clés,   100
Ordonne d'amener Ryków, puis de fermer la porte.
Les discussions secrètes durent une heure entière,
Jusqu'à ce que le capitaine Ryków les interrompe par ces paroles,
Sur la table jetant la bourse lourde de ducats :
« Messieurs Polonais, parmi vous circule racontar
Que Moscales tous des voleurs ; vous, dites à qui demandera,
Que Moscale vous avez connu, nom Nikita
Nikitycz[296] Ryków, capitaine compagnie, avec huit
Médailles et trois croix – ne pas oublier, s'il vous plaît :
Cette médaille pour Oczaków, celle-ci pour Izmaiłów,   110
Celle-ci pour bataille de Nowi, celle-ci pour Prejsisz-Iłów[297]
Celle-là pour fameuse retraite de Korsakow[298]
En dessous Zurich ; et aussi glaive pour courage,
Trois éloges par général en chef,
Deux félicitations par empereur, et quatre citations,
Tout écrit sur document ».

                                   « Mais enfin, Capitaine,

─────────────

[296] *Fils de Nikita (Nicolas).*
[297] Sûrement Preussisch-Eylau.
Otchakov et Izmaïl sont des victoires russes remportées en Ukraine au cours de la septième guerre russo-turque (1787-1792), Novi une victoire austro-russe remportée sur les Français en Ligurie (1799), tandis que Preußisch-Eylau (aujourd'hui Bagrationovsk dans l'oblast de Kaliningrad) est la sanglante bataille que Napoléon livra en 1807 contre la Russie et son alliée la Prusse.
[298] *Déroute du général Korsakov envoyé en 1799 au secours de Souvorov.*

L'interrompit Robak, et qu'adviendra-t-il alors de nous,
Si avec nous, vous ne voulez vous accorder ? N'avez-vous pas juré
D'arranger cette affaire ? ».

         « C'est vrai, et je vais jurer à nouveau,
Dit Ryków, je jure ! Que me rapporterait votre perte ?   120
Moi honnête homme, moi, messieurs Polonais, je vous aime,
Car vous gens joyeux, prompts à trinquer,
Et aussi gens hardis, prompts à esquinter.
Chez nous proverbe russe : qui dans voiture voyage
Souvent sous voiture se retrouve ; qui aujourd'hui devant
Demain derrière ; aujourd'hui tu bats, demain tu es battu ;
Pourquoi se fâcher pour ça ? nous soldats, ainsi nous vivons.
D'où nous viendrait tant de méchanceté pour
Nous fâcher pour défaite ! Bataille d'Otchakov
Sanglante, à Zurich notre infanterie démolie,   130
A Austerlitz j'ai perdu compagnie entière,
Et avant, à Racławice[299] votre Kościuszko,
Moi alors sergent, avec ses faux a haché ma section.
Et alors ? Moi à mon tour à Maciejowice[300]
J'ai tué avec propre baïonnette deux vaillants gentilshommes :
Un, Mokronowski[301], il marchait en tête avec faux,
Et un autre, il avait coupé à canonnier sa main avec mèche.
Ah, vous Polonais ! Patrie ! moi je ressens tout ça,
Moi, Ryków ; mais tsar ainsi commande, et moi je vous plains,
Qu'avons-nous contre Polonais ? Moscou au Moscale,   140
Pologne au Polonais ; mais quoi faire ? tsar ne permet pas ! »

     A cela le Juge lui répond : « Mon Capitaine,
Que vous soyez honnête homme, tout noble campagnard le sait,

---

[299] *Village des environs de Cracovie, où Kościuszko remporta une victoire sur les Russes en 1794.*
[300] *Village de Mazovie, où Kościuszko subit une lourde défaite, toujours face aux Russes, qui mit fin à l'insurrection de 1794.*
[301] *Allusion au général Stanisław Mokronowski, qui participa à la guerre russo-polonaise de 1792 et à l'insurrection de Kościuszko en 1794 ?*

Chez qui vous avez caserné depuis des années.
Pour ce don, ne vous fâchez pas, cher ami :
Nous ne voulions pas vous blesser ; les ducats que voici,
Nous avons osé les collecter sachant que vous n'êtes pas riche ».

     « Ah, mes chasseurs ! cria Ryków ; compagnie entière anéantie !
Ma compagnie ! et tout ça par faute à ce Płut !
Lui commandant, lui répondra devant tsar,   150
Et vous, gardez sous pour vous, Messieurs ;
Ma solde capitaine, clopinettes,
Mais suffit pour petit ponch et un peu tabac pour pipe.
Et je vous aime bien, avec vous manger un morceau et boire un coup,
S'amuser, bavarder un peu, ainsi je vis.
Je vais donc vous défendre, et quand enquête,
Parole d'honnête homme, pour vous je témoignerai.
Nous dirons que nous sommes venus ici inspection, avons bu
Un coup, dansé, et pris petit verre dans le nez,
Et Płut par hasard a ordonné faire feu,   160
Bataille ! et voilà, bataillon il a anéanti.
Vous messieurs, avec or bien graisser enquête,
Et elle tournera bien. Mais à présent je vais répéter
Ce que déjà j'ai dit à gentilhomme avec longue
Rapière, que Płut est commandant, et moi seulement second :
Płut toujours vivant, il peut vous jouer petit tour
Qui vous perdra, car c'est finaud de première ;
Il faut lui fermer bec avec billets de banque.
Alors, monsieur Gentilhomme avec longue rapière,
Etes-vous déjà allé voir Płut, lui avez-vous parlé ? »   170

     Gerwazy porta un regard circulaire, caressa sa calvitie,
Négligemment fit signe de la main, comme s'il faisait savoir
Qu'il avait déjà tout réglé. Mais Ryków insistait :
« Alors, Płut va-t-il se taire, a-t-il donné parole ? »
Le Porte-clés, fâché d'être tourmenté de questions par Ryków,
Dirigeait gravement son pouce vers le sol,
Puis fit un geste désabusé de la main, comme s'il interrompait
Le fil de la conversation, et dit : « Je jure sur mon canif
Que Płut ne nous dénoncera pas ! il ne parlera plus à personne ! »

Puis il dirigea ses paumes vers le sol et fit craquer ses doigts,   180
Comme si de ses mains il avait expulsé tout le secret.

Ceux qui l'écoutaient comprirent ce sombre geste et restaient cois,
Se regardant avec étonnement, s'observant mutuellement,
Et ce silence lugubre quelques minutes dura.
Jusqu'à ce que Ryków dît : « Loup il a été, comme loup il a fini ! »
« *Requiescat in pace* »[302], ajouta le Chambellan.
Le Juge acheva : « Il y avait là sans doute la main de Dieu !
Mais je ne suis pas responsable de ce sang, je n'étais pas au courant ».

Le religieux se redressa sur ses oreillers et assis, lugubre,
Finit par dire, au Porte-clés lançant un regard pénétrant :   190
« C'est un grand péché de tuer un prisonnier sans défense !
Le Christ interdit de se venger, même sur un ennemi !
O vous, Porte-clés, vous en répondrez sérieusement devant Dieu.
Sauf dans un cas : si cela a été commis
Non pas par stupide vengeance, mais « *Pro publico bono* »[303].
Le Porte-clés, avec un signe de tête et allongeant le bras,
Tout en plissant les yeux, répéta : *« Pro publico bono ! »*

Il ne fut plus question du Major Płut.
Le lendemain on le chercha vainement dans le manoir,
En vain donnait-on une récompense à qui retrouverait son cadavre ; 200
Le Major avait disparu sans laisser de traces, comme englouti.
On parlait diversement de ce qui lui était arrivé,
Mais personne n'avait de certitude, ni alors, ni plus tard.
En vain accablait-on le Porte-clés de questions ;
Rien d'autre il ne dit que ces paroles : *« Pro publico bono ».*
Le Substitut était dans la confidence, mais tenu par sa parole
D'honneur, le vieillard ne pipait mot.

Une fois ces accords passés, Ryków sortit de la pièce,
Et Robak fit appeler les gentilshommes combattants,

---

[302] *Qu'il repose en paix.*
[303] *Pour le bien commun.*

Auxquels le Chambellan en ces termes graves s'adresse :   210
« Mes frères ! Dieu aujourd'hui a favorisé nos armes ;
Mais je dois, Messeigneurs, vous avouer sans ambages
Que ces combats prématurés auront des conséquences fâcheuses.
Nous avons erré, et aucun d'entre nous ici n'est indemne de faute :
Le Père Robak, pour avoir répandu les nouvelles avec trop de zèle ;
Le Porte-clés et les gentilshommes pour les avoir mal comprises,
La guerre avec la Russie n'est pas encore pour demain ;
Et, en attendant, qui le plus activement à la bataille a participé,
Celui-là en Lituanie en sécurité ne peut rester :
Au Duché[304] il vous faut donc fuir, Messieurs,   220
Et notamment Matthieu qu'on appelle le Cogneur,
Thaddée, l'Arrosoir, le Rasoir, qu'ils relèvent la tête
Au-delà du Niémen, où l'armée nationale les attend.
En votre absence, sur vous nous chargerons toute la faute,
Ainsi que sur Płut : de cette façon le reste des nobles nous sauverons.
Je ne vous dis pas adieu pour longtemps ; il y a certains espoirs
Qu'avec le printemps poindra pour nous l'aurore de la liberté,
Que la Lituanie qui de vous aujourd'hui comme de vagabonds se sépare
Bientôt en vous verra ses victorieux sauveurs.
Le Juge préparera tout le nécessaire pour la route   230
Et moi en argent j'apporterai toute l'aide que je peux ».

   Les nobles sentaient que les conseils du Chambellan étaient sages :
On savait que quiconque avec le tsar russe une fois se fâchait,
Ne pourrait plus sur cette terre avec lui sincèrement faire la paix
Et devrait soit se battre, soit pourrir en Sibérie.
Et donc, sans dire un mot, ils se regardèrent tristement,
Soupirèrent ; et firent un signe de tête en guise d'acquiescement.

   Le Polonais, bien que sa réputation parmi les peuples vienne
De ce qu'au-delà de sa vie il aime son pays natal,
Est toujours prêt à le quitter, s'exiler aux confins du monde,   240
Miséreux et maltraité passer de longues années,
Luttant contre les hommes et le sort tant que dans la tempête

---

[304] *Au Duché de Varsovie.*

L'éclaire l'espérance d'être utile à sa Patrie.

Ils déclarèrent qu'ils étaient prêts à partir sur le champ ;
Seul monsieur Buchman ne trouva pas cela judicieux.
Buchman, homme raisonnable, à la bataille n'avait pas pris part,
Mais ayant entendu qu'on délibérait, se hâtait de venir palabrer.
Il trouvait le projet pertinent, mais souhaitait l'amender,
Le développer avec plus de précision, l'expliciter,
Et d'abord légalement désigner une commission   250
Qui examinerait les objectifs de l'Emigration,
Ses ressources, ses moyens, et encore bien d'autres aspects.
Par malheur le manque de temps empêcha
De donner suite à la proposition de Buchman.
Les gentilshommes font leurs adieux en hâte et déjà se mettent en route.

Mais le Juge dans la pièce retint Thaddée
Et dit au Père : « Il est grand temps que je vous dise
Ce qu'hier j'ai appris avec certitude :
Que notre Thaddée est sincèrement amoureux de Zosia.
Qu'avant son départ il demande donc sa main.   260
J'en ai parlé à Télimène : elle ne nous fait plus obstacle ;
Zosia aussi avec la volonté de ses tuteurs s'accorde.
Si aujourd'hui on ne peut lier le couple par les liens du mariage,
Qu'au moins, Monsieur mon frère, on les fiance
Avant le départ : car un cœur jeune et voyageur,
Vous le savez bien, forcément toutes sortes de tentations éprouve ;
Mais quand il jette un coup d'œil à sa bague
Et qu'il se souvient, le jeune homme, qu'il est déjà conjoint,
Alors immédiatement en lui baisse la fièvre des tentations autres.
Une alliance, croyez m'en, possède un grand pouvoir.   270

« Moi-même, il y a plus de trente ans, j'ai vécu une grande passion
Pour mademoiselle Marthe, dont j'avais conquis le cœur.
Nous étions fiancés ; Dieu n'a pas béni
Cette union et m'a laissé orphelin,
Emportant dans sa gloire la belle demoiselle Substitute,
De mon ami Hreczecha la fille.
Seul m'est resté le souvenir de sa vertu,

De sa beauté et l'alliance d'or que voici.
Chaque fois que sur elle je portais le regard, toujours mon infortunée
M'apparaissait ; et c'est ainsi grâce à Dieu   280
Que jusqu'à ce jour à ma fiancée je suis resté fidèle,
Et sans avoir été marié, je suis un veuf âgé,
Bien que le Substitut ait une autre fille assez jolie
Et assez ressemblante à ma Marthe chérie ! »

    Ce disant il regardait la bague avec tendresse
Et du revers de la main essuyait ses larmes.
« Frère, acheva-t-il, qu'en pensez-vous ? Allons-nous les fiancer ?
Lui est amoureux, et j'ai la parole de la tante et de la jeune fille ».

    Mais Thaddée accourt et dit avec vivacité :
« Comment vous exprimerai-je, cher oncle, ma reconnaissance,   290
A vous qui de mon bonheur vous préoccupez avec une telle constance !
Ah, cher oncle, je serais le plus heureux des hommes
D'avoir aujourd'hui Zosia pour fiancée,
Si j'étais sûr qu'elle deviendra mon épouse ;
Mais autant le dire ouvertement : aujourd'hui ces fiançailles
Ne peuvent aboutir ; à cela il y a diverses raisons…
N'en demandez pas davantage… Si Zosia veut bien attendre,
Peut-être bientôt me trouvera-t-elle meilleur, plus digne d'elle,
Peut-être en constance à son exemple je gagnerai,
Peut-être ornerai-je mon nom d'un petit peu de gloire,   300
Peut-être bientôt reviendrons nous dans nos contrées natales :
Alors, mon oncle, je vous rappellerai votre promesse,
Alors à genoux je viendrai saluer ma chère petite Zosia,
Et, si elle est libre, je demanderai sa main.
A présent, je quitte la Lituanie, peut-être pour longtemps,
Zosia d'un autre peut s'éprendre entretemps ;
Je ne veux emprisonner sa volonté ; lui demander une réciprocité
Que je n'ai pas méritée serait pure méchanceté ».

    Lorsqu'avec émotion le jeune homme prononça ces paroles,
Lui brillèrent, telles deux grandes baies   310
Perlant dans ses grands yeux bleus, deux larmes
Qui roulèrent rapidement sur ses joues empourprées.

Mais Zosia, avec curiosité du fond de son alcôve
Au travers d'une fente suivait ces conversations secrètes ;
Elle entendit Thaddée avec simplicité et franchise
Déclarer son amour – le cœur lui palpita –
Elle vit aussi ces deux grandes larmes dans ses yeux.
Elle ne pouvait néanmoins suivre la trame de ses secrets :
Pourquoi était-il tombé amoureux d'elle ? pourquoi la quittait-il ?
Où partait-il ? ce départ assurément l'attriste.   320
La première fois de sa vie elle entend de la bouche d'un jeune homme
Une étrange et grande nouveauté : elle est aimée.
Elle courut donc à l'emplacement du petit autel domestique,
En sortit une petite image et un petit reliquaire :
L'image représentait Sainte Geneviève
Et dans la relique il y avait un morceau d'habit de Saint Joseph
Le promis, le patron des jeunes fiancés,
Et avec ces objets sacrés elle entre dans la pièce.

« Vous partez si vite ? Pour votre voyage
Je vais vous faire un petit cadeau et aussi une recommandation :   330
Ayez toujours sur vous cette relique
Et cette petite image, et souvenez-vous de Zosia.
Dans la santé et le bonheur que Dieu guide vos pas,
Et sain et sauf vite chez nous vous ramène ».
Elle se tut et baissa la tête ; ses yeux d'un bleu profond
Elle ferma à peine, de ses cils d'abondantes larmes coulèrent ;
Et Zosia, les paupières baissées, debout se tenait
Silencieuse, ses larmes déversant en un flot de brillants.

Thaddée, prenant les cadeaux et lui baisant la main,
Dit : « Mademoiselle ! il me faut déjà vous quitter,   340
Portez-vous bien, pensez à moi et daignez parfois dire
Une prière pour moi ! Sophie !... Il ne put rien rajouter.

Mais le Comte, avec Télimène entré inopinément,
Observait du jeune couple les tendres adieux ;
Il s'émut, et portant son regard vers Télimène :
« Combien, dit-il, y a-t-il de beauté dans cette simple petite scène !

Quand l'âme de la bergère et celle du guerrier,
Comme la barque et le navire dans la tempête, doivent se séparer !
Vraiment ! rien dans le cœur n'enflamme tant de sentiments
Que lorsqu'un cœur d'un autre cœur s'éloigne.   350
Le temps au vent est pareil : il ne fait que souffler une petite bougie,
Mais de ce vent un grand incendie n'en éclatera que plus fort.
Mon cœur lui aussi est capable d'aimer plus fort de loin.
Messire Soplica ! je vous ai pris pour mon rival ;
Cette erreur a été l'une des raisons de notre triste querelle,
Qui m'obligea contre vous à sortir mon épée.
Je me rends compte de mon erreur : car vous soupiriez pour la bergère,
Tandis que moi à cette belle Nymphe j'avais donné mon cœur.
Que nos griefs se noient dans le sang des ennemis !
Avec des fers assassins nous n'allons pas nous combattre ;   360
Que notre querelle de prétendants autrement soit tranchée :
Luttons à qui dépassera l'autre en tant qu'amoureux !
Tous deux nous allons laisser de nos cœurs les chers objets,
Pour nous précipiter tous deux sur les glaives, les lances ;
L'un contre l'autre luttons par la constance, le chagrin et la souffrance,
Et d'un bras courageux traquons nos ennemis ».
Disant cela il lança un regard à Télimène, mais elle
Ne répondait rien, terriblement étonnée.

    « Mon cher Comte, l'interrompit le Juge, pourquoi tenez-vous tant
A partir ? Croyez-m'en, restez tranquillement sur vos terres.   370
La noblesse pauvre, le gouvernement pourrait la dépouiller et la fesser,
Mais vous, Comte, de rester entier vous êtes assuré :
Vous savez sous quel régime vous vivez, vous êtes suffisamment riche,
Avec la moitié de vos revenus, de la prison vous vous rachèterez ».

    « Cela n'est pas conforme, dit le Comte, à ma nature !
Je ne peux être amant, je serai donc héros ;
J'en appelle à la gloire pour me consoler de mes peines d'amour,
Misérable de cœur, je serai grand par mon bras.

    Télimène demanda : « Qui donc vous empêche
D'aimer et d'être heureux ? » « La force de mon destin,   380
Dit le Comte ; mes obscurs pressentiments, qui secrètement se pressent,

Irrésistibles, vers des contrées étrangères, des exploits extraordinaires.
Je confesse qu'aujourd'hui je voulais en l'honneur de Télimène
Allumer la flamme sur les autels d'Hymen[305] :
Mais ce jeune homme m'a donné un trop bel exemple,
En rompant volontairement sa couronne de marié
Et courant éprouver son cœur contre l'adversité
Des fortunes changeantes et des sanglantes aventures de la guerre.
Aujourd'hui, pour moi aussi, s'ouvre une nouvelle époque !
De l'écho de mes armes retentissait *Birbante-Rocca* :   390
Puisse cet écho en Pologne également se propager ! »
Il termina et fièrement frappa la poignée de son épée.

« Difficile, dit Robak, de blâmer cette envie,
Partez, prenez votre argent, vous pourrez constituer une compagnie,
Comme Włodzimierz Potocki[306], qui étonna les Français
En donnant un million au trésor ; comme le prince Radziwiłł
Dominique, qui engagea ses biens meubles et immeubles
Et arma deux nouveaux régiments de cavalerie[307].
Partez, partez, mais prenez de l'argent : nous avons assez de bras,
Mais les sous manquent au Duché[308] ; partez, Monseigneur, adieu ».
[400
Télimène, jetant un regard triste :
« Hélas, je vois que rien ne vous arrêtera !
Mon chevalier, lorsque vous pénétrerez dans la lice guerrière,
Tournez un regard tendre vers la couleur de celle qui vous aime !
(Là, arrachant un ruban à sa robe, elle en fit
Une cocarde, et l'épingla sur la poitrine du Comte)

---

[305] *Dieu présidant au mariage dans la mythologie gréco-romaine.*
[306] *Comte de la puissante famille des Potocki, Włodzimierz est un des dix-neuf enfants de Stanisław Szczęsny Potocki, le magnat russophile qui présida la Confédération de Targowica (voir la note 158). Il s'engagea comme volontaire en 1808 dans l'armée du Duché de Varsovie et fut nommé l'année suivante commandant de l'escadron qu'il avait contribué à financer.*
[307] *Voir la note 81 où il est cependant question d'un seul régiment.*
[308] *Allusion aux lourdes charges financières imposées par l'Empire napoléonien à son tributaire ?*

Que cette couleur vous conduise à l'assaut de canons crachant le feu,
De lances étincelantes et de pluies de soufre ;
Et quand la gloire de vos valeureux exploits se sera répandue
Et quand de lauriers immortels vous voilerez   410
Le cimier sanglant de votre casque d'orgueilleux vainqueur :
Alors tournez encore votre regard vers cette cocarde,
Et souvenez-vous de la main qui épingla cette couleur ! »
Là elle lui tendit la main. – Monsieur le Comte s'agenouille,
Baise cette main ; Télimène à un œil porta
Son mouchoir, et de l'autre regarde de haut
Le Comte qui, fortement ému, lui faisait ses adieux.
Elle soupirait, mais haussa les épaules.

      Mais le Juge dit : « Cher Comte, hâtez-vous, car il est déjà tard ».
Et le Père Robak, l'air sévère, criait : « Cela suffit !   420
Hâtez-vous, Monseigneur ». Ainsi l'injonction du Juge et du Père
Sépare le couple de tourtereaux et le chasse de la pièce.

      Entretemps messire Thaddée avait embrassé son oncle
En pleurant, et baisé la main de Robak.
Celui-ci, contre sa poitrine pressant la tête du garçon
Et sur le front lui imposant ses mains en croix,
Leva les yeux au ciel et dit : « Mon fils ! que Dieu vous accompagne ! »
Et se mit à pleurer… Thaddée déjà avait franchi la porte.
« Comment cela ? demanda le Juge, vous ne lui direz rien, frère,
En ce jour ? pauvre garçon, il n'apprendra encore   430
Rien ? avant de partir ! » -- « Non, dit le Père, rien.
(Il pleura longtemps, le visage caché dans ses mains)
Pourquoi devrait-il apprendre, le pauvre, qu'il a un père
Qui s'est caché aux yeux du monde, comme un scélérat, un assassin ?
Dieu voit combien je désirerais le faire : mais de cette consolation
A Dieu je ferai l'offrande en expiation de mes anciens péchés ».

      « Bien, dit le Juge, maintenant il est temps de penser à soi,
Considérez qu'un homme de votre âge et dans votre état
Ne saurait suivre les autres dans l'émigration ;
Vous disiez que vous connaissiez une petite maison où vous cacher ;
                                                                        [440

Dites où ? Hâtons-nous, le briska attelé nous attend.
Le mieux ne serait-il pas dans la forêt, dans la cabane du forestier ? »

    Robak, hochant la tête, dit : « Jusqu'à demain matin
J'ai le temps. Maintenant, mon frère, envoyez chercher le curé,
Avec le viatique qu'il vienne ici au plus vite ;
Faites sortir tout le monde, ne restez que vous et le Porte-clés.
Fermez la porte ». –

    Le Juge exécuta les ordres de Robak,
Et s'assied sur le lit auprès de lui ; et Gerwazy
Reste debout, pose un coude sur la croix de sa rapière,
Et appuie son front baissé contre les paumes de ses mains.   450

    Robak, avant de commencer à parler, dans le visage du Porte-clés
Planta le regard et observait un mystérieux silence.
Et à l'instar du chirurgien qui commence par poser sa délicate main
Sur le front du malade avant de porter un coup de sa lame,
Robak adoucit l'expression de son regard pénétrant,
Longtemps le promena sur les yeux de Gerwazy,
Et pour finir, comme s'il voulait asséner un coup en aveugle,
Se couvrit les yeux de la main et d'une voix forte déclara :

    « Je suis Jacek Soplica… »

                Le Porte-clés à ces mots
Pâlit, se pencha et, la moitié du corps   460
Vers l'avant projetée, se retrouva en équilibre sur une seule jambe,
Tel un rocher roulant d'en haut et dans sa course arrêté,
Ecarquillant les yeux, bouche bée,
Les dents blanches menaçantes, la moustache hérissée ;
Près du sol sa rapière, qu'il avait lâchée, il retint
Avec les genoux, et de sa main droite en saisit la poignée,
Fermement ; la rapière, de sa lame derrière lui allongeant
La longue et noire extrémité, dans tous les sens brimbalait ;
Et le Porte-clés à un lynx blessé ressemblait,
De son arbre aux yeux du chasseur prêt à sauter :   470
Il se pelotonne, feule, de ses yeux injectés de sang

Lance des étincelles, remue les moustaches et la queue balance.

« Monsieur Rębajło, dit le Père, je ne serai plus terrorisé
Par les colères des hommes, car dans la main de Dieu je suis déjà.
Je vous conjure au nom de Celui qui a sauvé le monde
Et sur la croix a béni ses assassins
Et entendu la prière du larron : calmez-vous
Et ce que j'ai à dire écoutez patiemment.
Je l'ai avoué moi-même : je dois, pour soulager ma conscience,
Obtenir, ou du moins demander le pardon ;   480
Ecoutez ma confession ; ensuite vous ferez
De moi ce que vous voulez ». Et là il joignit les deux mains
Comme pour faire sa prière. Le Porte-clés se recula, stupéfait,
Se frappant le front et haussant les épaules.

Le Père son ancienne fréquentation de Horeszko se mit
A raconter, ainsi que son épisode amoureux avec sa fille
Et les conflits qui en résultèrent avec le Sénéchal.
Mais il parlait avec confusion, souvent mélangeait les accusations
Et les plaintes dans sa confession, souvent arrêtait son discours,
Comme s'il l'avait déjà achevé, et recommençait.   490

Le Porte-clés, qui connaissait bien l'histoire des Horeszko,
Tout ce récit, bien que pêle-mêle débité,
Dans sa mémoire ordonnait et savait compléter ;
Mais au Juge beaucoup de choses étaient totalement incompréhensibles.
Les deux écoutaient avec attention, penchant la tête,
Tandis que Jacek de plus en plus lentement parlait
Et souvent s'interrompait.

*** [309]

« Vous savez bien, mon petit Gerwazy, combien de fois le Sénéchal
A banqueter m'invitait, portait des toasts à ma santé,
Criant plus d'une fois en levant sa coupe de cristal   500

---

[309] *Ces astérisques marquent les interruptions du discours de Robak.*

Qu'il n'avait pas de meilleur ami que Jacek Soplica :
Comme il m'étreignait ! Tous ceux qui voyaient cela
Pensaient qu'il partagerait son âme avec moi.
Lui un ami ? Il savait ce qui à ce moment-là se passait
Dans mon âme ! –

***

« Cependant déjà dans la région courait la rumeur,
On me disait : « Hé, monsieur Soplica !
En vain vous briguez : le seuil d'un dignitaire
Est trop haut pour le pied de Jacek le fils du Sous-Echanson ».
Moi je riais, feignant de me moquer des magnats   510
Et de leurs filles, et de ne pas me soucier des aristocrates ;
Disant que si je les fréquentais, je le faisais par amitié,
Et ne prendrais pour épouse qu'une égale à moi-même.
Mais ces plaisanteries me piquaient l'âme à vif :
J'étais jeune, audacieux, le monde s'ouvrait à moi
Dans ce pays où, vous le savez, un gentilhomme bien né
A égalité avec les seigneurs la couronne peut briguer.
Tęczyński[310] autrefois, de lignée royale n'a-t-il pas
Exigé une fille, et le roi ne la lui a-t-il pas donnée sans se scandaliser ?
Les mérites des Soplica ne sont-ils pas égaux à ceux des Tęczyński, 520
Par le sang, le blason, la fidélité au service de la République ?

***

« Qu'il est facile à un homme de gâcher le bonheur d'un autre
En un seul moment, sans pouvoir de toute sa longue vie réparer cela !
Un seul mot du Sénéchal : que nous eussions été
Heureux ! – Qui sait, peut-être aurions-nous vécu jusqu'à ce jour ;
Lui aussi peut-être auprès de son enfant chérie,

---

[310] *Jean-Baptiste Tęczyński, d'une famille de puissants magnats. Il demanda la main de la fille du roi de Suède Gustaw I Waza, mais fut capturé par les Danois en se rendant en Suède pour finaliser sa demande. Il mourut en captivité à Copenhague en 1563. Son histoire est racontée par le poète Jan Kochanowski.*

MESSIRE THADDEE

De sa belle Ewa, auprès de son gendre reconnaissant,
Il aurait vieilli tranquille ! peut-être ses petits-enfants
Il bercerait ! Et qu'en est-il ? Tous les deux il nous a perdus,
Et lui avec – et cet assassinat – et toutes les conséquences   530
De ce meurtre, tous mes malheurs et forfaits !
Moi je n'ai pas le droit d'accuser : je suis son meurtrier ;
Moi je n'ai pas le droit d'accuser : je lui pardonne de tout cœur ;
Mais lui –

***

« Si une fois pour toutes ouvertement il avait rejeté ma demande,
Car il connaissait nos sentiments ; s'il n'avait pas accepté
Mes visites : alors qui sait ? peut-être serais-je parti,
Me serais-je fâché, aurais-je tempêté, pour finalement le lâcher ;
Mais lui, avec un malin orgueil, se mit en tête de faire autrement :
Il feignait qu'il ne lui était même pas venu à l'idée   540
Que je pusse briguer une telle alliance !
Mais je lui étais utile : j'avais de l'influence auprès
Des gentilshommes et toute la noblesse terrienne m'aimait bien.
Et donc il faisait semblant de ne pas remarquer mon amour,
Me recevait comme avant, et même insistait
Afin que plus souvent je vinsse ; et combien de fois, quand seuls
Nous étions, voyant mes yeux embués de larmes
Et ma poitrine pleine à craquer et prête à éclater,
Le rusé vieillard s'empressait de lancer une parole anodine
Sur les procès, les chasses, les diétines –   550

***

« Ah, quand le verre en main il s'était bien attendri,
Quand il m'étreignait avec une telle force et m'assurait de son amitié,
Ayant besoin de mon sabre ou de ma voix à la diète,
Quand il me fallait l'étreindre poliment en retour :
La colère en moi tellement bouillonnait que je faisais tourner
Ma salive dans ma bouche, et serrais la poignée de mon arme,
Ayant envie de cracher sur cette amitié et sortir mon sabre sans tarder ;
Mais Ewa, remarquant mon regard et mon attitude,

Devinait, je ne sais comment, ce qui se passait en moi,
Me regardait d'un air implorant, son visage pâlissait.   560
Et c'était une si belle petite colombe, si douce !
Et son regard était si aimable ! si serein !
Si angélique ! que, je ne sais plus, je n'avais plus
Le courage de la contrarier, de l'alarmer – je me taisais.
Et moi, le bretteur, dans toute la Lituanie fameux,
Devant qui naguère les plus grands seigneurs tremblaient,
Qui ne vivais pas un seul jour sans me battre, qui non pas du Sénéchal,
Mais même du roi n'aurais admis l'offense,
Moi que rendait furieux la plus petite controverse,
Moi alors, ivre de colère, je me tenais coi comme un paroissien   570
Devant le Saint Sacrement ! –

***

« Combien de fois n'ai-je voulu ouvrir mon cœur
Et même aller jusqu'à m'humilier devant lui par mes prières,
Mais, le regardant dans les yeux, rencontrant un regard
Froid comme de la glace, j'avais honte de mon émotion !
Je m'empressais à nouveau de discourir le plus froidement
Affaires, diétines, et même plaisanter !
Tout cela, il est vrai, par orgueil : pour ne pas offenser
Le nom des Soplica, pour ne pas m'abaisser
Devant un seigneur par une demande vaine, ne pas essuyer un refus ;
                                                              [580
Car qu'en auraient dit les gentilshommes
S'ils avaient su que moi, Jacek…

***

« Les Horeszko ont refusé leur fille à un Soplica !
Qu'à moi, Jacek, on a servi un brouet noir[311] !

« Pour finir, ne sachant plus moi-même à quoi m'en tenir,

---

[311] *Voir la note 67.*

Un petit régiment de gentilshommes j'ai imaginé de réunir
Et de quitter pour toujours le district et la patrie,
M'exiler quelque part en Moscovie ou en Tatarie
Et commencer à guerroyer[312]. Je vais faire mes adieux au Sénéchal
Dans l'espoir que lorsqu'il verrait un fidèle partisan,   590
Un vieil ami, presque un membre de sa maison,
Avec qui tant d'années il avait bu et guerroyé,
Maintenant lui faisant ses adieux et quelque part aux confins du monde
Partant, que peut-être alors le vieillard s'émouvrait
Et enfin un peu d'âme humaine me montrerait,
Comme l'escargot montre ses cornes !

« Ah, pour qui nourrit, même au tréfonds de son cœur, pour son ami
Ne serait-ce qu'une petite étincelle d'affection, lors de leur séparation
Cette petite étincelle refera surface lors des adieux,
Comme une ultime flammèche de vie au seuil de la mort !   600
Une dernière fois caressant la tête de son ami,
Souvent le regard le plus froid une larme laisse échapper !

***

« La pauvre, entendant la nouvelle de mon départ, pâlit,
Tombe sans connaissance, presque morte,
Ne pouvant prononcer une parole : jusqu'à ce que l'inonde
Un ruisseau de larmes – j'ai vu alors à quel point je lui étais cher !

***

« Je m'en souviens, la première fois de ma vie j'ai fondu en larmes
De joie et de désespoir, je me suis oublié, j'étais fou.
Je voulais déjà de nouveau tomber aux pieds de son père,

---

[312] *Comme Włodzimierz Potocki (voir la note 306) ? Ce dernier, avant de s'engager dans l'armée du Duché de Varsovie, constitua sur ses terres de Daszów, aujourd'hui en Ukraine, un régiment de cosaques au service du tsar Alexandre 1er pour participer à la guerre russo-turque de 1806, et obtint en récompense le grade de colonel de l'armée russe, à l'âge de 17 ou 18 ans.*

Comme un serpent ramper à ses genoux, crier : cher Père,   610
Prenez-moi pour fils ou tuez-moi ! Alors le Sénéchal, sinistre,
Froid comme une colonne de sel, poli, indifférent,
Se mit à discourir – de quoi ? de quoi ? du mariage de sa fille !
A ce moment-là !... O Gerwazy ! écoutez mon ami,
Vous qui avez un cœur humain !

           « Le Sénéchal dit : Monsieur Soplica,
Le marieur[313] du fils du Castellan est justement arrivé pour me voir ;
Vous qui êtes mon ami, qu'en dites-vous ?
Vous savez que j'ai une fille belle et riche :
Et le Castellan[314] -- il est de Vitebsk ! n'est-ce pas au sénat
Un siège de rang inférieur ? Que me conseillez-vous, frère ? »   620
Je ne me souviens plus du tout de ce je lui ai répondu,
Sans doute rien – j'ai enfourché mon cheval et me suis sauvé ! »

***

           « Jacek ! s'écria le Porte-clés, des arguments qui se tiennent
Vous avancez ; mais quoi ? ils ne diminueront pas votre faute !
Car ce n'est pas la première fois qu'il arrive en ce monde
Que celui qui tombe amoureux d'une fille de seigneur ou de roi
S'emploie à la conquérir de force, envisage de la ravir,
Ou carrément de se venger – mais avec tant de fourberie faire mourir
Un seigneur polonais, en Pologne et de connivence avec le Moscale ! »

           « Je n'étais pas de connivence ! » répondit Jacek tristement.   630
« La ravir de force ? j'aurais pu certes ; derrière des grilles verrouillées
Je l'aurais arrachée, je l'aurais pulvérisé, son château !
J'avais avec moi Dobrzyn et quatre villages de nobles.
Ah, si elle avait été comme nos femmes de gentilshommes,
Robuste et en bonne santé ! si d'une fuite, d'une poursuite
Elle n'avait pas eu peur, et si elle avait pu supporter le choc des armes !
Mais elle, la pauvre ! ses parents l'avaient tellement dorlotée,

---

[313] *L'envoyé chargé de faire la demande en mariage.*
[314] *Voir la note 65.*

Faible et craintive elle était ! c'était une chrysalide de papillon,
Une petite chenille de printemps ! et ainsi la ravir,
D'une main armée l'effleurer, c'eût été la tuer :   640
Je ne le pouvais pas, non ! –

    Carrément se venger, par un assaut réduire en ruines le château,
C'eût été honteux ! on eût dit que d'avoir été éconduit je me vengeais !
Porte-clés, votre cœur honnête ne peut
Appréhender combien d'enfer il y a dans un orgueil offensé !

    « Le Diable de cet enfer de meilleurs plans se mit à me souffler :
Me venger cruellement, mais dissimuler le motif de la vengeance,
Ne pas fréquenter le château, extirper l'amour de mon cœur,
De ma mémoire rejeter Ewa, en épouser une autre,
Et ensuite, ensuite concocter quelque provocation,   650
Me venger –

    « Et d'un seul coup j'eus l'impression que mon cœur avait changé,
J'étais heureux de cette idée, et – je me suis marié
Avec la première fille pauvre que je rencontrai !
J'avais mal agi – combien sévère fut mon châtiment !
Je ne l'aimais pas. Pauvre mère de Thaddée,
La plus attachée à moi, la plus vertueuse des âmes :
Mais moi mon cœur suffoquait de mon ancien amour et de ma rage,
J'étais comme fou ; en vain m'efforçais-je
De m'occuper à la ferme, ou dans les affaires :   660
Rien n'y fit ! Possédé du démon de la vengeance,
Méchant, susceptible, je ne pouvais trouver de consolation
En rien au monde – et ainsi de péché en nouveau péché,
Je me mis à boire –

    « Et ainsi peu de temps après ma femme mourut de chagrin,
Laissant cet enfant ; et moi, le désespoir me rongeait ! –

                                ***

    « A quel point ai-je dû aimer cette malheureuse,
Tant d'années ! où ne suis-je pas allé ! et jusqu'à ce jour je ne peux

L'oublier et toujours sa figure chérie
Se tient devant mes yeux, belle comme en peinture !   670
Je buvais, ne pouvant un seul instant aviner ma mémoire,
Ni m'en débarrasser, bien qu'ayant parcouru tant de pays !
A présent me voilà portant l'habit, -- je suis un serviteur de Dieu,
Sur une couche, couvert de sang – j'ai parlé d'elle si longtemps ! –
Parler de ces choses en ce moment ? Dieu me pardonne !
Il faut que vous sachiez dans quel chagrin et désespoir
J'ai commis…

       « Cela se passait justement peu après ses fiançailles.
Partout on ne parlait que de ces fiançailles ;
On disait que lorsqu'Ewa prit l'alliance   680
Des mains du Voïévode, elle s'évanouit, qu'elle attrapa la fièvre,
Qu'elle faisait un début de phtisie, qu'en permanence elle sanglotait ;
On devinait qu'elle aimait quelqu'un en secret –
Mais le Sénéchal, comme toujours tranquille, joyeux,
Au château donnait des bals, réunissait ses amis.
Moi il ne m'invitait plus : à quoi lui aurais-je servi ?
Le désordre de ma maison, la misère, mes mœurs scandaleuses,
M'avaient voué au mépris et à la moquerie du monde !
Moi qui naguère, je peux le dire, faisais trembler tout le district,
Moi que Radziwiłł appelait : « mon petit ami » [315] !   690
Moi qui, lorsque je sortais de mon village,
Avais une cour plus nombreuse que celle des princes,
Qui, lorsque je sortais mon sabre, voyais quelques milliers
De sabres briller à l'entour, effrayant les châteaux des seigneurs ! –
Et maintenant de moi se moquaient les enfants de villageois !
A ce point pitoyable aux yeux des hommes étais-je soudain devenu !
Jacek Soplica ! – Qui saura ce que l'orgueil ressent… »

       Là le Bernardin faiblit et retomba sur sa couche ;
Et le Porte-clés dit, ému : « Grands jugements de Dieu !

---

[315] *Ce surnom (« Panie Kochanku ») vient d'une expression que le prince utilisait par habitude dans la conversation : cf. aux vers 169-170 du Livre II le surnom de « Mopanku » que l'on donnait à Gerwazy.*

C'est vrai ! c'est vrai ! C'est donc vous ? c'est donc vous, Jacek   700
Soplica ? encapuchonné ? en mendiant vous avez vécu !
Vous qui, je me souviens, resplendissiez de santé, le teint vermeil,
Beau gentilhomme, les seigneurs vous encensaient,
Les femmes étaient folles de vous ! Le Moustachu !
Il n'y a pas si longtemps de cela ! comme vous avez vieilli de chagrin !
Comment ne vous ai-je pas reconnu après ce coup de feu
Lorsque vous avez parfaitement ajusté l'ours ?
Car notre Lituanie n'avait pas de tireur à vous supérieur ;
Après Maciek, vous en étiez aussi le premier bretteur !
C'est vrai ! jadis les femmes de la noblesse sur vous chantaient :   710
« Jacek tortille sa moustache, les villages se cachent,
Et celui pour qui il fait un petit nœud à sa moustache,
Celui-là frissonne, fût-il le prince Radziwiłł en personne ».
Pour mon maître aussi vous avez fait un petit nœud !
Malheureux ! C'est donc vous ? voilà ce que vous êtes devenu ?
Jacek le Moustachu quêteur ! Grands jugements de Dieu !
Et maintenant, ha ! impunément vous ne vous en tirerez pas,
J'ai juré : qui a fait couler une goutte du sang des Horeszko … »

Entretemps le Père s'assit sur sa couche et ainsi terminait :
« Je tournais autour du château. Combien de démons en tête   720
Et dans le cœur avais-je ? qui pourra les nommer !
Le Sénéchal tue son propre enfant ! pour moi, c'est déjà fait,
Il m'a anéanti ! Je me rends à cheval au portail, le diable m'y attirait.
Voyez, comme il fait la fête ! tous les jours des beuveries au château,
Combien de bougies aux fenêtres, et quelle musique dans les salles !
Pourquoi ce château sur sa tête chauve ne s'effondre-t-il pas ? –
Il suffit de penser à se venger pour que le diable une arme vous glisse.
A peine y avais-je pensé que le diable envoie les Moscales.
J'étais là, regardant. Vous savez qu'ils ont attaqué votre château[316].

***

---

[316] *Probablement en juin 1792 : voir la note 68.*

« Car c'est faux qu'avec les Moscales j'aie eu quelque connivence.
                                                              [730
**

« Je regardais ; différentes idées me passaient par la tête.
Au début avec un sourire stupide, tel un enfant regardant un incendie,
Je regardais ; puis je ressentis une joie assassine,
Attendant avec impatience que cela commence à brûler et s'écrouler ;
Parfois l'idée me venait de bondir, de la sauver,
Et même le Sénéchal. –

**

« Vous vous défendiez, vous le savez, courageusement et à propos.
J'étais étonné. Les Moscales tombaient autour de moi.
Des bêtes, ils tirent mal ! – A la vue de leur déroute
La colère à nouveau m'emporta. – Ce Sénéchal vainqueur !   740
Faut-il aussi que tout lui réussisse en ce monde ?
Et que de cette terrible attaque il sorte triomphant ?
Je m'en retournais, honteux – Le jour se levait.
Alors je l'aperçus, le reconnus : il sortit sur le perron
Faisant scintiller au soleil sa broche de diamants,
Fièrement tortillant sa moustache, fièrement promenant son regard…
Et j'avais l'impression que moi spécialement il insultait,
Qu'il m'avait reconnu et qu'il me montrait ainsi du doigt,
Moqueur et menaçant. – Je saisis le fusil d'un Moscale ;
A peine ai-je épaulé, presque sans viser – le coup part ! –   750
Vous connaissez la suite ! –

« Maudite arme à feu ! Qui tue avec l'épée
Doit se mettre en garde, attaquer, parer, esquiver,
Peut désarmer son adversaire, à mi-course arrêter son épée ;
Mais une arme à feu, il suffit de presser sur la détente,
Un instant, une seule petite étincelle…

**

« Est-ce que je fuyais, lorsque vous m'avez visé d'en haut ?

J'ai planté mon regard droit dans les deux canons de votre fusil ;
Une sorte de désespoir, un étrange chagrin sur place me clouèrent !
Mais pourquoi, mon cher Gerwazy, pourquoi m'avez-vous manqué ?
                                                                    [760
Vous m'auriez rendu service ! Visiblement pour que j'expie mon péché
Il fallait... »
                    A nouveau le souffle lui manqua.

« Dieu m'est témoin, dit Gerwazy, vraiment je voulais vous tuer !
Combien de sang avez-vous versé par ce seul coup de feu,
Combien de calamités sur nous tombèrent, et sur votre famille,
Et tout cela par votre faute, Seigneur Jacek !
Et pourtant aujourd'hui quand les chasseurs pour cible prirent le Comte,
Le dernier des Horeszko, bien que par les femmes,
C'est vous qui l'avez couvert, et quand le Moscale sur moi faisait feu,
C'est vous qui m'avez jeté à terre : tous deux vous nous avez sauvés.
                                                                    [770
S'il est vrai que vous êtes un homme d'église,
Votre robe vous protège devant mon canif.
Adieu, je ne franchirai plus le seuil de votre porte,
Nous sommes quittes, -- laissons le reste à Dieu ».

Jacek tendit la main, -- Gerwazy recula :
« Je ne peux, dit-il, sans offense pour ma dignité de gentilhomme,
Toucher une main par un tel meurtre ensanglantée,
Pour une vengeance privée, et non *pro publico bono* ! »

Mais Jacek, retombant des oreillers sur la couche,
Vers le Juge se tourna, devenant de plus en pâle,   780
Et avec inquiétude s'enquérait du curé de la paroisse,
Et interpelait le Porte-clés : « Je vous conjure, Monsieur,
De rester ; ma fin est proche, à peine ai-je assez de force
Pour terminer. – Monsieur le Porte-clés, -- cette nuit je mourrai ! »

« Quoi mon frère ? s'écria le Juge ; je l'ai vue, la blessure
Est peu importante. Que dites-vous : le curé ?
Peut-être est-elle mal bandée – qu'on appelle tout de suite le docteur !
Dans la trousse il y a... « Le Père le coupa : « Frère, plus maintenant !

J'avais à cet endroit une plaie plus ancienne, d'un coup de feu à Iéna,
Mal guérie, et qui présentement s'est rouverte – c'est la gangrène   790
Qui est déjà là, -- je m'y connais en blessures ; voyez ce sang noir
Comme de la suie. A quoi bon un docteur ? mais c'est peu de chose,
On meurt une seule fois : rendre l'âme aujourd'hui ou demain –
Monsieur le Porte-clés, vous me pardonnerez, il faut que je finisse !

***

« Il y a du mérite à ne pas vouloir passer pour un criminel
De la nation, même si le pays vous vilipende comme traître,
Surtout pour celui qui comme moi un tel orgueil possédait !

***

« Le nom de traître comme une peste[317] m'est resté collé.
Les citoyens tournaient le dos en me voyant,
Mes anciens amis me fuyaient ;   800
Qui était craintif me saluait de loin, et passait son chemin :
Même n'importe quel paysan, n'importe quel Juif, tout en s'inclinant,
D'un sourire narquois en coulisse me transperçait.
Le mot de traître me bourdonnait aux oreilles, son écho me revenait
Chez moi et au dehors. Ce mot du matin au crépuscule
Devant moi papillotait, comme une tache dans un œil malade.
Pourtant je n'avais pas trahi mon pays.

« Moscou n'a pas manqué de me considérer comme son affidé,
Aux Soplica fut accordée une part significative des biens du défunt,
Les Targowiciens ensuite voulurent m'honorer[318]   810
D'un office. – Si alors j'avais voulu me moscoviser !
-- Le diable me le conseillait. -- Je devenais puissant et riche :
Si j'étais devenu Moscale, les tout premiers magnats
Eussent recherché mes faveurs, même mes frères gentilshommes,

---

[317] *Jeu de mots entre « duma » (orgueil) et « dżuma » (peste).*
[318] Il semble que le Sénéchal ait été tué vers 1791, du temps de la première guerre *(plus précisément sans doute en 1792 : voir la note 68).*

Même le peuple qui si volontiers les siens dénigre,
Et à ceux qui, les bienheureux, servent Moscou – pardonne !
Je savais cela, et pourtant – je n'ai pas pu…

***

« Du pays je me suis enfui !
Où ne suis-je pas allé ! que n'ai-je pas enduré !

***

« Jusqu'à ce que Dieu daigne me révéler l'unique remède :   820
Il fallait s'amender et réparer
Dans la mesure du possible ce…

***

« La fille du Sénéchal, avec son mari voïévode
Quelque part en Sibérie exilée, y mourut jeune :
Au pays elle laissa sa fille, la petite Zosia[319].
J'ai commandé que de l'élever on se chargeât.

***

« Plus que par amour, peut-être par stupide orgueil
Ai-je tué : donc par humilité je me suis fait moine.
Moi, naguère fier de ma naissance, moi le bravache,
J'ai baissé la tête, le quêteur Robak je suis devenu,   830
Le vermisseau[320] dans la poussière…

« Le mauvais exemple pour la Patrie, l'incitation à trahir,
Il fallait les racheter par de bons exemples,

---

[319] *Zosia devrait donc avoir une vingtaine d'années en 1811, alors que Télimène lui donne quatorze ans au vers 105 du Livre V ; chercherait-elle, inconsciemment, à se rajeunir ?*
[320] *Voir la note 32.*

Par son sang, par son dévouement...

« Pour le pays je luttais ; où, comment, je le tairai. Non par gloire
Terrestre j'ai tant de fois affronté sabres et fusils.
Je préfère me remémorer non pas des exploits valeureux
Et retentissants, mais des actions discrètes, utiles,
Et des souffrances que personne...

« J'ai réussi parfois à m'introduire dans le pays,   840
Porter les ordres des chefs, collecter des informations,
Arranger des accords. – Même les Galiciens[321] connaissent
Cette capuche de moine, -- même les Grands-Polonais[322] !
Pendant un an j'ai brouetté des charges dans une forteresse prussienne ;
A trois reprises Moscou m'a bastonné l'échine,
Une fois ils m'ont convoyé en Sibérie ; puis les Autrichiens
Au Spielberg[323] m'enterrèrent dans des cachots pour travailler,
Dans un *carcer durum*[324], mais Dieu par miracle m'a sauvé
Et permis de mourir parmi les miens,
Muni des Sacrements.   850

« Peut-être cette fois encore, qui sait ? ai-je péché à nouveau !
Peut-être outrepassant l'ordre des chefs ai-je anticipé l'insurrection.
Cette pensée que la maison des Soplica la première s'armerait,
Que mes parents le premier Pahonie[325] planteraient en Lituanie,
Cette pensée... semble pure...

---

[321] *Habitants de la Galicie, région historique autour de Lwów, qui avait été annexée en 1772 par l'Autriche lors du premier partage de la République des Deux
Nations. Elle est actuellement répartie entre la Pologne et l'Ukraine.*
[322] *Habitants de la Grande-Pologne, région historique autour de Poznań, au
centre-ouest de la Pologne actuelle, par opposition à la Petite-Pologne, au sud-
est, autour de Cracovie. Elle fut annexée par la Prusse lors du deuxième partage
en 1793.*
[323] *Forteresse située à proximité de Brno, en Moravie, dont une partie fut trans-
formée en prison. Elle accueillit de nombreux prisonniers politiques opposants
à l'empire d'Autriche pendant la première moitié du 19ème siècle.*
[324] *« carcer durus » : prison sévère.*
[325] *Voir la note 172.*

« La vengeance vous vouliez ? vous l'avez ! vous avez été le bras
De Dieu ; de votre épée Dieu a pourfendu mes intentions :
La trame du complot, tant d'années ourdi, vous l'avez emmêlée !
Le but insigne, qui toute ma vie a accaparé,
Mes dernières aspirations terrestres en ce monde,   860
Que je serrais contre moi, entretenais comme le plus cher des enfants,
Vous les avez tuées sous les yeux de leur père – et je vous ai pardonné !
Vous ! ... »

« Pourvu que Dieu lui aussi veuille bien vous pardonner !
L'interrompit le Porte-clés ; vous vous apprêtez à recevoir le viatique,
Père Jacek, et je ne suis ni luthérien, ni schismatique[326] !
Je sais que qui un mourant attriste, un péché commet.
Je vais vous dire quelque chose, qui sûrement vous consolera :
Lorsque feu mon maître est tombé, blessé,
Et que moi, à genoux me penchant sur sa poitrine   870
Et trempant mon épée dans sa blessure, de le venger j'ai juré,
Mon maître a secoué la tête, tendu le bras vers le portail
Dans la direction où vous vous teniez, et fit le signe de la croix ;
Il ne pouvait parler, mais fit savoir qu'au meurtrier il pardonnait.
Moi aussi je le compris : mais la colère si furieux me rendit,
Que de cette croix le moindre mot je n'ai jamais dit ».

Alors les souffrances du malade interrompirent la conversation
Et une longue heure de silence s'ensuivit.
On attend le curé. – Un martèlement de sabots de chevaux,
L'aubergiste[327] essoufflé frappe à la porte :   880
Il a une lettre importante, qu'il doit remettre à Jacek en personne.
Jacek la tend à son frère, et lui demande de la lire à haute voix.
C'est une lettre de Fiszer, alors chef
D'état-major de l'armée polonaise sous les ordres du prince Joseph[328].

---

[326] *Nom que les catholiques donnaient aux orthodoxes : voir la note 123.*
[327] *Le Juif Jankiel.*
[328] *Le prince Joseph Poniatowski, ministre de la guerre du Duché de Varsovie, et généralissime de l'armée polonaise.*

Elle annonce qu'au conseil secret de l'empereur
La guerre a été décidée ; l'empereur déjà dans le monde entier
Le proclame ; la Diète en session plénière est convoquée à Varsovie
Et les Etats confédérés de Mazovie[329]
Solennellement vont revendiquer le rattachement de la Lituanie.

Jacek, entendant cela, prononça une silencieuse prière,   890
Serrant sur sa poitrine un cierge consacré,
Leva au ciel des yeux dans lesquels s'allumait l'espérance
Et versa un flot de larmes d'ultime bonheur :
« A présent, dit-il, Seigneur, laisse ton serviteur s'en aller en paix[330] ! »

Tous s'agenouillèrent ; alors dans l'entrée retentit
Une sonnette : signe que le curé était là, apportant le corps du Christ.

La nuit justement s'estompait et à travers le ciel laiteux
Courent, rosés, du soleil les premiers timides rayons ;
Ils pénétrèrent par les vitres comme des flèches adamantines,
Se réfléchissent sur la tête du malade étendu,   900
Et d'or lui entourent le visage et les cheveux,
Si bien que, tel un saint, il s'auréolait d'un diadème de feu.

***

---

[329] *Formule faisant référence à la Constitution du 3 mai 1791 qui présentait la République des Deux Nations comme une confédération d'entités ayant chacune son autonomie ; la Mazovie, avec Varsovie pour capitale, n'était que l'une d'elle. Les Etats sont constitués par le Sénat et la Chambre des députés. La République des Deux Nations était alors vue comme une sorte d'Union Est-européenne fédérant des partenaires qui sont aujourd'hui devenus des pays indépendants : Pologne, Lituanie, Lettonie, Biélorussie, Ukraine... On évite ici de parler du Duché de Varsovie, entité artificielle créée par Napoléon en 1807, tributaire de l'Empire français, et qui ne survivra pas à sa chute.*
[330] *Evangile de Luc, 2-29.*

LIVRE ONZIEME

L'ANNEE 1812

*

Sommaire :

Augures printaniers[331].
L'entrée des armées.
L'office.
Réhabilitation officielle de feu Jacek Soplica.
Des discussions de Gerwazy et Protazy on peut s'attendre à
la fin prochaine du procès.
La cour du uhlan à la jeune fille.
Le différend à propos du Courtaud et du Faucon est tranché.
Les invités se rassemblent ensuite pour le banquet.
Présentation aux chefs des couples de fiancés.

*

---

[331] Un historien russe décrit d'une façon similaire les augures et pressentiments
du peuple moscovite avant la guerre de 1812.

O année 1812 ! qui a pu te vivre dans notre pays !
    Le peuple jusqu'à ce jour t'appelle l'année de la promesse,
Et le soldat l'année de la guerre ; jusqu'à ce jour les aînés aiment
Te raconter, jusqu'à ce jour on chante tes rêves.
Depuis longtemps tu étais annoncée par un miracle céleste
Et précédée d'une sourde rumeur parmi le peuple ;
Avec le soleil printanier les cœurs des Lituaniens furent saisis
D'un étrange pressentiment, comme avant la fin du monde,
Une sorte d'attente nostalgique et joyeuse.

    Quand la première fois au printemps le bétail quitta l'étable,   10
On remarqua que, bien qu'affamé et amaigri,
Il ne se précipitait pas sur la « ruń »[332] qui déjà verdissait le sol,
Mais à terre s'étendait et baissant la tête
Mugissait ou ruminait sa pâture hivernale.

    Et les villageois, poussant leur charrue nourricière,
Ne se réjouissent pas, comme à l'habitude, de la fin du long hiver,
Ne chantent pas leurs chansons ; ils travaillent paresseusement,
Comme s'ils oubliaient semis et récoltes.
A chaque pas ils ralentissent leurs bœufs et chevaux dans leur herse,
Et avec inquiétude du côté du couchant regardent,   20
Comme si de ce côté quelque miracle devait se produire,
Et avec inquiétude observent le retour des oiseaux.
Car la cigogne vers son pin natal est déjà revenue,
Déployant ses ailes blanches, précoce étendard printanier ;
Et derrière elle, en régiments criards se présentant,

---

[332] La « ruń » est du blé d'hiver en train de verdir.

Les hirondelles s'assemblaient au-dessus des eaux,
Et pour leur nid, dans la terre gelée prélevaient de la boue.
Le soir dans la broussaille s'entend le murmure de la bécasse de retour,
Les vols d'oies sauvages cacardent au-dessus de la forêt,
Et, fatigués, bruyamment tombent à terre pour se sustenter ;   30
Et dans les sombres profondeurs du ciel, toujours, gémissent les grues.
Entendant cela, les veilleurs de nuit inquiets se demandent
D'où vient, dans le royaume de la gent ailée, tant de confusion,
Quelle tourmente si tôt chasse ces oiseaux ?

   Et soudain – de nouveaux vols : comme de bouvreuils, de pluviers
Et d'étourneaux, -- des vols de claires aigrettes et de fanions
Brillèrent sur les hauteurs, s'abattent sur les prés :
La cavalerie ! Uniformes bizarres, armes inconnues !
Régiment après régiment, et au milieu, comme de la neige fondue,
Par les routes se déversent des unités de fer cuirassées ;   40
Des forêts sortent de noirs shakos, un rang de baïonnettes étincelle,
Grouillent de l'infanterie les innombrables fourmilières.

   Tous vont au nord ! On eût dit alors que de leur « wyraj »[333],
Avec les oiseaux, les hommes aussi vers notre pays s'étaient envolés,
Poussés par une force mystérieuse, instinctive.

   Chevaux, hommes, canons, aigles, jour et nuit
Défilent ; dans le ciel là-haut, çà et là des lueurs d'incendie ;
Le sol tremble ; on entend tonner par endroits.

   La guerre ! la guerre ! En Lituanie il n'était de coin de terre
Où son fracas ne fût pas arrivé. Au milieu des sombres   50
Forêts, le paysan dont les aïeux et les parents
Etaient morts sans avoir jamais porté le regard au-delà des bois,

---

[333] Le « wyraj », dans le parler populaire, signifie précisément la période d'automne pendant laquelle les oiseaux migrateurs partent ; partir en « wyraj », c'est partir dans les pays chauds. D'où, par extension, le peuple appelle « wyraj » les pays chauds, et plus généralement des contrées fabuleuses, heureuses, situées au-delà des mers.

Qui dans le ciel ne connaissait d'autres hurlements
Que ceux des tempêtes, et sur terre que les rugissements des bêtes,
Qui ne voyait d'autres visiteurs que ses compagnons forestiers,
A présent voit dans le ciel une étrange lueur flamboyer,
De fracas s'emplir la forêt : c'était le boulet de quelque canon,
Qui, égaré du champ de bataille, dans le bois cherche son chemin,
Arrachant des troncs, fauchant des branches. Le bison, barbu chenu,
Tressaillit dans les mousses, hérissa de sa crinière les longs poils,   60
Il se relève à moitié, s'appuie sur ses pattes de devant,
Et, secouant sa barbe, avec étonnement regarde
Au milieu des branches cassées briller tout à coup une boule de feu :
C'était une grenade égarée, elle tournoie, s'échauffe, siffle,
Avec fracas éclate, telle le tonnerre ; le bison, la première fois de sa vie
Prit peur et s'enfuit se cacher dans un refuge plus reculé.

On se bat ! Où ? de quel côté ? demandent les jeunes,
S'emparant de leurs armes ; les femmes portent les bras au ciel ;
Tous, certains de la victoire, crient en pleurant :
Dieu est avec Napoléon, Napoléon est avec nous !   70

O printemps ! qui alors t'a vu dans notre pays,
Mémorable printemps de la guerre, printemps de la promesse !
O printemps, qui t'a vu quand tu fleurissais
De tes blés et cultures, et brillait de tes hommes,
Riche en évènements et lourd d'espérance !
Encore aujourd'hui je te vois, beau rêve éveillé !
Né dans la servitude, dès la naissance enchaîné,
De ma vie je n'ai connu qu'un seul printemps comme toi.

Soplicowo se trouvait tout au bord de la grand-route
Qu'empruntaient, venant du Niémen, les deux chefs :   80
Notre prince Joseph, et le roi de Westphalie Jérôme[334].
Déjà ils occupaient une partie de la Lituanie, de Grodno à Słonim[335],

---

[334] *Le prince Joseph Poniatowski et Jérôme Bonaparte, frère de Napoléon, roi de Westphalie de 1807 à 1813.*
[335] *Ces villes sont situées aujourd'hui en Biélorussie.*

Quand le roi ordonna de donner trois jours de repos à la troupe.
Mais les soldats polonais, malgré la fatigue,
Se plaignaient que le roi ne leur permît pas de poursuivre,
Tant hâte ils avaient de rattraper le Moscale.

Des princes le quartier général s'établit dans la ville voisine,
Et à Soplicowo bivouaquèrent quarante mille soldats,
Et, avec leurs états-majors, le Général Dąbrowski,
Kniaziewicz, Małachowski, Giedrojć et Grabowski[336].   90

Il se faisait tard lorsqu'ils arrivèrent : chacun où il le peut
S'installe dans la bâtisse du château, dans le manoir.
Les ordres furent vite donnés, les sentinelles postées,
Tous, fatigués, dans leurs chambres sont allés dormir.
Avec la nuit, tout devint silencieux : le camp, le manoir et les champs ;
On ne voyait que les ombres errantes des patrouilles,
Et çà et là l'éclat de feux de camp,
On entendait, se répondant, les mots de passe des postes de garde.

Tous dormaient : le maître de maison, les chefs et les soldats,
Seul le Substitut ses yeux n'abandonne pas au doux sommeil,   100
Car demain il lui faut servir un banquet
Que les Soplica pour les siècles des siècles veulent immortaliser :
Un banquet digne de visiteurs chers aux cœurs polonais
Et en rapport avec ce jour de grande solennité,
Jour de fête religieuse et de fête familiale :
Demain doivent avoir lieu de trois couples les fiançailles,
Et en outre le général Dąbrowski dans la soirée a déclaré
Qu'il voulait un dîner polonais.

                    Bien qu'il fût tard,
Le Substitut dare-dare du voisinage rassembla les cuisiniers :
Ils étaient cinq ; ils sont à son service, lui seul est à la manœuvre.   110
En tant que chef-cuisinier il a ceint un blanc tablier,
A mis une toque et jusqu'aux coudes s'est retroussé les manches,

------

[336] *Généraux polonais ayant participé à la campagne de Russie de 1812.*

A la main il tient sa tapette à mouches, et tout insecte
Avec voracité tombant dans les gâteries, il le refoule ;
De son autre main il chaussa ses lunettes aux verres délabrés,
Sortit un livre de son sein, le déballa, l'ouvrit.

Ce livre s'intitulait : « Le Parfait cuisinier »[337].
On y trouve décrites en détail toutes les spécialités
Des tables polonaises ; d'après ce livre, le Comte de Tęczyń[338]
En terre italienne donnait de ces banquets   120
Dont le Pape Urbain VIII s'émerveillait[339] ;
Plus tard Karol Radziwiłł, dit « mon petit ami[340] », s'en servit
Lorsqu'à Nieśwież il reçut le Roi Stanislas[341],

---

[337] Livre à présent très rare, édité il y a plus de cent et quelques dizaines d'années par Stanisław Czerniecki.
Le premier livre de cuisine connu en Pologne, édité en 1682 à Cracovie par Czerniecki, le chef-cuisinier du voïévode Lubomirski, s'appelait en réalité « Compendium ferculorum, ou inventaire des mets ». Quant au « Parfait cuisinier » dont parle le poète, c'est le titre d'un deuxième livre de cuisine polonais, paru en 1783, dont l'auteur, écrivain et non cuisinier de profession, s'est inspiré d'un livre de cuisine français intitulé « La cuisinière bourgeoise » paru en 1746. Comme l'indique son commentaire ci-dessus, le poète a en tête le premier livre, auquel il attribue, volontairement ou non, le titre du second.
[338] *Jerzy Ossoliński, comte de Tęczyń, fut envoyé comme ambassadeur auprès du pape Urbain VIII en 1633.*
[339] On a souvent décrit et dépeint cette ambassade à Rome. Cf. la dédicace du *Parfait cuisinier* : « Cette ambassade, qui grandement étonna le pays d'Occident tout entier, fit connaître l'intelligence de cet illustrissime Seigneur tout comme la splendeur de sa cour et l'apparat de sa table, … si bien qu'un des princes romains dit : Rome est aujourd'hui heureuse d'avoir un tel ambassadeur ». – Nb. Czerniecki lui-même a été chef-cuisinier d'Ossoliński.
[340] *Voir la note 315.*
[341] *Stanislas Poniatowski, dernier roi de Pologne, fut reçu fastueusement en 1785 par Karol Radziwiłł, le fantasque magnat, réputé le plus riche de Pologne, et peut-être d'Europe, propriétaire de domaines immenses, cultivés par des dizaines de milliers de paysans asservis. Mickiewicz l'aurait pris pour modèle de son Sénéchal. Nieśwież, petite ville proche de Nowogródek, fut autrefois le fief de la famille : voir la note 81.*

316   MESSIRE THADDEE

Et donna ce banquet mémorable, dont la gloire
Est toujours vivante dans l'histoire populaire de Lituanie.

   Ce que le Substitut a lu, vu et résolu,
Aussitôt les talentueux cuisiniers le réalisent.
Le travail bat son plein ; cinquante couteaux martèlent les tables,
Les marmitons se démènent, noirs comme des diablotins :
Les uns portent du bois, d'autres des nourrices de lait et de vin ;   130
Ils les versent dans des chaudrons, des poêles, des casseroles. Ça fume ;
Deux marmitons près du feu sont assis, actionnant des soufflets ;
Le Substitut, pour que le feu plus facilement prenne,
A commandé de verser du beurre fondu sur le bois.
(Une maison aisée ce luxe peut se permettre).
Les marmitons dans le feu jettent des fagots de bois sec ;
D'autres embrochent d'énormes morceaux à rôtir,
De bœuf, de chevreuil, des échines de sanglier et de cerf ;
D'autres plument des tas de volailles, faisant voler des nuages de duvet,
On dénude des coqs de bruyère, grands et petits, et des poules.   140
Mais de celles-ci il n'y en avait guère ; cela depuis cette agression,
Du temps du raid exécutif, que Dobrzyński le sanguinaire Benêt
Commit sur le poulailler, lorsque de Zosia l'élevage
Il anéantit, ne laissant pas même de quoi se soigner :
Trop tôt il était encore pour que refleurît la basse-cour
De Soplicowo, naguère fameux pour sa volaille.
Du reste il y avait grande abondance de viandes de toutes sortes,
Qu'on avait pu collecter à la fois dans le domaine, sur les étals,
Dans les forêts et venant des voisins, proches et lointains.
Seul manquait, comme on dit, le lait de poule.   150
Les deux choses qu'un grand seigneur pour un banquet recherche,
L'abondance et le bon goût, à Soplicowo se trouvaient réunies.

   Déjà se levait le jour de fête de Notre-Dame
Des Fleurs[342]. Le temps était magnifique, l'heure matinale,
Le ciel pur enveloppait la terre,

---

[342] *Le nom de cette fête ne figure pas au calendrier officiel des fêtes mariales :
on peut supposer qu'il s'agit de la fête de l'Annonciation (le 25 mars).*

Comme une mer suspendue, silencieuse, en creux renversée ;
Quelques étoiles, perles sur son fond déposées, brillent au loin
Au travers des vagues ; sur le côté un petit nuage blanc, tout seul,
Se présente et ses ailes immerge dans l'azur,
Semblables aux évanescentes plumes d'un Ange gardien   160
Qui, retenu par une prière humaine nocturne,
Est en retard et se hâte de retourner auprès de ses compagnons célestes.

    Déjà les dernières perles d'étoiles se sont estompées et sur le fond
Des cieux éteintes, et le front du ciel en son centre pâlit,
Tandis que sa tempe droite reposant sur l'oreiller de l'ombre
Est encore un peu sombre, et la gauche de plus en plus s'empourpre ;
Et à l'horizon le firmament, comme une large paupière,
S'entrouvre, et en son centre apparaît le blanc d'un œil,
On voit l'iris, la pupille : déjà un rayon en a jailli,
Et, recourbé, tel l'éclair a traversé les cieux arrondis   170
Pour se ficher, pareil à une pointe d'or, dans le petit nuage blanc.
A ce choc, signal pour le jour, une gerbe de feux fuse,
Mille fois croise sur la sphère du monde,
Et l'œil du soleil fait son entrée. – Encore un peu endormi,
Il cligne, en frémissant fait vibrer ses cils rayonnants,
Brille de sept couleurs simultanément : à la fois de saphir,
A la fois saignant comme un rubis et jaunissant comme une topaze,
Jusqu'à resplendir en un cristal limpide,
Puis en un diamant lumineux et à la fin flamboyant,
Grand comme une lune, scintillant comme une étoile :   180
Telle était, à travers l'immensité du ciel, du soleil la course solitaire.

    Aujourd'hui de tous les environs le peuple lituanien
S'est rassemblé autour de la chapelle, avant le lever du soleil,
Comme pour l'annonce d'un nouveau miracle.
Ce rassemblement pour partie venait de la piété des gens,
Et pour partie de leur curiosité : car aujourd'hui à Soplicowo
A l'office doivent assister les généraux,
Ces fameux chefs de nos légions,
Dont le peuple savait les prénoms et qu'il honorait comme des patrons,
Dont toutes les pérégrinations, expéditions et batailles   190
Constituaient l'évangile national de la Lituanie.

Etaient déjà arrivés quelques officiers, nombre de soldats ;
Les gens les entourent, les regardent, à peine en croient leurs yeux,
Voyant des compatriotes sous l'uniforme,
Armés, libres et parlant polonais.

La messe commence. – Le tout petit sanctuaire ne peut abriter
Toute l'assistance : les gens s'agenouillent sur l'herbe ;
Par la porte regardant à l'intérieur de la chapelle, ils se découvrent.
Les cheveux des Lituaniens, d'un blond plus ou moins clair,
Se doraient comme un champ de seigle mûr ;   200
Çà et là fleurit une jolie tête de jeune fille,
Décorée de fleurs fraîchement cueillies ou de plumes de paon ocellées,
Et les rubans enjolivant ses tresses flottent
Au milieu des têtes viriles, comme bleuets et nielles dans le blé.
La foule agenouillée, multicolore, recouvre toute la place,
Et au tintement de la clochette, comme sous le souffle du vent
Toutes les têtes s'inclinent, pareilles à des épis dans un champ.

Les villageoises à l'autel de la Mère du Sauveur aujourd'hui
Apportent les prémices du printemps, des gerbes fraîchement coupées ;
Tout à l'entour est décoré de couronnes et bouquets :   210
L'autel, l'icône, et même le clocher et les avant-toits.
Parfois la brise du matin, quand elle souffle de l'est,
Arrache ces couronnes et les projette sur les têtes agenouillées,
Répandant ses parfums comme un encensoir à l'office.

Et quand dans l'église la messe et le sermon prirent fin,
Sortit celui qui présidait toute la cérémonie,
Le Chambellan, par les assemblées du district récemment
Elu à l'unanimité maréchal[343] à la Confédération[344].
Il portait l'uniforme de voïévode : un żupan tissé d'or,

---

[343] *Il représentait la noblesse locale auprès des instances de la Confédération.*
[344] En Lituanie, après l'entrée des troupes françaises et polonaises, on constitua
une confédération des voïévodies et des députés à la diète furent élus.

Un kontusz de gros de Tours[345] à franges et une ceinture dorée,   220
Avec une karabela à la poignée revêtue de chagrin ;
Au cou il arborait une brillante broche de diamant :
Sa konfederatka était blanche, avec dessus un gros panache
De précieuses plumes, des aigrettes de hérons blancs.
(Aux fêtes uniquement arbore-t-on un plumet aussi luxueux,
Dont chaque petite plume coûte un ducat).
Ainsi vêtu monta-t-il sur un petit tertre devant l'église,
Les villageois et la troupe autour de lui se pressèrent en cercle.
Il dit :

        « Mes frères ! En chaire le curé vous a annoncé
La liberté, que l'Empereur-Roi a rendue à la Couronne,   230
Et que maintenant au Grand-Duché de Lituanie, à la Pologne entière
Il rend ; vous avez entendu les décisions gouvernementales
Et les circulaires convoquant une diète plénière.
Moi je n'ai que quelques mots à dire à vous tous,
Concernant la famille des Soplica,
Les seigneurs de ces lieux.

              « Toute la contrée se rappelle
Les vilénies qu'ici a commises feu – le Seigneur Jacek Soplica ;
Mais si de ses péchés vous êtes tous informés,
Ses mérites au monde il est également temps d'annoncer.
Sont ici présents les généraux de nos armées,   240
D'eux je tiens tout ce dont je vous parle.
Ce Jacek à Rome n'est pas mort, comme on l'a annoncé,
Mais sa vie d'avant, son état, et son nom il les a réformés,
Et toutes ses fautes contre Dieu et la Patrie,
Par une existence sainte et par de grandes actions, il les a effacées.

        « C'est lui qui à Hohenlinden[346], quand le général Richepanse

---

[345] *Tissu lourd en soie, sorte de taffetas.*
[346] On sait qu'à Hohenlinden le corps polonais sous le commandement du général Kniaziewicz a été décisif dans la victoire.

A demi vaincu s'apprêtait déjà à battre en retraite,
Ne sachant pas que Kniaziewicz venait à son secours,
C'est lui, Jacek dit Robak, traversant lances et sabres,
Qui transmit les lettres de Kniaziewicz à Richepanse,   250
Rapportant que les nôtres prenaient l'ennemi à revers.
C'est lui ensuite qui en Espagne, lorsque nos uhlans
Prirent Somosierra[347], un éperon imprenable,
Deux fois fut blessé aux côtés de Kozietulski !
Ensuite, en tant qu'émissaire, avec des instructions secrètes
Il se rendait en différents lieux prendre le pouls de la population,
Susciter et fonder des sociétés secrètes :
Et pour finir, en son bercail familial,
Où il préparait l'insurrection, il périt au cours d'un raid exécutif.
De sa mort la nouvelle parvint justement   260
A Varsovie au moment où sa Majesté l'Empereur
Avait daigné le nommer, au titre de ses actes héroïques passés,
Chevalier de la Légion d'Honneur.

    « Compte tenu de toutes ces choses,
Moi, représentant de l'autorité dans la voïévodie,
Je vous annonce au nom des pouvoirs qui me sont conférés :
Que Jacek par ses fidèles services et par grâce impériale
Est lavé de son infamie[348], recouvre l'honneur
Et est réintégré dans les rangs des loyaux patriotes.
En conséquence, quiconque à la famille de feu Jacek osera   270
Un jour rappeler son ancienne faute, à présent effacée,
Sera passible, en punition d'un tel reproche,

_____

La bataille de Hohenlinden en Bavière eut lieu en décembre 1800 et opposa les
Français aux Autrichiens alliés aux Bavarois.
[347] *La prise des défilés de Somosierra pendant la guerre d'Espagne en novembre*
1808 par la charge des uhlans de Kozietulski constitue un morceau de bravoure
et fut source de plusieurs anecdotes, dont celle, bien connue, d'être « saoul
comme un Polonais ».
[348] *Pour avoir tué le Sénéchal.*

D'une *Gravis notae maculae*[349] qui, selon les stipulations du Statut[350],
S'applique aussi bien au *militem*[351] qu'au « skartabell »
Qui d'infamie taxerait un citoyen ;
Et comme maintenant il y a l'égalité, l'article trois
S'applique également aux bourgeois et aux serfs.
Cette décision du Maréchal sera portée par monsieur le Greffier
Aux actes de la Généralité[352], et l'Huissier la proclamera.

« Pour ce qui est de la croix de la légion d'honneur,   280
Qu'elle soit arrivée tard n'enlève rien à sa gloire ;
Si à Jacek de décoration elle n'a pu servir,
Qu'elle serve de souvenir : sur sa tombe je l'appose.
Elle y restera trois jours, puis dans la chapelle
Sera déposée, comme ex-voto à la Mère de Dieu ».

Ayant dit cela, il sortit la décoration de son coffret
Et à la modeste petite croix du tombeau suspendit
Le petit ruban rouge, en cocarde enroulé,
Et la croix blanche étoilée, d'or couronnée.
Face au soleil les branches de l'étoile s'illuminèrent,   290
Dernier éclat de la gloire terrestre de Jacek.
Pendant ce temps le peuple à genoux récite l'Angelus[353],
Priant pour le repos éternel du pécheur,
Le Juge fait le tour des invités et de la foule des villageois,
Tous il les convie à Soplicowo pour le banquet.

Mais sur le talus bordant la maison deux vieillards s'assirent,
Avec à leurs pieds deux grands pots remplis d'hydromel.
Ils lorgnent vers le verger où, parmi les boutons colorés de coquelicot
Se tenait, tel un tournesol, un uhlan coiffé de son éclatant kalpak

---

[349] *« D'une flétrissure lourde notoire », figurant au casier judiciaire.*
[350] *Voir les notes 13 et 146.*
[351] *« Soldat », mais ici plutôt le gentilhomme à part entière, par opposition au*
« skartabell », titulaire d'un « skartabellat », ennoblissement de fraîche date.
[352] *Instance dirigeante de la Confédération.*
[353] *Prière commémorant l'Annonciation.*

Orné d'une plaque dorée et de plumes de coq ;   300
A ses côtés, une jeune fille en robe verte, telle une rue
buissonnante[354], lève ses mirettes bleues pareilles à de petites pensées
Vers les yeux du garçon ; plus loin, des demoiselles cueillent des fleurs
Dans le jardin, faisant exprès de détourner la tête
Des amoureux, afin de ne pas les déranger.

Mais les vieillards boivent leur hydromel, de leur tabatière en écorce
Se proposent des prises, et déroulent leur parlote :

« Oui, oui, mon petit Protazy, » dit le Porte-clés Gerwazy.
« Oui, oui, mon petit Gerwazy, » dit l'Huissier Protazy.
« Eh oui, c'est comme ça ! » répétèrent-ils plusieurs fois de concert 310
Et en cadence acquiesçant de la tête ; enfin l'Huissier dit :
« Que, bizarrement, notre procès va se terminer, je ne le conteste pas.
Il y a déjà eu des précédents : je me rappelle certains procès
Dans lesquels des excès pires que chez nous se sont produits,
Et un contrat de mariage a mis fin à toutes les tracasseries.
C'est ainsi qu'avec les Borzdobohat s'est accordé Łopot,
Les Krepsztul avec les Kupść, Putrament avec les Pikturna,
Mackiewicz avec les Odyniec, Turno avec les Kwilecki.
Que dis-je ! même les Polonais avaient des conflits
Avec la Lituanie, pire que ceux des Horeszko avec les Soplica :   320
Mais quand la reine Jadwiga[355] la raison fit triompher,
Ces bisbilles prirent fin sans les tribunaux.
C'est bien, quand les parties ont des filles ou des veuves
A marier : un arrangement dans ce cas toujours est disponible.
Les procès les plus longs ont lieu d'habitude avec le clergé
Catholique, ou encore avec la parentèle proche :
Impossible dans ces cas de clore l'affaire par un mariage.

---

[354] *La « ruta pozioma » est une rutacée, sorte de buisson aux feuilles vertes et aux petites fleurs jaunes, particulièrement odorant.*
[355] *L'union de la Pologne et de la Lituanie se fit en 1386, à la suite du mariage de Jadwiga (Edwige), âgée de 14 ans, « roi » de Pologne, avec Władysław Jagiełło, âgé de 35 ans, grand-duc de Lituanie, qui devint par ce mariage également roi de Pologne. Arrangement d'une rationalité exemplaire !*

C'est pourquoi Polonais et Russes sont en perpétuel conflit,
Descendant de Lech et de Rus, deux frères germains[356] ;
C'est pourquoi de la Lituanie il y eut tant de procès   330
Interminables avec l'ordre Teutonique jusqu'à la victoire de Jagiełło[357] ;
C'est pourquoi, pour en terminer, longtemps *pendebat*[358] dans les actes
Ce fameux procès des Rymsza avec les Dominicains,
Jusqu'à la victoire finale du syndic des moines, le père Dymsza,
D'où le proverbe : Dieu est plus grand que le seigneur Rymsza ;
Et moi j'ajouterai : l'hydromel est meilleur que le Canif »
Ce disant, puisant dans son pot, il trinqua avec le Porte-clés.

    « C'est vrai ! c'est vrai ! – répondit Gerwazy avec émotion.
Vraiment bizarres ont été ces vicissitudes de notre Couronne
Et de notre Lituanie ! Mais c'est comme dans un couple !   340
Dieu a uni, et le démon sépare, Dieu et le démon, chacun de son côté !
Ah, petit frère Protazy ! qu'il est bon de voir ce que nos yeux
Voient ! ces sujets de la Couronne qui à nouveau
Nous reviennent ! Avec eux j'ai servi il y a des années ;
Je me souviens, ils faisaient de vaillants confédérés !
Si feu mon maître le Sénéchal avait pu vivre jusqu'à maintenant !
O Jacek, Jacek ! – mais à quoi bon pleurnicher ?
Puisque ce jour Couronne et Lituanie à nouveau sont réunies,
Par là même tout est réglé, tout est oublié ».

    « Ce qui aussi est bizarre, dit Protazy, c'est qu'à cette Zosia-là,   350
Dont notre Thaddée présentement demande la main,
Est apparu il y a un an un *omen*[359], comme un signe du ciel ! »
« Dites mademoiselle Sophie, coupa le Porte-clés, ainsi faut-il l'appeler
Car elle est devenue grande, ce n'est plus une fillette,
Et de plus, d'un sang de dignitaire, du Sénéchal elle est la petite-fille ».
« C'était bien, acheva Protazy, un signe annonciateur

---

[356] *Voir la note 293.*
[357] *Lors de la bataille de Grunwald (Tannenberg) contre les Chevaliers Teuto-niques en 1410.*
[358] *« Restait pendant ».*
[359] *« Présage, prophétie » en latin.*

De son sort ; j'ai vu le signe de mes propres yeux.
Il y a un an, un jour férié, ici étaient assis nos gens,
Buvant de l'hydromel ; on regarde : paf, de la soupente tombent
Deux moineaux en train de se battre ; deux vieux mâles :   360
Celui qui était un peu plus jeune avait la gorge grise,
L'autre noire ; et de plus belle ils continuent à s'écharper dans la cour,
Rouler l'un sur l'autre, au point de s'enterrer dans la poussière.
Nous on regarde, alors que les domestiques entre eux murmurent :
Mettons que le noir soit Horeszko, et l'autre
Soplica ; et donc chaque fois que le gris prenait le dessus,
Ils crient : Bravo Soplica ! pfut, les Horeszko sont des trouillards !
Et lorsqu'il succombait, ils criaient : Reprenez-vous, Soplica !
Ne vous laissez pas faire par le magnat, c'est la honte pour un noble !
Et ainsi, en riant, nous attendons de savoir qui vaincra qui ;   370
Alors la petite Zosia, prise de pitié pour les oiseaux,
Accourt et de sa menotte recouvre ces chevaliers ;
Ceux-ci dans sa main encore se battent, au point que les plumes volent,
Tant il y avait d'obstination dans ces bestioles.
Les bonnes femmes, regardant Zosia, se disaient en douce
Que certainement la jeune fille était destinée
A réconcilier les deux familles depuis longtemps brouillées.
Et je constate qu'aujourd'hui s'est réalisé l'*omen* des bonnes femmes,
Mais c'est vrai qu'à l'époque on pensait au Comte,
Et non à Thaddée ».

                    A cela le Porte-clés répond :   380
« Bizarre est le monde. Qui arrivera à tout piger ?
Moi aussi je vais vous dire une chose, bien que moins miraculeuse
Que cet *omen*, et pourtant difficile à comprendre.
La famille des Soplica, vous le savez, avant j'aurais été bien aise
De la noyer dans une cuillerée d'eau ; et pourtant ce brave garçon
De Thaddée, dès son enfance, énormément je l'ai aimé !
Je remarquais que lorsqu'avec des gamins il se chamaillait,
Toujours il les battait ; donc chaque fois qu'au château il accourait,
Toujours des tâches difficiles je lui suggérais.
Tout lui réussissait : aller récupérer des pigeons   390
Dans la tour, ou cueillir du gui sur le chêne,
Ou encore piller le nid d'une corneille dans le pin le plus haut :

Il savait tout faire ; je me disais : sous une bonne étoile
Ce garçon est né, dommage que ce soit un Soplica !
Qui aurait deviné qu'en lui, du château j'accueillerai le maître,
Le mari de mademoiselle Sophie, sa Seigneurie ma Maîtresse ! »

    Là-dessus ils s'arrêtèrent de parler, et boivent, pensifs,
On entend seulement de temps à autre ces courts échanges :
« Oui, oui, Monsieur Gerwazy, -- oui, Monsieur Protazy ».

    Le talus jouxtait la cuisine, dont les fenêtres étaient   400
Ouvertes, des bouffées de fumée s'en échappent comme d'un incendie.
Et voilà que dans ces volutes de fumée, tel une blanche tourterelle,
Soudain passa l'éclair brillant de la toque du chef-cuisinier :
Le Substitut, par une fenêtre de la cuisine, par-dessus les têtes des aînés
Passant la sienne, en silence écoutait leur conversation
Et finit par leur tendre une soucoupe
Pleine de petits gâteaux, disant : « Grignotez cela avec votre hydromel.
Et moi aussi je vais vous raconter la curieuse histoire
Du différend qui devait se solder par une sanglante bataille,
Lorsque chassant dans les profondeurs des forêts de Naliboki,   410
Rejtan joua un tour au prince Denassów.
Il faillit le payer de sa propre vie :
Moi, j'ai arrangé leur dispute, -- comment, je vais vous le raconter[360] »
Mais l'histoire du Substitut fut interrompue par les cuisiniers
Demandant : qui doit mettre la table ?

    Le Substitut s'éloigna et les aînés, puisant dans leur pot d'hydromel,
Dirigèrent leur regard, pensifs, vers le fond du jardin,
Là où le bel uhlan avec la demoiselle s'entretenait.
Avec sa main gauche, il venait de lui prendre la sienne,
(Visiblement blessé, il avait le bras droit en écharpe)   420
Et adressa ces paroles à la demoiselle :
« Sophie, il faut absolument que vous me le disiez,
Avant que nous n'échangions nos alliances, il faut que je le sache.
Qu'importe si l'hiver passé déjà vous étiez prête

---

[360] *Reprise de l'histoire interrompue au Livre VIII, vers 260 sqq.*

A me donner votre parole ? A l'époque je ne l'ai pas acceptée :
Que m'importait en effet une telle parole forcée ?
A Soplicowo j'étais alors très peu de temps resté ;
Je n'étais pas futile au point de m'imaginer
Que d'un seul regard l'amour en vous j'avais éveillé.
Je ne suis pas un fanfaron : je voulais par mes propres mérites   430
Gagner votre estime, quitte à devoir attendre longtemps.
A présent vous me faites la grâce de répéter vos paroles…
En quoi ai-je pu mériter tant de faveur ?
Peut-être me prenez-vous, Zosia, non pas tant par affection,
Mais parce que mon oncle et ma tante vous y incitent ?
Mais le mariage, Zosia, est une chose très importante !
Consultez votre propre cœur, à l'autorité de personne
Ici n'obéissez, ni aux menaces de l'oncle, ni aux incitations de la tante ;
Si pour moi vous ne ressentez rien d'autre que de la bienveillance,
Pour quelque temps nous pouvons repousser ces fiançailles,   440
Je ne veux pas emprisonner votre volonté ; nous attendrons, Zosia,
Rien ne nous presse, d'autant plus qu'hier soir
J'ai reçu l'ordre de rester en Lituanie en tant qu'instructeur
Dans le régiment d'ici, le temps que je guérisse de mes blessures.
Alors, ma Zosia chérie ? »

              A cela Zosia répond,
Levant la tête et lui regardant timidement dans les yeux :
« Je ne me souviens plus exactement de ce qui s'est passé avant ;
Je sais que tous me disaient qu'il fallait me marier
Avec vous : moi je me conforme toujours à la volonté du Ciel
Et à celle des aînés ». Puis, baissant ses jolis petits yeux,   450
Elle ajouta : « Avant votre départ, si vous vous souvenez,
Quand le père Robak est mort au cours de cette tempête nocturne,
J'ai vu qu'en partant vous aviez beaucoup de peine de nous quitter :
Vous aviez les larmes aux yeux. Ces larmes, je vous le dis sincèrement,
Me sont allées droit au cœur, et depuis je vous crois quand vous dites
Que vous m'aimez ; chaque fois que je priais
Pour que vous alliez bien, toujours devant mes yeux
Vous vous teniez avec ces grosses larmes brillantes.
Puis la dame du Chambellan partant à Wilno
M'y emmena pour l'hiver ; mais j'avais la nostalgie   460

De Soplicowo et de cette chambrette
Où le soir près de la petite table vous m'avez d'abord rencontrée,
Et ensuite m'avez dit adieu. Je ne sais comment votre souvenir,
Pareil à un semis d'automne,
En mon cœur tout l'hiver a forci,
Si bien que, je vous l'ai dit, j'ai eu en permanence la nostalgie
De cette petite pièce, et quelque chose me murmurait
Que je vous y retrouverais – et c'est bien ce qui s'est passé.
Ayant ceci à l'esprit, souvent aussi sur mes lèvres j'avais
Votre nom, -- cela se passait à Wilno aux fêtes de carnaval ;   470
Les demoiselles disaient que j'étais amoureuse ;
Si amoureuse je suis, ce doit être de vous ».
Thaddée, heureux d'une telle preuve d'amour,
La prit sous le bras, la serra contre lui, et ils sortirent du jardin
Jusqu'à cette chambre de dame, cette pièce
Où Thaddée avait vécu il y a plus de dix ans.

En ce moment s'y trouvait le Notaire, curieusement attifé,
Aux petits soins avec une dame, sa fiancée,
S'employant à lui amener bagues, chaînettes,
Petits pots, flacons, poudres et mouches ;   480
Joyeux, avec un air de triomphe il regardait sa fiancée.
Celle-ci achevait de s'apprêter :
Assise devant son miroir, consultant de la beauté les divinités,
Tandis que, de ses chambrières, les unes le fer à la main
Rafraîchissent des frisons un peu retombés,
Les autres à genoux s'activent autour des volants de sa robe.

Tandis qu'avec sa fiancée le Notaire ainsi se réjouit,
Un marmiton pour lui frappe à la fenêtre : on a aperçu un lièvre !
Le lièvre, sorti d'un bouquet de saules cendrés, a filé à travers la prairie
Et a sauté dans le jardin au milieu des planches de semis ;   490
Il s'y tient : on peut facilement le chasser de la pépinière
Et le courser en lançant les lévriers sur ses traces.
L'Assesseur accourt, tirant le Faucon par sa laisse.
Le Notaire de le suivre s'empresse et appelle son Courtaud.
Avec leurs lévriers, le Substitut tous deux les poste près de la clôture,
Et lui-même avec sa tapette à mouches se rend au jardin.

Tapant du pied, sifflant et frappant dans les mains, il terrifie l'animal ;
Les traqueurs, tenant chacun son lévrier en laisse,
Montrent du doigt l'endroit d'où le lièvre doit sortir,
Emettent des smacks silencieux ; les lévriers dressent l'oreille,   500
Hument l'air et tressaillent d'impatience,
Tels deux flèches positionnées sur une même corde d'arc.
Alors le Substitut crie : « Attaque ! » Le lièvre file de derrière la clôture
Dans la prairie ; les lévriers derrière lui ; et bientôt, sans dévier,
Le Faucon et le Courtaud ensemble sur le grison tombent
De deux côtés, au même moment, comme les deux ailes d'un rapace,
Et dans l'échine lui plantent leurs crocs pareils à des serres.
Le lièvre une seule fois gémit, comme un nouveau-né,
Faisant pitié ! Les traqueurs accourent : déjà il git inanimé,
Et les lévriers le poil blanc lui déchirent en dessous du ventre.   510

    Tandis que les traqueurs leurs chiens caressent, le Substitut
A sorti le petit couteau de chasse qu'il porte à la ceinture,
Coupe les pattes du lièvre et dit : « Aujourd'hui la même récompense
Obtiendront ces petits chiens, car la même gloire ils ont gagnée,
Faisant preuve de la même agilité, accomplissant le même travail ;
Le palais est digne de Pac[361] et Pac est digne de son palais,
Les traqueurs de leurs lévriers, et les lévriers de leurs traqueurs.
Voilà terminé votre long et acharné différend ;
Moi que vous avez choisi, messieurs, pour arbitrer votre pari,
Je rends enfin mon verdict : tous deux vous avez gagné,   520
Je rends les mises, que chacun garde la sienne,
Et vous, signez la paix ». – A l'injonction du vieillard
Les visages des traqueurs l'un vers l'autre se tournèrent, rayonnants,
Et leurs dextres, longtemps séparées, se joignirent.

    Là-dessus le Notaire dit : « J'ai misé en son temps un cheval équipé,
J'ai également déclaré au bureau de la noblesse terrienne
Que je récompenserai l'Arbitre en lui offrant ma bague :

---

[361] *Les Pac sont une famille d'aristocrates lituaniens, exilée en France après le premier partage de la République des Deux Nations en 1772 ; Louis Michel Pac, général d'Empire, a participé activement à l'insurrection polonaise de 1830.*

Ce qu'on a misé, on ne peut le récupérer.
Et la bague, Monsieur le Substitut, gardez-la en souvenir,
Et j'y ferai graver soit votre nom   530
Soit, si vous y consentez, les armoiries des Hreczecha ;
La cornaline en est vierge, et l'or est à onze carats.
Le cheval a présentement été réquisitionné par les uhlans,
Mais j'ai gardé le harnais ; tous les connaisseurs en vantent la qualité,
Car il est confortable, résistant et beau comme un bijou :
La petite selle est étroite, à la mode turco-cosaque ;
Il y a un pommeau devant, avec des pierres précieuses enchâssées,
Une couverture de « robe ronde »[362] recouvre le siège
Et quand on saute sur l'arçon, sur ce doux duvet
Entre les pommeaux on est aussi confortable que dans un lit ;   540
Et lorsqu'au galop on se lance – (là le notaire Bolesta,
Qui, on le sait, beaucoup aimait gesticuler,
Ecarta les jambes comme pour sauter à cheval,
Et ensuite, feignant de galoper, lentement se balançait) –
Et lorsqu'au galop on se lance, alors de la chabraque[363]
L'éclat rayonne, comme si des gouttes d'or ruisselaient du coursier,
Car les pompons sont généreusement incrustés d'or,
Et les larges étriers d'argent sont recouverts de dorures ;
Sur les courroies du mors et le licol
Brillent des boutons de nacre ;   550
Sur la bricole figure une lune en forme de Leliwa[364],
C'est-à-dire en forme de croissant. Tout ce remarquable harnais,
Pris (comme on le dit) au cours de la bataille de Podhajce[365],
Sur un gentilhomme turc de très haut rang,
Acceptez-le, Assesseur, en témoignage de mon estime ».

---

[362] *Sorte de tissu de soie, raide et épais dont étaient faites les robes de bal au 18ème siècle.*
[363] *Tissu, housse placée en dessous de la selle.*
[364] *Demi-lune surmontée d'une étoile, figurant sur de nombreuses armoiries de nobles polonais, notamment celles des Soplica.*
[365] *Localité actuellement en Ukraine occidentale (voir la note 289), où l'armée polono-lituanienne de Jan Sobieski vainquit en 1667 une coalition tataro-cosaque soutenue par l'Empire ottoman.*

A cela l'Assesseur répondit, heureux de ce don :
« Moi, jadis offerts par le prince Sanguszko[366],
Mes magnifiques colliers j'ai misé,
Revêtus de chagrin et aux pointes en or,
Avec leur laisse tissée en soie, dont l'ouvrage   560
Est aussi précieux que la pierre qui brille dessus.
Cet équipage en héritage je voulais le laisser à mes enfants…
J'en aurai certainement : vous savez qu'aujourd'hui je me marie ;
Mais cet équipage, Notaire, humblement je vous prie
De bien vouloir l'accepter en échange de votre riche harnais
Et en souvenir du différend qui pendant de longues années
S'est prolongé et honorablement s'est terminé
Pour nous deux. Que la concorde règne entre nous ».
Ils rentraient donc pour annoncer à table
Qu'entre le Courtaud et le Faucon le différend était réglé.   570

La rumeur courait que le Substitut ce lièvre à la ferme
Avait élevé et lâché en cachette dans le jardin,
Afin de mettre les traqueurs d'accord avec cette proie vraiment facile.
Le vieillard prépara son coup dans un tel secret,
Qu'il trompa absolument tout Soplicowo.
Le marmiton quelques années plus tard en souffla un mot,
Voulant derechef fâcher l'Assesseur avec le Notaire ;
Mais en vain calomniait-il les lévriers :
Le Substitut démentit et personne ne crut le marmiton.

Dans la grande salle du château[367] rassemblés, les invités déjà   580
Autour de la table bavardaient, attendant le banquet,
Quand le Juge en uniforme de la voïévodie fait son entrée
En conduisant Messire Thaddée et Sophie.
Thaddée, portant sa main gauche à hauteur de la tempe,

---

[366] *Grande famille de magnats descendants des premiers princes lituaniens, ayant possédé d'immenses domaines en Volhynie, Podolie et Petite-Pologne, actuellement répartis entre Ukraine et Pologne.*
[367] *Ou du manoir ?*

Salua ses chefs d'un salut militaire ;
Sophie, le regard baissé,
En s'empourprant saluait les invités par une révérence,
(Joliment exécutée grâce aux leçons de Télimène).
Elle portait une couronne de fiancée sur la tête,
Et pour le reste la même tenue dans laquelle ce jour en la chapelle   590
Elle avait déposé une gerbe printanière pour la Mère de Dieu.
Pour les invités elle avait coupé une autre gerbe de plantes ;
D'une main, elle en distribue les fleurs et les rameaux,
De l'autre sur sa tête arrange sa faucille brillante.
Les chefs, lui baisant la main, prenaient les plantes ;
A nouveau Zosia, empourprée, fait des révérences à la ronde.

    Alors le général Kniaziewicz la prit par dessous les épaules
Et paternellement lui baisant le front,
Souleva la jeune fille et la déposa sur la table,
Et tous, applaudissant, s'écrièrent : Bravo !   600
Emerveillés par la beauté de la jeune fille, son maintien,
Et notamment par sa tenue lituanienne, toute simple :
Car pour ces chefs, qui dans leur vie errante
Pendant si longtemps dans des contrées étrangères avaient vagué,
Le costume national présentait d'étranges attraits,
Leur rappelant et leurs jeunes années
Et leurs anciennes amours ; c'est donc presqu'en larmes
Qu'ils se groupèrent autour de la table, regardant avec curiosité.
Les uns demandent que Zosia relève un peu la tête
Et montre ses yeux ; les autres à ce que sur elle-même   610
Elle daigne tourner ; la jeune fille pudique
Se tourne, mais se cache les yeux dans les mains.
Thaddée regardait avec joie, et se frottait les mains.

    Quelqu'un avait-il conseillé à Zosia de sortir avec pareille robe,
Ou bien le savait-elle d'instinct (car une jeune fille devinera
Toujours d'instinct ce qui convient à son visage) ?
Toujours est-il que Zosia, pour la première fois de sa vie, ce matin
Par Télimène fut grondée pour sa résistance
A vouloir mettre une tenue à la mode, jusqu'à obtenir par ses pleurs
Qu'on la laissât ainsi, dans une tenue toute simple.   620

Son jupon était long, blanc ; sa robe courte
En camelot[368] de couleur verte, avec un liseré rose ;
Son corsage aussi était vert, avec des rubans roses
Entrecroisés qui le laçaient de la taille jusqu'au cou ;
En dessous, tels des bourgeons sous les feuilles, les seins se blottissent.
Partant des épaules, brillent les manches blanches de la chemise,
Bouffantes comme des ailes de papillon prêtes pour l'envol,
Froncées aux poignets et par un ruban retenues.
Le cou aussi dans l'encolure étroite de la chemise est enserré,
Et le petit col par un cordon rose resserré ;   630
Les boucles d'oreilles, dans des noyaux de cerise joliment taillées,
Du Benêt Dobrzyński font la fierté
(S'y trouvaient deux petits cœurs avec une flèche et une flammèche,
Offerts à Zosia du temps où le Benêt lui faisait la cour).
Sur son petit col repose un double collier d'ambre,
Et sur sa tête une couronne de vert romarin ;
Zosia avait rejeté ses rubans de tresses en arrière,
Et orné son front, comme le font les moissonneuses,
D'une faucille recourbée, par la coupe récente des plantes aiguisée,
Brillante comme le croissant de lune sur le front de Diane.   640

Tous adorent, applaudissent. Un des officiers
De sa poche sortit un *portefeuille*[369] avec des feuilles de papier,
Les déplia, tailla son crayon, dans sa bouche le mouilla,
Il contemple Zosia, dessine. A peine le Juge eut-il vu
Les papiers et crayons, que le dessinateur il reconnut,
Bien que l'uniforme de colonel le changeât beaucoup :
Riches épaulettes, un air de véritable uhlan,
De petites moustaches foncées et une barbichette espagnole.
Le Juge le reconnut : « Comment allez-vous, Illustre Monseigneur
Comte ? même dans votre giberne vous avez votre nécessaire   650
Pour dessiner ! » De fait, c'était le jeune Comte,
Militaire de fraîche date, mais comme il avait d'importants revenus

---

[368] *Etoffe de laine de qualité médiocre, d'où son nom.*
[369] *En français dans le texte.*

Et à ses frais tout un régiment de cavalerie avait constitué
Et dès la toute première bataille excellemment s'était comporté,
L'Empereur aujourd'hui justement colonel le nommait ;
Le Juge salua donc le Comte en le félicitant pour sa promotion,
Mais celui-ci n'écoutait pas et dessinait avec application.

Entretemps, le deuxième couple de fiancés fit son entrée :
L'Assesseur, hier du tsar et aujourd'hui de Napoléon
Le fidèle serviteur ; il commandait un détachement de gendarmes   660
Et bien qu'il fût en poste depuis à peine une vingtaine d'heures,
Il arborait déjà l'uniforme bleu-gris à revers aux couleurs polonaises
Et traînait un sabre recourbé, faisant sonner ses éperons.
A ses côtés d'un pas grave marchait son amoureuse,
La très élégante Tekla Hreczeszanka[370] ;
Car l'Assesseur depuis longtemps avait jeté Télimène
Et, pour d'autant plus attrister cette coquette,
Vers la fille du Substitut avait tourné ses affects.
La demoiselle n'était plus très jeune, un demi-siècle, disait-on,
Mais bonne ménagère, personne sérieuse   670
Et bien dotée : car en plus de son village héréditaire,
Elle augmentait sa dot d'une coquette somme allouée par le Juge.

Le troisième couple vainement un long moment est attendu.
Le Juge s'impatiente et envoie les domestiques ;
Ils reviennent en disant que le troisième époux,
Monsieur le Notaire, en traquant le lièvre avait perdu sa bague
De marié, qu'il la cherchait dans la prairie ; et que la dame du Notaire
Etait encore dans son cabinet, et que, malgré sa diligence
Et l'aide de ses femmes de chambre,
En aucune façon elle ne pouvait en finir avec ses apprêts ;   680
A peine sera-t-elle prête pour quatre heures.

***

---

[370] *Mademoiselle Thècle Hreczecha, la fille du Substitut.*

LIVRE DOUZIEME

AIMONS-NOUS !

*

Sommaire :

Le dernier banquet traditionnel polonais.
Un chef-d'œuvre de présentoir à dessert.
Explication de ses personnages.
De ses transformations.
Dąbrowski reçoit un cadeau.
Encore à propos du Canif.
Kniaziewicz reçoit un cadeau.
Premier acte officiel de Thaddée en devenant châtelain.
Les remarques de Gerwazy.
Le concert des concerts.
La Polonaise.
Aimons-nous !

*

L a porte de la salle enfin s'ouvre en grand et avec fracas.
Monsieur le Substitut, coiffé et la tête haute, fait son entrée,
Ne salue personne et ne prend pas place à table,
Car le Substitut intervient en sa nouvelle qualité
De Maréchal de la Cour ; il tient un bâton en signe de sa fonction,
Et de ce bâton, en tant que maître de cérémonie, à tour de rôle
A chacun désigne sa place et installe les invités.
D'abord, en tant que première autorité de la voïévodie,
Le Chambellan-Maréchal prit la place d'honneur,
Un fauteuil aux accoudoirs d'ivoire et de velours revêtu ;   10
A ses côtés, à droite, le général Dąbrowski,
A gauche prirent place Kniaziewicz, Pac et Małachowski.
Entre eux dame Chambellan, et plus loin les autres dames,
Officiers, messieurs, gentilshommes et nobles terriens,
Hommes et femmes en alternance,
Dans l'ordre prennent place à l'endroit indiqué par le Substitut.

Monsieur le Juge en s'inclinant quitta la table ;
Il recevait dans la cour la cohorte des villageois ;
Les ayant rassemblés autour d'une table longue de deux « staja »[371],
Lui-même s'assit à une extrémité et le curé à l'autre.   20
Thaddée et Sophie ne s'attablèrent pas,
Occupés à servir les villageois, ils mangeaient en marchant.
C'était une antique coutume, pour les nouveaux châtelains
De servir eux-mêmes le peuple lors du premier banquet.

Pendant ce temps les invités dans la salle attendant le repas,

---

[371] *La « staja » statutaire correspondait à 84 coudées, soit environ 50 mètres.*

Avec admiration regardaient le grand présentoir à dessert,
Dont le métal était aussi précieux que l'ouvrage.
On dit que le prince Radziwiłł l'Orphelin[372]
A fait réaliser cet ensemble sur commande à Venise
Et l'a fait décorer à la polonaise selon ses propres cartons.   30
Ensuite ce présentoir, emporté au temps de la guerre avec la Suède,
S'est retrouvé, on ne sait comment, dans cette maison de gentilhomme ;
Aujourd'hui sorti du trésor, il occupait le centre de la table,
Enorme plateau circulaire faisant penser à une roue de carrosse.

    Ce présentoir à ras-bord était rempli
De mousses et de sucreries, blanches comme neige,
Imitant à la perfection un paysage d'hiver :
Au centre un énorme bois, sombre, de confitures,
Sur les côtés des maisons, comme des villages et des bourgades,
Recouverts, au lieu de glace, de mousse sucrée ;   40
Les bords du présentoir sont décorés
De petits personnages soufflés en porcelaine,
En costumes polonais, comme des acteurs sur une scène,
Semblant représenter quelque évènement ;
Leur attitude est artistement rendue, les couleurs sont remarquables,
Seule leur manque la parole, pour le reste ils sont comme vivants.

    Que peuvent-ils représenter ? demandaient les invités avec curiosité.
Alors le Substitut lève son bâton et ainsi pérore :
(Pendant ce temps on servait la vodka en ouverture du repas) –
« Avec la permission de Vos Excellences :   50
Ces personnages qu'ici vous voyez si nombreux
Représentent l'histoire d'une diétine polonaise,

---

[372] Radziwiłł l'Orphelin a fait de lointains voyages et a édité une relation de son pèlerinage en Terre Sainte.
Magnat et homme d'état lituanien, réformé repenti, il fut un zélé défenseur du catholicisme contre le protestantisme et l'un des signataires de l'Union de Lublin en 1569 ; ce traité, réunissant le Royaume de Pologne et le Grand-Duché de Lituanie en un seul Etat, fondait la République des Deux Nations, monarchie élective qui subsistera jusqu'en 1795 (voir la note 2).

Des délibérations, des votes, des triomphes et des querelles ;
J'ai moi-même examiné cette scène et vais vous l'expliquer.

« Là à droite on voit un groupe nombreux de gentilshommes :
On les a certainement invités à un banquet avant la diétine,
La table est mise ; personne ne place les invités,
Ils se tiennent par petits groupes, chaque petit groupe discute.
Voyez, dans chaque petit groupe il y a un homme au milieu,
Et d'après sa bouche ouverte, ses paupières relevées,   60
Ses mains agitées, visiblement – un orateur expliquant quelque chose,
Et de son doigt sur sa main il donne des éclaircissements.
Ces orateurs recommandent leurs candidats
Avec un bonheur inégal, comme on peut le voir à la mine de leurs pairs.

« Du deuxième groupe, il est vrai, les nobles attentivement écoutent.
L'un a passé les mains dans sa ceinture et tend l'oreille,
Celui-là porte sa main à l'oreille et en silence tortille sa moustache,
Il boit certainement les paroles pour les graver dans sa mémoire ;
L'orateur se réjouit, visiblement il les a convertis,
Sa poche il flatte, car déjà leurs votes elle contient.   70

Mais en revanche, il n'en va pas de même dans le troisième groupe :
Là l'orateur ses auditeurs doit rattraper par la ceinture.
Voyez, ils cherchent à s'extirper et leurs oreilles reculent ;
Voyez comment cet auditeur de colère se hérisse !
Il a levé les bras, menace l'orateur, lui ferme la bouche,
De son adversaire les louanges il a sûrement entendues.
Cet autre, baissant le front à la manière d'un taureau,
Semble vouloir encorner l'orateur ;
Les uns sortent leurs sabres, les autres se carapatent.

Un des gentilshommes silencieux se tient entre les groupes,   80
Visiblement il n'a pas pris parti ; il hésite et a peur ;
Pour qui voter ? il ne le sait, et en conflit avec soi-même,
Il interroge la fortune, il a levé les bras, sorti les pouces,
Fermé à demi les yeux, rapproche les pouces ongle contre ongle :
Visiblement, il va s'en remettre à la cabale pour son vote ;
Si les pouces se rencontrent, il votera pour,

S'ils s'évitent, ce sera contre.

« A gauche, une autre scène : un réfectoire de monastère
A été converti en salle de réunion pour la noblesse.
Les aînés en rangs sur des bancs sont assis, les jeunes sont debout   90
Et au centre avec curiosité regardent par-dessus les têtes ;
Là se tient le maréchal, l'urne dans les mains,
Et compte les boules que les gentilshommes dévorent des yeux.
Il vient d'extraire la dernière ; les huissiers lèvent la main
Et proclament le nom de l'officier élu.

« L'un des gentilshommes n'a cure de l'accord général.
Voyez, il sort la tête par la fenêtre de la cuisine du réfectoire,
Voyez comme il fait les gros yeux, l'audace de son regard,
Il a ouvert la bouche comme si toute la salle il voulait avaler ;
Facile de deviner que ce gentilhomme vient de crier : *Veto*[373] !...   100
Voyez comment, après cette brutale provocation à la dispute,
La foule se presse à la porte : sûrement à la cuisine ils se rendent ;
Leurs sabres ils dégainent, une bagarre sanglante va sûrement éclater.

« Mais là-bas dans le couloir, vous remarquez
Ce vieux curé qui avance en chasuble ;
C'est le prieur ; de l'autel il a sorti le Saint-Sacrement,
Un enfant de chœur en surplis agite sa clochette et demande le passage.
Les gentilshommes vite rangent leur sabre, se signent et s'agenouillent,
Et le curé se tourne là où encore s'entend le cliquetis des armes ;
Sitôt arrivé, il apaise et met tout le monde d'accord.   110

« Ah ! vous ne vous en souvenez pas, vous les jeunes !

––––––––––––––––––––

[373] *« J'interdis » en latin, « nie pozwalam » en polonais (voir la note 220). L'institution du « liberum veto » en 1652, permettait à tout gentilhomme de bloquer les délibérations d'une diète ou d'une diétine. Elle a contribué à la paralysie de l'Etat sous la République des Deux Nations et fut supprimée par la Constitution du 3 mai 1791. Mais Radziwiłł l'Orphelin, supposé avoir dessiné les personnages du présentoir à dessert, est mort en 1616, soit près de 40 ans avant l'institution du liberum veto.*

Lorsqu'au sein de notre noblesse turbulente et indépendante,
Armée, point n'était besoin d'une quelconque police :
Tant que fleurissait la foi, on respectait le droit,
La liberté avec l'ordre cohabitait et la gloire avec la prospérité !
Dans d'autres pays, comme je l'entends, l'état emploie des sbires,
Des policiers de tout acabit, des gendarmes, des constables,
Mais si l'épée à la sécurité se contente de veiller,
Que dans ces pays règne la liberté – vous ne me le ferez pas croire ».

　　Là-dessus monsieur le Chambellan, faisant sonner sa tabatière, dit :
                                                      [120
« Monsieur le Substitut, à plus tard veuillez remettre
Ces histoires. C'est vrai que cette diétine est curieuse,
Mais nous avons faim, faites servir les plats ».

　　A cela le Substitut, inclinant son bâton jusqu'à terre :
« Illustre Seigneur, faites-moi donc cette grâce,
Je vais juste terminer avec la dernière scène des diétines.
Voilà le nouveau maréchal sur les épaules de ses partisans
Sortant du réfectoire. Voyez comme ses pairs les gentilshommes
Jettent leurs coiffes en l'air, ouvrent la bouche, -- des vivats !
Et à l'autre bout, le seigneur éliminé,   130
Seul, sur son front pensif ayant renfoncé sa coiffe.
Sa femme l'attend devant la maison : elle a deviné ce qui se passe…
La pauvre ! la voilà qui s'évanouit dans les bras de la chambrière,
La pauvre ! Illustre Seigneurie devait-elle prendre comme titre,
Et la voilà Seigneurie tout court pour trois ans encore ! »

　　Là le Substitut sa description achève et fait un signe de son bâton.
Aussitôt les laquais par deux font leur entrée,
Servant les plats : le bortch, appelé royal,
Et le bouillon traditionnel, préparé avec art,
Dans lequel monsieur le Substitut aux bizarres secrets culinaires   140
Avait ajouté quelques petites perles et une pièce de monnaie –
(Un tel bouillon nettoie le sang et fortifie la santé).
Suivent d'autres plats, qui les énoncera !
Qui les reconnaîtra, alors que déjà de notre temps ils étaient inconnus,

Ces plats de « kontuz », « arkas », « blemas »[374],
De morue, de boulettes de viande, avec leurs ingrédients,
Civette, musc, adragante, pignons de pin, « brunele »[375] ;
Ces poissons : saumons fumés, du Danube,
Esturgeons et caviars vénitiens, turcs,
Brochets grands et moyens, de la taille d'une coudée,   150
Limandes, carpes communes et carpes fines !
Et pour finir un secret culinaire : un poisson entier,
La tête frite, le corps grillé,
Et la queue en sauce cuisinée !

Les invités ne s'enquéraient même pas du nom des plats,
Ni ne s'étonnaient de cette curieuse recette secrète !
Ils mangeaient tout à la hâte, avec un appétit de soldat,
Remplissant leurs verres d'un abondant Tokay.

Mais entretemps le grand présentoir de couleur[376] avait changé,
Et, débarrassé de sa neige, de verdure s'était couvert ;   160
Car, lentement réchauffée par la chaleur ambiante, la légère
Glace de mousse sucrée avait fondu
Et découvert le fond, jusqu'alors caché à la vue ;
Et donc le paysage représentait une nouvelle saison de l'année,
Brillant d'une végétation printanière aux couleurs variées.
Toutes sortes de céréales sortent, poussent comme sur du levain :

---

[374] *Le « kontuz » (à ne pas confondre avec « kontusz » !) est une sorte de fromage à base de petits morceaux de viande de poulet ou de veau cuite dans son jus et additionnée de différents ingrédients, l'« arkas » est un genre de flan agrémenté de crème fouettée et de confitures ; le « blemas » est un dessert ressemblant au blanc-manger, à base de lait, amandes, sucre et gélatine.*
[375] *Quelque chose à base de prunes ou pruneaux ?*
[376] Au seizième et au début du dix-septième siècle, à l'époque de la fleuraison des arts, même les banquets étaient organisés par des artistes, pleins de symboles et de scènes théâtrales. A un banquet célèbre, donné à Rome en l'honneur de Léon X, il y avait un présentoir figurant l'une après l'autre les quatre saisons de l'année, qui certainement servit de modèle à Radziwiłł. Les coutumes de la table changèrent en Europe vers la moitié du dix-huitième siècle ; c'est en Pologne qu'elles perdurèrent le plus longtemps.

Vigoureusement se lèvent les épis dorés d'un blé de safran,
Le seigle, habillé de feuillets d'argent artistement peints,
Et le blé noir, en chocolat habilement fabriqué,
Et les vergers de poiriers et de pommiers en fleurs.   170

    A peine les invités ont-ils le temps de profiter des dons de l'été ;
En vain prient-ils le Substitut de les faire durer :
Déjà le présentoir, comme la planète dans sa nécessaire rotation,
Change de saison, déjà les céréales d'or peintes,
Dans la salle s'étant réchauffées, lentement fondent ;
Déjà la végétation a jauni, les feuilles rougissent,
Se délitent, on croirait voir souffler le vent d'automne ;
Et pour finir, ces arbres si élégants l'instant d'avant,
A présent, comme dépouillés par les tempêtes et les frimas,
Se dressent nus : c'étaient des bâtons de cannelle,   180
Ou bien des branches de laurier imitant des pins,
Revêtus, à la place de leurs pointes, de petits grains de cumin.

    Les invités, tout en buvant leur vin, des branches commencèrent
A arracher, des troncs et des racines, et à les grignoter.
Le Substitut tournait autour du présentoir et, tout joyeux,
Sur les invités triomphalement promenait les yeux.

    Henryk Dąbrowski feignit un grand étonnement
Et dit : « Cher Substitut, sont-ce des ombres chinoises ?
Ou bien Pinetti vous a-t-il initié à ses diableries[377] ?
Y a-t-il toujours de tels présentoirs en Lituanie   190
Et faites-vous tous des banquets selon cette vieille tradition ?
Dites-le-moi, car à l'étranger j'ai passé toute ma vie ».

    Le Substitut en s'inclinant dit : « Non, Illustre

---

[377] Pinetti est un prestidigitateur, célèbre dans toute la Pologne ; on ne sait pas à quelle date il séjourna chez nous.
Giuseppe Pinetti, d'origine italienne, fut un magicien célèbre qui présenta son art à différentes cours d'Europe, et mourut en 1799 en Volhynie, aujourd'hui en Ukraine.

Général, ce n'est pas du tout une diablerie !
Ce n'est qu'un souvenir de ces fameux banquets
Que chez les seigneurs d'antan on donnait,
Quand la Pologne du bonheur et de la puissance jouissait !
Ce que j'ai fait, je l'ai lu dans le livre que voici.
Vous demandez si partout en Lituanie une telle tradition se maintient ?
Hélas non ! même chez nous la nouvelle mode s'introduit.   200
Plus d'un fils de seigneur se plaint de ne plus souffrir le luxe ;
Mange comme un Juif, à ses invités mégote le boire et le manger,
Lésine sur le Tokay et boit de ce diabolique
Vin frelaté à la mode, champagne de Moscou ;
Et puis le soir perd aux cartes une quantité d'argent
Qui suffirait à offrir un banquet à cent de ses pairs gentilshommes…
Et même (car aujourd'hui ce j'ai sur le cœur je vais le dire sincèrement,
Que le Chambellan ne m'en veuille pas),
Lorsque du trésor j'ai sorti ce merveilleux présentoir,
Même le Chambellan, lui aussi, se moquait de moi !   210
Disant que c'était un machin barbant, vieillot,
Que cela ressemble à un jouet pour enfant,
Peu convenable pour des gens aussi distingués !
Et vous, Juge ! vous aussi disiez que cela ennuierait les invités !
Et pourtant, si j'en juge à votre étonnement,
Je constate que ce bel objet d'art était digne d'être vu !
Je ne sais pas si une telle occasion se représentera
De recevoir à Soplicowo des dignitaires d'un tel rang :
Je vois, mon Général, que vous vous y connaissez en banquets,
Veuillez accepter ce livre ! il vous sera utile   220
Lorsqu'à un cercle de monarques étrangers
Vous offrirez un banquet. Bah, même à Napoléon.
Mais permettez qu'avant de vous le dédicacer,
Je vous dise par quel hasard entre mes mains il s'est retrouvé ».

    Alors un murmure monta de derrière la porte, force voix à l'unisson
Crièrent : « Vive le Petit coq sur l'Eglise ! »
Pour entrer dans la salle la foule se presse, Maciek en tête.
Le Juge prit l'invité par le bras et le conduisit à table,
A une place de choix au milieu des chefs le plaça,
En disant : « Monsieur Matthieu, vilain voisin,   230

Très tard vous arrivez, presque à la fin du dîner ».
« Je mange plus tôt, dit Dobrzyński, non pas pour manger
Je suis venu, mais seulement par curiosité
Pour voir de près notre armée nationale.
Il y aurait beaucoup à dire – c'est tout et n'importe quoi !
Les gentilshommes m'ont vu, et dare-dare ici me conduisent,
Et vous, cher monsieur, à table m'installez – merci, mon voisin ».
Ce disant, il renversa son assiette le cul en l'air,
Signifiant qu'il ne mangerait pas, et se taisait, l'air lugubre.

  « Monsieur Dobrzyński, lui dit le général Dąbrowski,   240
C'est vous ce fameux cogneur du temps de Kościuszko,
Ce Matthieu, appelé *la Verge* ! je vous connais de réputation.
Et, s'il vous plaît, quelle vigueur encore ! quelle vivacité !
Combien d'années ont passé ! voyez, moi j'ai vieilli,
Et à Kniaziewicz aussi, voyez, le cheveu lui a blanchi,
Et vous, vous seriez encore capable de vous mesurer à des jeunots,
Et votre verge semble aussi florissante que naguère ;
J'ai appris que récemment vous aviez corrigé les Moscales.
Mais où sont vos frères ? Je souhaiterais absolument
Voir ces Canifs et ces Rasoirs de chez vous,   250
De l'antique Lituanie les derniers spécimens ».

  « Mon Général, dit le Juge, après cette victoire,
Presque tous les Dobrzyński au Duché se sont réfugiés ;
Ils ont sûrement intégré quelque légion ! »
« En effet, répondit un jeune chef d'escadron,
J'ai dans ma deuxième compagnie un épouvantail à moustaches,
Le maréchal des logis Dobrzyński, appelé le Cogneur,
Et les Mazurs[378] l'appellent l'ours lituanien.
Si vous le commandez, mon Général, on va l'amener ici ».
« Il y en a plusieurs autres natifs de Lituanie, dit un lieutenant, 260
Un soldat connu sous le nom de Rasoir,
Et un autre, avec une escopette, cavalier de flanc-garde ;

---

[378] *Voir la note 181 : la dénomination prendrait plutôt ici le sens de « Polonais »
par opposition à « Lituanien ».*

Au régiment des tirailleurs, il y a aussi deux grenadiers
Dobrzyński ».

-- « Oui, mais de leur chef,
Dit le Général, je veux m'informer, de ce Canif,
A propos duquel monsieur le Substitut m'a conté tant de merveilles,
Comme s'il s'agissait d'un de ces anciens géants ».
« Le Canif, dit le Substitut, bien qu'il n'ait pas émigré,
Craignant l'enquête, devant Moscou s'est caché ;
L'hiver entier, le pauvre, par les bois a vagabondé,   270
Il vient seulement d'en sortir. En ces temps de guerre
Il pourrait être utile à quelque chose, c'est un homme d'armes,
Dommage seulement que d'ans il soit un peu chargé.
Mais le voilà ! »

            Là le Substitut montra du doigt le vestibule,
Dans lequel domestiques et villageois se pressaient,
Et où, par-dessus toutes les têtes, une calvitie brillante
Soudain émergea, telle la pleine lune ;
Trois fois elle pénétra et trois fois se perdit dans la nuée des têtes.
Le Porte-clés en marchant saluait, jusqu'à ce qu'il se sortît de la foule
Et dît :

            « Illustre Hetman[379] de la Couronne,   280
Ou Général, -- peu importe le titre, --
Je suis Rębajło, je me présente à votre appel
Avec ce mien canif qui, non pas par ses décorations,
Ni ses inscriptions, mais par sa dureté sa gloire a acquis,
Au point que même Votre Excellence le connaît.
S'il savait parler, peut-être dirait-il
Quelque chose pour louer ce vieux bras,
Qui longtemps fidèlement servit, grâce à Dieu,
Sa patrie ainsi que la famille des Horeszko,
Dont le souvenir parmi les hommes jusqu'à ce jour est glorieux.   290

---

[379] *L'Hetman était le commandant en chef des armées du temps de l'union po-*
lono-lituanienne et de la République des Deux Nations.

Mon Petit Monsieur ! rarement un comptable
Ses plumes taille avec autant de précision que lui les têtes.
Ce serait long de les compter ! Et les nez et les oreilles, innombrables !
Et pourtant il n'est aucune ébréchure sur ce canif
Et aucune action criminelle ne l'a taché ;
Rien que la guerre ouverte, ou le duel.
Une seule fois ! -- Seigneur, accorde-lui le repos éternel ! –
Un homme désarmé, hélas, on a liquidé !
Et même cela, Dieu m'est témoin, c'était *pro publico bono* ».

« Montrez-donc, dit en riant le général Dąbrowski :   300
Un beau canif, en effet, une vraie épée de bourreau ! »
Et avec étonnement il examinait cette grande rapière
Et aux autres officiers à tour de rôle la montrait.
Tous l'essayaient ; mais rares parmi les officiers
Etaient ceux capables de la soulever en l'air.
On disait que Dembiński[380], fameux pour la force de son bras,
Aurait pu soulever ce glaive, mais il n'était pas là.
De ceux qui étaient présents, seul le chef d'escadron Dwernicki[381],
Et un chef de peloton, le lieutenant Różycki,
Furent capables de manier cette tringle de fer :   310
C'est ainsi que, pour l'essayer, de main en main on se passait la rapière.

Mais c'est le général Kniaziewicz, le plus grand par la taille,
Qui aussi s'avéra le plus fort par le bras.
Saisissant la rapière, sans effort il la souleva, comme si c'était une épée,
Et la fit tournoyer en un éclair au-dessus de la tête des invités,
Rappelant les passes d'escrime polonaise :
La croix, la volte, le brisé, le coupé,
L'enlevé, et les tempos des contre-pointes et tierces,

---

[380] *Henri Dembiński, lieutenant puis capitaine pendant la campagne de Russie, commandant en chef des armées polonaises lors de l'insurrection de 1830.*
[381] *Joseph Dwernicki, devenu ensuite général, participa également à l'insurrection de 1830.*

Qu'également il connaissait, car il sortait de l'école des Cadets[382].

Alors qu'en riant il ferraillait, Rębajło était déjà à genoux,   320
Embrassant ceux du général, gémissant et pleurant
A chaque passe d'arme : « Magnifique ! Mon général,
Avez-vous été confédéré ? magnifique, parfait !
C'est le coup de pointe des Pułaski ! ainsi se fendait Dzierżanowski !
C'est le coup de pointe de Sawa[383] ! Qui vous a ainsi formé la main ?
Sans doute Maciek Dobrzyński ! Et ça, mon général,
C'est de mon invention, oui vraiment ; je ne me vante pas,
Cette botte, connue seulement dans le village des Rębajło,
S'appelle la botte de « mon Petit Monsieur », d'après mon surnom ;
Qui vous l'a apprise ? c'est ma botte,   330
A moi ! » Il se releva, saisissant le général pour l'embrasser.
« A présent je mourrai tranquille ! Il y a donc sur terre
Quelqu'un pour serrer dans ses bras mon cher enfant ;
Car depuis longtemps nuit et jour je souffre de trouille
Qu'après ma mort cette mienne rapière ne rouille !
Mais elle ne rouillera pas ! Illustrissime
Général, pardonnez-moi, mais jetez ces broches,
Ces croisettes allemandes ; c'est la honte pour un noble rejeton
De porter ce scion : prenez une brette de gentilhomme !
Ce mien canif à vos pieds je dépose,   340
C'est ce que j'ai de plus cher au monde.
Je n'ai jamais eu de femme, ni d'enfant,
Il était pour moi femme et enfant ; de mon étreinte
Il n'est jamais sorti ; du matin au crépuscule
Je le dorlotais, la nuit il dormait à mon côté ;
Et quand j'ai pris de l'âge, au-dessus de mon lit sur le mur
Il pendait, comme la loi de Dieu au-dessus du Juif !
Je pensais en même temps que mon bras l'enterrer dans la tombe,

---

[382] *Ecole militaire fondée en 1765 à Varsovie par le roi Stanislas-Auguste Po-niatowski, dont sortit également Kościuszko.*
[383] *Joseph Pułaski a été un des fondateurs de la Confédération de Bar en 1768 (voir la note 191) ; ses fils Casimir et François ainsi que Michel Dzierżanowski, Joseph Sawa, se sont également illustrés au sein de cette confédération.*

Mais j'ai trouvé un héritier – qu'il soit à votre service ! »

    Le Général, partagé entre le rire et l'émotion :   350
« Camarade, dit-il, si vous me cédez femme
Et enfant, pour le reste de votre vie vous resterez
Très esseulé, vieux veuf et orphelin !
Dites-moi, comment dois-je récompenser ce précieux don
Et comment adoucir cet état de veuf et orphelin ? »
Le Porte-clés marri répond « Est-ce que Cybulski je m'appelle ?
Lui qui perdit sa femme au jeu de mariage avec le Moscale[384],
Comme le dit la chanson. – Moi il me suffit
Que mon canif encore brille devant le monde
En de telles mains ! – Veillez seulement, mon général,   360
A ce que la dragonne soit longue, déroulée,
Car c'est un long machin ; et toujours partant de l'oreille gauche
Taillez à deux mains, alors de la tête au ventre vous fendrez ».

    Le Général prit le canif ; mais comme il était très long,
Il ne put le porter, dans le fourgon le cachèrent les ordonnances.
De ce qu'il en advint, différentes versions circulent,
Mais personne ne l'a su avec certitude, ni alors, ni plus tard.

    Dąbrowski dit à Maciek : « Et vous, camarade ?
Il semble que de notre arrivée vous ne soyez pas enchanté ?
Vous faites la tête ? Comment cela, le cœur ne vous bat-il pas très fort
                                                     [370
De voir ces aigles dorées et argentées[385] ? quand les clairons
L'appel de Kościuszko à vos oreilles claironnent ?
Maciek, je pensais que vous étiez un gaillard d'une autre trempe !
Que sans forcément prendre votre sabre et sauter à cheval,
Du moins avec les camarades vous trinqueriez joyeusement
A la santé de Napoléon et à l'espoir de la Pologne ! »

---

[384] Chanson triste, bien connue en Lituanie, sur madame Cybulska qui par son mari fut jouée et perdue aux cartes avec les Moscales.
Le « jeu de mariage » était un jeu de cartes : voir la note 77.
[385] *Les aigles dorées sont celles de Napoléon, les argentées celles des Polonais.*

« Ah ! dit Matthieu, j'ai entendu, je vois ce qui se passe !
Mais, Monsieur, le même nid deux aigles ensemble ne peut loger !
Votre grâce, Hetman, un cheval pie chevauche !
L'empereur un grand héros ? il y aurait beaucoup à dire !   380
Je me souviens que les Pułaski, mes compagnons,
En regardant Dumouriez[386] disaient
Qu'à la Pologne il fallait un héros polonais,
Pas un Français, ni un Italien, mais un Piast[387],
Un Jean, un Joseph ou un Maciek – et basta.
L'armée ! on dit qu'elle est polonaise ! mais ces fusiliers,
Sapeurs, grenadiers et canonniers !
On entend davantage de titres allemands[388] dans cette foule
Que de nationaux ! Qui donc peut comprendre cela !
Et faut-il aussi qu'à vos côtés il y ait des Turcs et des Tatares   390
Ou des schismatiques[389], sans foi ni Dieu :
Moi-même je l'ai vu, ils agressent les femmes dans les villages,
Dépouillent les passants, dévalisent les églises !
L'Empereur va à Moscou ! longue sera sa route
Si sa Majesté l'Empereur sans Dieu s'embarque !...
J'ai entendu que sous les anathèmes des évêques déjà il tombait ;
Tout cela est...[390] » Là, Matthieu trempa son pain dans sa soupe,
Et, mangeant, ne termina pas son dernier mot.

Ce discours de Maciek ne fut pas du goût du Chambellan,
Les jeunes se mirent à murmurer ; le Juge interrompit les remous   400

---

[386] *Le général français fut envoyé en Pologne par Louis XV en 1770 pour soutenir la Confédération de Bar ; sa mission se solda par un échec.*
[387] *Les Piast furent la première dynastie à régner en Pologne, du 10ème au 14ème siècle.*
[388] *Le Duché de Varsovie constitué par Napoléon en 1807 comprenait des territoires qui avaient été sous tutelle prussienne et le duc de Varsovie était le roi de Saxe Frédéric-Auguste 1er.*
[389] *Voir les notes 123 et 326.*
[390] *Le lecteur devinera aisément par quel mot Matthieu aurait achevé son discours.*

En annonçant l'arrivée du troisième couple de fiancés.

C'était le Notaire : lui-même annonça son identité,
Personne ne l'avait reconnu. Jusqu'alors il avait porté l'habit polonais ;
Mais à présent Télimène, sa future femme, le contraint,
Contrat de mariage oblige, à renoncer au kontusz :
Et donc le Notaire, bon gré mal gré, s'était déguisé à la française[391].
Visiblement l'habit queue-de-pie lui avait enlevé la moitié de l'âme,
Il marche comme s'il avait avalé un bâton, raide, engoncé,
Tel une grue, ni à droite ni à gauche n'osant regarder,
L'air altier, mais trahissant la souffrance,   410
Ne sachant comment saluer, où mettre les mains,
Lui qui tant aimait gesticuler ! il porta les mains à la ceinture –
Pas de ceinture – il ne put que se caresser le ventre ;
Il perçut son erreur ; très confus, comme une écrevisse il rougit
Et cacha ses deux mains dans l'unique poche de son habit.
Il marche comme entre des verges, au milieu de murmures et quolibets,
Honteux de son habit, comme d'une vilaine action ;
Jusqu'à ce qu'il rencontre le regard de Maciek et tressaille de crainte.

Matthieu jusqu'alors en grande amitié avec le Notaire avait vécu,
A présent un regard si acéré et farouche il lui porte   420
Que le Notaire pâlit, se mit à se boutonner,
Pensant que Matthieu de ce regard allait lui arracher ses habits.
Dobrzyński se contenta de dire deux fois à voix haute : « Insensé ! »
Et à tel point se scandalisa du déguisement du Notaire
Qu'immédiatement de table il se leva et, sans saluer personne,
S'éclipsa, sur son cheval monta, et à son village rentra.

Cependant, du Notaire la belle amoureuse,
Télimène, à la ronde répand les feux de sa beauté
Et de sa tenue, à la dernière mode de la tête aux pieds.
La robe qu'elle avait, ce qu'elle portait sur la tête,   430

---

[391] La mode de se costumer à la française a sévi en province de 1800 à 1812. Les
plus nombreux étaient des jeunes qui changeaient leur tenue avant de se marier,
à la demande expresse de leur fiancée.

En vain on le décrirait, la plume est incapable de l'exprimer ;
Le pinceau à la rigueur eût pu dépeindre ces tulles, mousselines,
Dentelles, cachemires, perles et pierreries,
Ses joues rosées et son regard vif.

    Le Comte tout de suite la reconnut. Pâle d'étonnement,
Il se leva de table et cherchait son épée à son côté :
« C'est donc vous ! s'écria-t-il, ou mes yeux me trompent ?
Vous ? en ma présence, serrer le bras d'un autre ?
O créature infidèle, ô âme versatile !
Et de honte votre face ne cacherez-vous pas sous terre ?   440
De votre si récent serment si oublieuse vous êtes ?
O crédule que je suis ! pourquoi avoir porté ce ruban !
Mais malheur au rival qui ainsi m'outrage !
Par-dessus mon cadavre sans doute, il montera à l'autel ! »

    Les invités se levèrent, le Notaire sombra dans la confusion,
Le Chambellan se précipitait pour réconcilier les rivaux ;
Mais Télimène, prenant le Comte à part :
« Le Notaire, chuchota-t-elle, ne m'a pas encore épousée ;
Si cela vous gêne, répondez donc à cette question,
Mais tout de suite, clairement et nettement :   450
M'aimez-vous, votre cœur est-il resté le même,
Etes-vous prêt à m'épouser tout de suite,
Tout de suite, aujourd'hui ? si vous le voulez, je quitterai le Notaire ».
Le Comte dit : « O femme ! pour moi incompréhensible !
Avant dans vos sentiments vous étiez poétique,
Et à présent vous me paraissez tout à fait prosaïque !
Que sont vos mariages, sinon des fers
Qui n'enchaînent que les mains et non les âmes ?
Croyez-moi : il est des déclarations qu'on fait même sans parler ;
Des obligations qu'on a même sans être enchaîné !   460
Deux cœurs brûlant aux deux extrémités de la terre
Se parlent, comme les étoiles au travers de leurs rayons tremblants…
Qui sait ! peut-être est-ce pour cela que la terre vers le soleil
Est tant attirée, et que pour la lune elle est toujours si attirante,
Si bien qu'éternellement elles se regardent et par le plus court chemin

Courent l'une vers l'autre – mais sans pouvoir se rapprocher ![392] »
« Cela suffit, coupa-t-elle, je ne suis pas une planète
Dieu merci ; assez ! Comte : je suis une minette ;
Je connais la suite, arrêtez de me radoter tout et n'importe quoi.
Et maintenant je vous préviens : si un seul mot vous lâchez   470
Pour casser mon mariage, aussi vrai que Dieu existe,
Avec ces griffes je vous sauterai dessus
Et… » Le Comte dit : « Je ne vais pas gâcher votre bonheur »
Et détourna ses yeux pleins de tristesse et de mépris,
Et, afin de punir l'infidèle amante,
Pour objet de ses feux inextinguibles prit la fille du Chambellan.

Le Substitut voulait accorder les jeunes gens qui se disputaient
Par des exemples édifiants : il commença donc à ressortir
Son histoire du sanglier des bois de Naliboki
Et de la dispute entre Rejtan et le prince Denassów[393].   480
Mais les invités entretemps avaient fini de manger leurs glaces
Et sortirent dans la cour du château pour se rafraîchir.

Le village déjà finissait d'y festoyer : les pots d'hydromel circulent,
Les musiciens déjà se préparent et invitent à la danse.
Ils cherchent Thaddée, qui se tenait à l'écart
Et chuchotait quelque chose d'urgent à sa future femme.

« Sophie ! sur un sujet très important je dois

---

[392] *Magnifique expression poétique des lois de la gravitation universelle !*
[393] L'histoire du différend de Rejtan avec le prince De Nassau, restée inachevée
par le Substitut, est connue par la tradition. Nous donnons ici son dénouement à
l'intention du lecteur curieux : Rejtan, excédé par les vantardises du prince De
Nassau, se mit à ses côtés sur un passage de gibier ; un énorme sanglier mâle,
rendu furieux par les coups de feu et la traque, courait justement sur ce passage.
Rejtan arrache des mains du prince son fusil, jette le sien par terre, et se saisissant d'une lance, en tend une autre à l'Allemand, et dit : « On va voir maintenant
qui le mieux manie la pique ». Le sanglier déjà chargeait, quand le Substitut
Hreczecha, se trouvant à proximité, d'un coup de feu bien ajusté abattit l'animal.
Les seigneurs d'abord se fâchèrent, puis se réconcilièrent et généreusement ré-
compensèrent Hreczecha.

Vous consulter : j'ai déjà interrogé mon oncle, il n'est pas contre.
Vous savez qu'une part importante des villages devant m'appartenir,
Selon le droit devraient vous revenir.   490
Ces paysans ne sont pas à moi, mais à vous sont asservis :
Je n'oserais en disposer sans la volonté de leur maîtresse.
A présent que nous avons une Patrie bien-aimée,
De cet heureux changement les villageois profiteront-ils
Uniquement par un changement de maître ?
C'est vrai que jusqu'à ce jour avec douceur ils ont été traités.
Mais après ma mort, Dieu sait à qui je les laisserai.
Je suis un soldat, tous les deux nous sommes mortels,
Je suis un homme, moi-même mes propres caprices je redoute :
J'agirai plus prudemment en renonçant à mon pouvoir   500
Et entre les mains de la loi remettant le sort des villageois.
Libres nous-mêmes, rendons les libres aussi, nos villageois.
Donnons-leur en héritage la propriété de la terre
Sur laquelle ils sont nés, que par leur sanglant labeur
Ils ont conquise, et dont ils nourrissent et enrichissent tout le monde.
Mais je dois vous avertir que la remise de ces terres
Diminuera notre revenu, qu'il nous faudra vivre modestement.
Moi j'ai l'habitude d'une vie économe depuis mon enfance ;
Mais vous, Sophie, vous êtes de naissance noble,
Dans la capitale[394] vous avez passé vos jeunes années :   510
Serez-vous d'accord pour vivre à la campagne, loin du monde !
Comme une femme de hobereau ! »

          A cela Zosia modestement répondit :
« Je suis une femme, commander n'est pas de mon ressort.
C'est vous qui serez le mari : je suis jeune pour donner un avis,
Ce que vous déciderez, de tout cœur je l'accepterai !
Si en affranchissant les villages vous devenez plus pauvre,
Vous n'en serez, Thaddée, que plus cher à mon cœur.
De ma naissance je sais peu de chose et n'en ai cure ;
Je me souviens seulement d'avoir été pauvre orpheline,
Que les Soplica m'ont adoptée comme leur fille,   520

---

[394] *A Saint-Pétersbourg.*

Que chez eux ils m'ont élevée et mariée.
La campagne ne me fait pas peur. Si dans une grande ville j'ai vécu,
C'était il y a longtemps, je l'ai oublié, la campagne j'ai toujours aimée ;
Et croyez-moi, mes petites poules et coqs
Davantage m'amusaient que ces Pétersbourgeoises.
Si aux distractions, à la société, il m'est arrivé de rêver,
C'est par enfantillage ; je sais maintenant que la ville m'ennuie ;
Je me suis convaincue, après mon court séjour cet hiver
A Wilno, que j'étais née pour vivre à la campagne :
Au milieu des distractions, j'aspirais au retour à Soplicowo.   530
Du travail non plus je n'ai pas peur, car jeune et en bonne santé je suis,
Je sais tenir une maison, on peut me confier ses clés ;
Vous verrez comment de la ferme j'apprendrai les secrets ! »

    Lorsque Zosia achevait ses dernières phrases,
Gerwazy s'approcha d'elle, étonné et faisant la tête :
« Je sais ! dit-il, le Juge m'a déjà parlé de cette liberté !
Mais je ne comprends pas le rapport avec les villageois !
J'ai peur qu'il n'y ait là quelque teutonnerie !
La liberté n'est-elle pas affaire de gentilhomme, et non de paysan !
C'est vrai que tous nous descendons d'Adam,   540
Mais j'ai entendu que les paysans descendent de Cham,
Les Juifs de Japhet et nous les gentilshommes de Sem,
Et donc en tant qu'aînés nous régnons sur les deux autres.
C'est vrai que le curé, en chaire enseigne autrement…
Il dit que c'était ainsi dans l'Ancien Testament,
Mais comme le Christ, bien que descendant de rois,
Chez les Juifs dans une étable paysanne est né,
Il a depuis mis à égalité et réconcilié toutes les conditions ;
Qu'il en soit donc ainsi, s'il ne peut en être autrement !
Surtout si, comme je l'entends, vous aussi mon Illustre   550
Maîtresse, Sophie, vous acceptez tout cela ;
A vous de commander, à moi d'obéir : vous êtes souveraine.
Mais prenez garde, qu'on n'accorde pas une liberté
Vide et verbale uniquement, comme du temps des Moscales,

Quand feu monsieur Karp affranchit ses villageois[395],
Et le Moscale les affama en triplant leurs impôts.
Je vous conseille donc que suivant l'ancienne coutume les paysans
Soient ennoblis et que nous déclarions leur avoir accordé notre blason.
A certains villages vous donnerez le Demi-caprin,
A d'autres le seigneur Soplica accordera sa Leliwa[396].   560
Alors Rębajło lui aussi reconnaîtra que le paysan lui est égal,
Quand il le verra ennobli, magnifié, blasonné.
La diète le confirmera.

                    « Et que votre mari n'ait crainte
Que la remise des terres beaucoup vous appauvrisse :
Dieu ne permettra pas que les menottes d'une fille de dignitaire
Je les voie abimées par les travaux de la terre.
Il y a une solution. – Au château je sais un certain coffre,
Dans lequel se trouve la vaisselle des Horeszko,
Et aussi toute sorte de bagues, colliers de pierres précieuses, bracelets,
Riches cimiers, harnais, sabres merveilleux.   570
Le petit trésor du Sénéchal, en terre dissimulé pour le protéger du vol,
A Madame Sophie appartient, en tant qu'héritière ;
Au château je l'ai surveillé comme la prunelle de mes yeux,
De peur des Moscales et de vous, la famille Soplica.
J'ai aussi un petit sac assez bien rempli de mes propres deniers,
Venant de mes services, et aussi de dons de monseigneur.
Je pensais, lorsque le château nous serait rendu,

---

[395] Le régime de Moscou ne reconnaît pas de personnes libres à l'exception des gentilshommes. Les villageois affranchis par leurs propriétaires sont immédiatement inscrits sur les registres des biens de la maison impériale et, au lieu de la corvée seigneuriale, sont redevables d'un impôt augmenté. On sait qu'en 1818 les citoyens du gouvernorat de Wilno adoptèrent lors d'une diétine un projet d'affranchissement de tous les villageois et désignèrent une délégation qu'ils envoyèrent à cet effet à l'empereur ; mais le gouvernement ordonna de renoncer au projet et de ne plus jamais y revenir. Il n'y avait pas d'autre moyen d'affranchir quelqu'un sous le régime russe que de l'adopter dans sa famille. Et c'est pourquoi beaucoup ont été ennoblis, à titre gracieux ou onéreux.
[396] *Voir la note 22 pour le Demi-caprin et la note 364 pour la Leliwa.*

Employer cet argent à la restauration des murs ;
Au nouveau ménage aujourd'hui au besoin il peut s'avérer utile ; --
Et donc, Seigneur Soplica, je m'installe chez vous,   580
Je vivrai chez ma Maîtresse, à sa bonne grâce,
Et berçant des Horeszko la troisième génération,
J'exercerai au canif l'enfant de ma Maîtresse,
Si c'est un fils – et un fils ce sera, car la guerre se prépare,
Et en temps de guerre naissent toujours des fils ».

     A peine Gerwazy avait-il prononcé les derniers mots,
Que Protazy s'approcha d'un pas grave,
S'inclina, et de l'intérieur de son kontusz sortit
Un énorme panégyrique écrit sur deux feuillets et demi.
Un jeune sous-officier l'avait composé en vers,   590
Qui naguère dans la capitale des odes célèbres avait écrites ;
Il avait ensuite revêtu l'uniforme, mais à l'armée aussi le littérateur
Des vers fabriquait. – Déjà l'Huissier en avait lu trois cents,
Lorsqu'il parvint à cet endroit : « O toi, dont les charmes
Eveillent une joie douloureuse et des souffrances voluptueuses !
Lorsque sur l'armée de Bellone[397] tu tourneras ton beau visage,
Les lances aussitôt se briseront et les boucliers se fendront !
Par Hymen, aujourd'hui dompte Mars ; à la rude hydre des discordes
Que ta main arrache les serpents qui lui sifflent sur la tête ! » --
Thaddée et Sophie ne cessaient d'applaudir,   600
Feignant d'apprécier, en fait ne voulant pas en écouter davantage.
Déjà sur l'ordre du Juge le Curé sur la table était monté
Et aux villageois la volonté de Thaddée annonçait.

     A peine ses sujets avaient-ils entendu la nouvelle,
Vers leur Maître ils bondirent, tombèrent aux pieds de leur Maîtresse,
« Santé à nos Maîtres » crièrent-ils en pleurant ;
Thaddée cria : « Santé à nos concitoyens,
Libres, égaux – Polonais » -- « Je porte un toast à la santé du Peuple,
Dit Dąbrowski ; le peuple s'écria : « Vive les Chefs,
Vive l'Armée, vive le Peuple, vive tous les Etats ! »   610

---

[397] *Déesse de la guerre chez les Romains.*

Des milliers de voix « Santé ! » tonnaient à tour de rôle.

    Seul Buchman ne daignait pas partager leur joie ;
Il trouvait le projet pertinent, mais eût souhaité l'amender,
Et d'abord désigner une commission légale,
Qui aurait... Le manque de temps empêcha
De donner suite à la proposition de Buchman.

    Car dans la cour du château déjà par couples s'étaient rangés
Les officiers avec les dames, la troupe avec les villageoises.
« Une Polonaise ! » crièrent tous à l'unisson.
Les officiers font venir l'orchestre militaire ;   620
Mais monsieur le Juge dit à l'oreille du Général :
« Commandez que l'orchestre encore patiente.
Vous savez qu'aujourd'hui ont lieu les fiançailles de mon neveu,
Et il est une vieille coutume dans notre famille
De se fiancer et se marier au son d'une musique campagnarde.
Voyez, il y a les joueurs de cymbalum, de violon, et de cornemuse,
De braves musiciens ; déjà le violoneux fait la grimace,
Et le joueur de cornemuse s'incline et implore des yeux :
Si je les renvoie, les pauvres vont pleurer ;
Le peuple avec une autre musique ne saura gambiller,   630
Que ceux-ci commencent ; que le peuple lui aussi un peu s'amuse ;
Ensuite nous écouterons votre distingué orchestre ».
Il donna le signal.

    Le violoneux retroussa les manches de sa tunique,
Empoigna fermement le manche, s'appuya le menton sur la table
Et lâcha l'archet sur son violon comme un cheval dans une course.
A ce signal les joueurs de cornemuse qui étaient à côté,
Comme s'ils battaient des ailes, par un fréquent mouvement des bras
Soufflent dans les sacs de leurs instruments et gonflent leurs joues ;
On dirait que ce couple va s'envoler
Pareil aux rejetons joufflus de Borée[398].   640
Il manquait le cymbalum.

---

[398] *Dieu personnifiant le vent du nord chez les Grecs.*

Il y avait beaucoup de cymbalistes,
Mais aucun d'eux n'osait jouer en présence de Jankiel.
(Jankiel pendant tout l'hiver était on ne sait où,
A présent avec l'état-major général de l'armée soudain il apparut).
Tous savent que personne sur cet instrument
En virtuosité, finesse et talent ne peut lui faire concurrence.
On le prie de bien vouloir jouer, on lui tend le cymbalum ;
Le Juif se défend, dit que ses mains ont gonflé,
Qu'il a perdu l'habitude, n'ose pas et a honte devant les seigneurs ;
S'inclinant, il se dérobe. Voyant cela, Zosia   650
Accourt : de sa main blanche elle lui tend
Les mailloches, avec lesquelles le maître d'habitude frappe les cordes ;
L'autre main caresse du vieillard la barbe blanche
Et avec une révérence, elle dit : « Jankiel, s'il te plaît !
Ce sont mes fiançailles : joue donc un peu, Jankiel !
N'as-tu pas maintes fois promis de jouer à mon mariage ? »

Jankiel adorait Zosia : il fit un signe du menton
Montrant qu'il ne refusait pas ; ils le conduisent donc au centre,
Lui proposent un fauteuil ; il s'assoit, on apporte le cymbalum,
Le lui installe sur les genoux, lui le regarde avec plaisir   660
Et fierté ; tel un vétéran rappelé pour servir,
Quand ses petits-enfants sa lourde épée décrochent du mur,
Le vieillard rit, certes l'épée depuis longtemps il n'a pas tenue,
Mais il sent que l'arme par sa main ne sera pas encore déçue.

Entretemps deux élèves près du cymbalum s'agenouillent,
Ses cordes réaccordent et l'essaient en le faisant vibrer :
Jankiel, les yeux mi-clos,
Reste silencieux et dans ses doigts tient les mailloches immobiles.

Il les abaisse. D'abord majestueusement les frappant en cadence,
Il cingle ensuite les cordes plus rapidement, comme une pluie battante ;
[670
Tous s'émerveillent. – Mais ce n'était qu'un essai,
Car bientôt il s'arrête et ses deux mailloches relève.

De nouveau il joue. Déjà les mailloches si légèrement frémissent
Qu'on croirait qu'une aile de mouche sur la corde a tinté,
Emettant, à peine audibles, de légers bourdonnements.
Le maître continuait à regarder le ciel, attendant l'inspiration.
Du haut il regarda, d'un œil plein de fierté embrassa son instrument,
Leva les bras, les abaissa ensemble, frappant de ses deux mailloches :
Les auditeurs furent stupéfaits. –

              Les nombreuses cordes ensemble frappées
Font exploser leurs sons, comme si tout un orchestre de janissaires 680
Faisait retentir ses grelots, cymbales et tambourins :
Résonne la Polonaise du Trois Mai ! Les notes entraînantes
Respirent la joie, de joie abreuvent l'oreille ;
Les filles veulent danser, les garçons ne tiennent pas en place.
Mais, avec cette mélodie, les pensées des aînés vers le passé s'envolent,
Vers ces heureuses années, où le sénat et les députés,
Après le Trois Mai[399], dans la salle de l'hôtel de ville
Solennellement accueillaient le roi réconcilié avec la nation ;
Lorsqu'en dansant on chantait : « Vive le roi bien-aimé !
Vive la Diète, vive la Nation, vive tous les Etats ! »   690

       Le maître à présent accélère le tempo et amplifie les sons ;
Et voilà qu'il lâche une fausse note, pareille au sifflement d'un serpent,
Au crissement du fer sur du verre : il les fait tous tressaillir
Et gâte leur allégresse par un sinistre pressentiment.
Attristés, les auditeurs terrorisés tombent dans le doute,
L'instrument est-il désaccordé ? le musicien s'est-il trompé ?
Un maître de cette trempe ne se trompe pas ! Exprès il frappe
Constamment sur cette corde traîtresse, trouble la mélodie,
En plaquant de plus en plus fort cet accord courroucé,
Tout entier contre l'harmonie des tons confédéré :   700
Jusqu'à ce que le Porte-clés comprît le maître, couvrît des mains sa face
Et s'écriât : « Je connais, je connais cette voix ! c'est Targowica[400] ! »

---

[399] *Le 3 mai 1791, date de l'adoption de la première constitution polonaise ;
l'anniversaire de cette date est aujourd'hui jour de fête nationale en Pologne.*
[400] *Voir la note 158 à propos de la Confédération de Targowica.*

Et bientôt dans un sifflement expira la corde de mauvais augure ;
Le musicien court vers les aigus, hache le rythme, jette le trouble,
Délaisse les aigus, avec ses mailloches court vers les basses :

On entend des milliers de bruits de plus en plus forts,
Le cadencement des pas, la guerre, l'attaque, l'assaut, les coups de feu,
Les plaintes des enfants, les pleurs des mères. Le maître si parfaitement
Sut rendre l'horreur de l'assaut que les villageoises tremblaient,
Se rappelant avec des larmes douloureuses   710
Le carnage de Praga[401] connu d'elles par les chansons et les histoires,
Soulagées qu'enfin le maître toutes les cordes
Fît tonner et toutes ces voix étouffât, comme s'il les enfouissait.

A peine les auditeurs eurent-ils le temps de revenir de leur stupeur
Qu'à nouveau la musique change – d'abord encore un bourdonnement
Léger et silencieux, quelques cordes émettent une plainte ténue,
Comme quelques mouches qui s'extrairaient d'une toile d'araignée.
Mais leur nombre de plus en plus augmente. Déjà leurs tons dispersés
Se rassemblent et constituent des légions d'accords,
Et déjà en cadence elles déroulent leurs sons harmonisés,   720
Formant la plaintive mélodie de cette célèbre chanson :
O soldat, par monts et par vaux comme un vagabond
Allant, parfois de misère et de faim mourant,
Pour finir par tomber aux pieds de son fidèle cheval,
Et le cheval de son sabot une tombe lui creuse.
Une vieille chanson, si chère au cœur de l'armée polonaise !
Les soldats la reconnurent ; la troupe se regroupa
Autour du maître ; ils écoutent, se rappellent
Ces temps affreux où sur la tombe de la Patrie
Cette chanson ils entonnèrent et partirent aux confins du monde ;   730
Ils évoquent leurs longues années d'errance,
Sur terre, sur mer, dans les sables brûlants et les glaces,
Au milieu de peuples étrangers, où souvent dans le camp
Les réjouissait et attendrissait ce chant national.
Ainsi plongés dans leurs pensées, tristement ils baissèrent la tête.

---

[401] *Voir la note 34.*

Mais ils ne tardèrent pas à la relever, car le maître hausse les tons
Les rend plus intenses, change de tempo : autre chose il annonce.
Et de nouveau il regarda de haut, toisa les cordes de son regard,
Joignit les mains, avec les deux frappa de ses deux mailloches réunies ;
Le coup était si bien donné, était si puissant,   740
Que les cordes résonnèrent telles des trompettes d'airain,
Et de ces trompettes vers le ciel s'envola l'air bien connu,
La marche triomphale : « La Pologne n'a pas encore péri !
Marche Dąbrowski vers la Pologne ! » -- Et tous d'applaudir,
Et tous de reprendre en chœur le « Marche Dąbrowski »[402] !

Le musicien, comme si lui-même s'étonnait de son concert,
Laissa tomber ses mailloches, leva les bras au ciel ;
Sa coiffe de renard lui tomba sur les épaules,
Sa barbe gravement relevée flottait au vent,
Sur les joues il avait des cercles d'une étrange rougeur,   750
Dans son regard inspiré brillait une passion juvénile.
Si bien que lorsque le vieillard vers Dąbrowski tourna le regard
Et se cacha les yeux de ses mains, un ruisseau de larmes s'en déversa :
« Général, dit-il, notre Lituanie longtemps vous
A attendu, longtemps, comme nous les Juifs le Messie,
Depuis longtemps parmi le peuple vous ont prophétisé
Les chantres, le ciel vous a annoncé par un miracle,
Vivez et guerroyez, ô Vous, notre ! … » Il sanglotait tout en parlant :
Ce brave Juif aimait la Patrie comme un Polonais !
Dąbrowski lui tendit la main et le remercia,   760
Lui, se découvrant, la main du chef baisa.

Il est temps de commencer la Polonaise. – Le Chambellan s'avance,
Et rejetant légèrement les manches de son kontusz,
Tortillant sa moustache, il tend le bras à Zosia,
Et poliment s'inclinant l'invite au premier rang.
Derrière lui l'assistance en couples se range ;
On donna le signal, la danse commence – lui en tête.

_____

[402] *Paroles de l'hymne national polonais.*

Sur le gazon reluisent ses bottes rouges,
Sa karabela étincelle, sa splendide ceinture brille,
Et lui doucement avance, comme avec détachement ;   770
Mais sur chacun de ses pas, chacun de ses mouvements,
Du danseur on peut lire les pensées et les sentiments.
Il s'est arrêté, comme s'il voulait interroger sa cavalière,
Vers elle il incline la tête, veut lui chuchoter quelque chose à l'oreille ;
Pudique, la cavalière sans écouter détourne la tête ;
Il a ôté sa konfederatka, s'incline humblement,
La cavalière a daigné lui jeter un regard, mais s'obstine à se taire ;
Lui ralentit le pas, des yeux suit son regard,
Et finit par rire – heureux de sa réponse,
Il avance plus vite, regarde de haut ses rivaux   780
Et sa konfederatka ornée de plumes de héron,
Soit la descend sur son front, soit la rejette vers l'arrière,
Pour enfin sur le côté l'incliner et tortiller sa moustache.
Il avance ; tous l'envient ; s'empressent sur ses pas ;
Lui serait bien aise de s'éclipser du groupe avec sa cavalière ;
Parfois il s'arrête sur place, poliment lève le bras,
Et les prie humblement de passer devant ;
Parfois il imagine de se dévier habilement sur le côté,
Change de direction, désireux de semer ses compagnons,
Mais à pas rapides les importuns le poursuivent   790
Et de partout l'enveloppent de volutes dansantes ;
Alors il se fâche, porte sa dextre à la poignée de son sabre,
Comme s'il disait : « De vous je n'ai cure, malheur aux jaloux ! »
Le front hautain et l'œil plein de défi il se retourne
Droit vers la foule ; la foule des danseurs n'ose lui tenir tête,
Lui cède le passage et changeant de formation,
A nouveau à sa poursuite se lance. --

                              De partout on entend s'exclamer :
« Ah, c'est peut-être le dernier ! regardez, regardez les jeunes,
C'est peut-être le dernier à conduire ainsi la Polonaise ! » --
Et l'un après l'autre les couples défilaient, superbes et joyeux, 800
Le cercle se déroulait, puis s'enroulait à nouveau,
Comme un énorme serpent, se fragmentant en mille enroulements ;

Elles chatoient, les couleurs mouchetées et variées des tenues
Des dames, des messieurs, des soldats, comme des écailles brillantes
Que dorent les rayons du soleil couchant
Et que le fond de sombre gazon fait ressortir.
La danse bat son plein, ainsi que la musique, les bravos et les vivats !

   Seul le caporal Dobrzyński le Benêt, ni l'orchestre
N'écoute, ni ne danse, ni ne s'amuse,
Les mains dans le dos il se tient, de mauvaise humeur et lugubre,   810
Pensant à ses anciens flirts avec Zosia :
Combien il aimait lui apporter des fleurs, lui tresser des paniers,
Dévaliser les nids d'oiseau, faire des boucles d'oreilles.
L'ingrate ! Pour elle il avait dépensé tant de beaux cadeaux,
Même si devant lui elle fuyait, même si son père le lui avait interdit !
Lui persistait ! combien de fois s'asseyait-il sur la clôture
Pour la voir par la fenêtre, se glissait-il dans le chanvre
Pour la voir désherber ses plates-bandes,
Cueillir ses concombres ou nourrir ses petits coqs !
L'ingrate ! Il baissa la tête et pour finir sifflota   820
Une mazurka ; puis s'enfonça son shako sur les oreilles
Et partit dans le camp, où l'on montait la garde près des canons ;
Là pour se distraire il engagea une partie de « drużbart »[403]
Avec des soudards, adoucissant son chagrin le verre à la main.
Telle était la constance de Dobrzyński pour Zosia.

   Zosia danse joyeusement : mais, bien que dans le couple de tête,
A peine la distingue-t-on de loin. Dans le vaste espace
De la cour envahie par la végétation, en robe verte,
Ornée de guirlandes et de fleurs couronnée,
Au milieu de la verdure et des fleurs elle tourne, invisible oiseau,   830
Menant la danse comme l'ange fait tourner les étoiles de la nuit.
On devine où elle se trouve : car vers elle se tournent les yeux,
Se tendent les bras, autour d'elle se concentre l'agitation.

---

[403] *Jeu de cartes en vogue au 18ème siècle, d'origine allemande (Cf. Brusbart) ;
il était encore pratiqué au siècle suivant, principalement dans les milieux populaires.*

En vain le Chambellan s'échine-t-il à rester à ses côtés :
Les jaloux déjà du premier couple l'ont évincé ;
Le chanceux Dąbrowski lui aussi peu de temps se réjouit,
A un autre il dut la céder ; et déjà un troisième s'empressait,
Et lui aussi immédiatement évincé, sans espoir s'éloigna.
Jusqu'à ce que Zosia, déjà bien fatiguée, à son tour rencontrât
Thaddée, et craignant de devoir encore changer,   840
Auprès de lui voulant rester, s'arrêtât de danser.
Vers la table elle se dirige, pour servir à boire aux invités.

    Le soleil déjà s'éteignait, la soirée était douce et tranquille,
Le firmament tapissé çà et là de petits nuages
Bleuissant dans les hauteurs, rosissant au couchant ;
Ces petits nuages annoncent le beau temps ; légers et brillants,
Ils dorment là-bas comme des troupeaux de moutons sur l'herbe,
Un peu plus menus par endroits, comme des vols de sarcelles ;
A l'ouest une nuée, telle un rideau vaporeux,
Transparent, plissé, nacré en surface,   850
Doré sur les bords et couleur pourpre en profondeur,
Achevait de se consumer à la lumière du couchant,
Jusqu'à peu à peu jaunir, pâlir et griser.
Le soleil baissa la tête, referma le rideau nébuleux,
Et avec un seul soupir de brise tiède – s'endormit.

    Les gentilshommes continuent à boire et lancer des vivats,
A Napoléon, aux Chefs, à Thaddée, à Zosia,
Et enfin à tour de rôle aux trois couples de fiancés,
A tous les invités présents et absents,
A tous les amis, les vivants pour autant qu'on s'en souvienne,   860
Et les morts dont la mémoire est restée sacrée !

    Moi aussi là-bas j'étais avec les invités, vin et hydromel j'ai bu,
Et ce que j'ai vu et entendu, dans ces livres je l'ai inclus.

Fin

[EPILOGUE][404]

---

[404] *Cet épilogue, dont la rédaction est restée à l'état de premier jet, était destiné à Kazimierz Brodziński, poète lyrique, pédagogue et journaliste, patriote slavophile, auteur d'élégies et de pastorales inspirées du folklore local, qui s'opposa au romantisme révolutionnaire. Cet ajout ne figurait pas dans la première édition de « Pan Tadeusz », publiée à Paris en 1834.*

A quoi penser sur les trottoirs de Paris,
Quand de la ville on ramène des oreilles pleines de tapage,
De malédictions et de mensonge, de résolutions intempestives,
De regrets trop tardifs, de querelles stigmatisantes ? ...[405]

Malheur à nous, fuyards, pour avoir au moment de la peste[406]
A l'étranger emporté nos têtes craintives !
Car où qu'elles soient allées, de l'effroi elles étaient précédées,
En chaque voisin un ennemi elles trouvaient,
Jusqu'à ce qu'en des fers étriqués on nous enchaînât
Et nous demandât de rendre l'âme au plus vite[407].   10

Quand ce monde pour les plaintes n'a point d'oreille,
Quand à chaque instant les épouvante une nouvelle
Venue de Pologne telle un son de cloche funèbre,
Quand leurs gardiens un prompt décès leur souhaitent,
Leurs ennemis tels des fossoyeurs de loin les attirent !
Quand même dans le ciel ils ne voient d'espoir !
Pas étonnant que les hommes, le monde, se rendront abjects,
Qu'ayant perdu la raison dans de longues souffrances,
Ils se crachent dessus et se dévorent les uns les autres !

———————————————————

[405] *Echo de l'ambiance régnant parmi les membres de l'émigration polonaise après l'échec de l'insurrection de 1830-1831.*
[406] *Le choléra sévissait en 1831 dans le Royaume du Congrès (partie de la Pologne sous tutelle russe, créée par le Congrès de Vienne de 1815).*
[407] *Allusion aux dispositions de la Monarchie de Juillet faisant végéter dans des dépôts de province (Avignon, Bergerac, Aurillac, Guéret, Lunel...) les militaires polonais émigrés.*

***

J'ai voulu éviter, oiseau de petite envergure,   20
Eviter les zones d'averses et d'orages[408]
Et ne rechercher que l'ombre et le beau temps,
Mes années d'enfance, mes enclos domestiques...

***

Seul bonheur : pouvoir, à l'heure grise,
Avec quelques amis s'asseoir devant une cheminée,
Fermer la porte aux vacarmes de l'Europe,
S'extraire par la pensée vers les temps heureux
Et méditer, penser à son pays...

Mais à ce sang, qui récemment a coulé,
A ces larmes qui toute la Pologne inondent,   30
A la gloire dont le bruit ne s'est pas encore éteint :
Y penser – nous n'en avions pas le cœur...
Car la nation une telle torture endure,
Que lorsque vers sa souffrance elle tourne le regard,
Même l'Audace baisse les bras.

Ces générations noires de deuils,
Cet air chargé d'imprécations,
Là-bas – la pensée n'osait diriger ses vols,
Dans cette zone d'orages, même aux oiseaux horrible.

O Mère Pologne ! Toi si récemment au tombeau   40
Déposée – la force nous manque pour parler de toi !...
Ah ! quelle bouche osera se vanter
De trouver aujourd'hui ce mot magique
Qui attendrit le désespoir de marbre,
Qui des cœurs soulèvera le couvercle de pierre,

---

[408] *Allusion à l'insurrection polonaise de 1830-1831.*

Asséchera des yeux de tant de larmes chargés,
Et fera que ces larmes se tariront ?
Avant que cette bouche n'existe, un siècle s'écoulera.

Un jour – quand de la vengeance les rugissements léonins se tairont,
Le son de la trompe retentira, des armées les rangs se briseront,   50
Quand nos aigles volant à la vitesse de l'éclair
Sur l'ancienne frontière de Chrobry[409] descendront,
Lorsqu'ils auront leur content de chair et de sang,
Et enfin leurs ailes replieront pour se reposer ;
Quand l'ennemi son dernier cri de douleur lancera,
Fera silence, et au monde sa liberté proclamera –
Alors – couronnés de feuilles de chêne,
Abandonnant leurs glaives, sans armes s'assoiront
Nos chevaliers, et voudront bien écouter des chansons ![410]
Quand le monde alors notre sort enviera,   60
Ils auront le temps d'écouter parler du passé !
Alors une larme ils verseront sur le sort de leurs pères,
Et cette larme alors ne souillera pas leur visage.

Pour nous aujourd'hui, du monde hôtes clandestins,
Dans tout notre passé et tout notre avenir,
Il ne reste qu'un seul pays susceptible
D'apporter un peu de bonheur au Polonais :
Le pays de son enfance ! Ce pays toujours restera
Sacré et pur, comme un premier amour,
Non perturbé par le souvenir des fautes,   70
Non miné par l'illusion de l'espoir
Ni changé par le cours des évènements.

---

[409] *Boleslas 1er le Vaillant (« Chrobry ») fut le premier prince polonais couronné roi de Pologne (en 1025). Il mena une active politique d'unification et de conquête de territoires vis-à-vis du Saint-Empire germanique et de la Ruś kiévienne.*
[410] *Allusion aux reproches que Mickiewicz formulait parodiquement dans les « Les Aïeux III » (1832) à l'encontre des thèses de Brodziński, le premier étant partisan d'un romantisme de combat, le second d'un romantisme pastoral et volontiers passéiste.*

Ce pays j'aimerais le saluer en pensée,
Là où rarement j'ai pleuré, et jamais grincé des dents,
Ce pays de mon enfance, où le monde
Je parcourais comme une prairie, ne retenant que les fleurs
Mignonnes et belles, abandonnant les toxiques,
Ne jetant aucun regard sur les utiles.

   Ce pays heureux, pauvre et exigu,
De même que le monde est à Dieu, lui était à nous !   80
Oui, toute chose là-bas nous appartenait,
Je me souviens si bien de tout ce qui nous entourait :
Depuis le tilleul dont la magnifique frondaison
Aux enfants de tout le village de l'ombre procurait,
Jusqu'au moindre ruisseau, caillou,
Oui, chaque recoin de terre nous était familier
Jusqu'à la frontière – jusqu'aux maisons des voisins !
Et si parfois le Moscale lui aussi se montrait,
Le seul souvenir qu'il nous a laissé,
C'est qu'un uniforme brillant et joli il portait :   90
Car le serpent nous ne le connaissions que par sa peau.
Et de ce pays seulement les citoyens,
Nos uniques et fidèles amis sont restés,
Les seuls alliés sûrs, jusqu'à ce jour !
Car qui y habitait ? – Une mère, des frères, des parents,
Des voisins bienveillants... Celui qui parmi eux venait à manquer,
Comme de lui là-bas fréquemment on parlait !
Que de souvenirs, quel long chagrin !
Là-bas, où le serviteur à son maître est plus attaché
Que dans d'autres pays l'épouse à son mari,   100
Là où le soldat plus longtemps regrette son arme
Qu'ici un fils son père ; là où un chien plus sincèrement on pleure,
Et plus longtemps, qu'ici le peuple un héros[411].

***

---

[411] *Allusion à Napoléon ?*

Et mes amis alors à mes propos s'associèrent,
Et pour alimenter mon poème mot après mot me soufflèrent :
Comme ces grues de la fable, de l'île sauvage
Au printemps survolant le palais enchanté
Et entendant la plainte sonore du garçon envoûté,
Chacune une plume au garçon laissa tomber
Qui s'en fit des ailes et chez les siens s'en retourna...   110

***

Ah, si assez longtemps je pouvais vivre pour avoir cette consolation
Que ces livres sous des toits de chaume s'égarent,
Que des villageoises, tournant leurs rouets,
Après avoir chanté leurs couplets préférés
A propos de cette jeune fille qui aimait tant la musique
Qu'elle en perdit ses oies en jouant du violon,
A propos de cette orpheline qui, belle comme l'aurore,
Allait le soir rassembler ses oies,
Si à la fin elles pouvaient prendre en main
Ces livres, simples comme leurs chansons !   120

C'est ainsi que de mon temps, à l'occasion d'une fête campagnarde,
Sous le tilleul parfois on lisait, dans l'herbe,
Un poème à propos de Justine[412], un conte à propos de Wiesław[413].
Et, sommeillant près de la petite table, monsieur l'intendant
Ou l'économe, ou même le maître de maison,
N'interdisaient pas la lecture et consentaient eux-mêmes à écouter,
Aux plus jeunes expliquant les choses trop difficiles,
Applaudissant à ce qui était beau et pardonnant les erreurs.

Et la jeunesse enviait la gloire des poètes,
Qui là-bas jusqu'à ce jour dans les forêts et les champs retentit,   130
Et pour qui plus précieuse que le laurier du Capitole

---

[412] *Sans doute un poème de Karpiński, composé vers 1760.*
[413] *Pastorale publiée en 1820 par Brodziński (voir la note 404).*

Est la couronne par les mains d'une villageoise tressée,
De bleuets bleu profond et de rue[414] verte assemblée.

Paris, printemps 1834

---

[414] *Voir la note 354.*

QUELQUES REGLES DE PRONONCIATION

Voyelles

- e et o sont toujours ouvertes et se prononcent respectivement *è* et *ô*
- u se prononce *ou* (le son u français n'existe pas en polonais)
- ó se prononce également *ou*
- y se prononce *é*
- a et e se nasalisent respectivement en ą (*an* ou *on*) et ę (*in, en* ou *em*)

Consonnes

- c, ć, cz se prononcent respectivement *tse, tchie, tche*
- ch se prononce *he* fortement aspiré
- g est toujours guttural : *gue*
- h est toujours fortement aspiré
- j se prononce *ie*
- ł (l barré) se prononce *oue*
- ń se prononce *nie* (ou *gne*)
- r est roulé
- rz se prononce *je*
- s est toujours dur, ś ou si , sz se prononcent respectivement *chie* et *che*
- w se prononce toujours *v* (le v n'existe pas en polonais)
- ź ou zi, ż se prononcent respectivement *jie* et *je*

Accentuation

Elle porte presque toujours sur l'avant-dernière syllabe.

Quelques exemples

- Pan Tadeusz (Messire Thaddée) : *Pann Tadèouch*
- Zosia (la petite-fille du Sénéchal) : *Zôchia*
- Jacek Soplica (le père de Thaddée) : *Iatsèk Sôplitsa*
- Gerwazy Rębajło (le Porte-clés) : *Guèrvazé Rembaïouo*
- Protazy Brzechalski (l'Huissier) : *Prôtazé Bjèhalski*
- Hreczecha (le Substitut) : *Hrètchèha*
- Hreczeszanka (la fille de Hreczecha) : *Hrètchèchannka*

- Horeszko (famille du Sénéchal, du Comte et de Zosia) : *Hôrèchkô*
- Jankiel (l'aubergiste juif) : *Iannkièl*
- Maciej Dobrzyński (le chef des petits nobles) : *Matchièï Dôbjé(gn)ski*
- Płut (le Major) : *Pout*
- Ryków (le Capitaine) : *Rékouv*
- Róża (Rose, une des deux filles du Chambellan) : *Rouja*

TABLE DES ILLUSTRATIONS

TABLE DES MATIERES

Editeur : BoD – Books on Demand
12/14 rond-point des Champs Elysées
75008 Paris, France
Impression : BoD – Books on Demand, Norderstedt, Allemagne
ISBN : 978-2-322-25275-6
Dépôt légal : décembre 2020

FSC
www.fsc.org
MIXTE
Papier issu
de sources
responsables
Paper from
responsible sources
FSC® C105338